KB133548

우리 문화재 수난일지 7

우리 문화재 수난일지 7

2016년 11월 27일 초판 1쇄 인쇄
2016년 11월 30일 초판 1쇄 발행

글쓴이 정규홍
펴낸이 권혁재

편집 김경희
출력 CMYK
인쇄 한일프린테크

펴낸곳 학연문화사
등록 1988년 2월 26일 제2-501호
주소 서울시 금천구 가산동 371-28 우림라이온스밸리 B동 712호
전화 02-2026-0541~4
팩스 02-2026-0547
E-mail hak7891@chol.net

책값은 뒷표지에 있습니다.
잘못된 책은 바꾸어 드립니다.

ISBN 978-89-5508-360-6 94910
ISBN 978-89-5508-353-8 (SET)

우리 문화재 수난일지

7

정규홍

학연문화사

▌목차

朝日修好條規

大日本國與

大朝鮮國素敦友誼歷有年所

洽欲重修前好以固親睦近以

金權辦理大臣陸軍中將兼參

議隆特命副全權辦理大臣議

平府朝鮮國政府簡別中樞府

承爸遣所添論旨議立條欵憫列于左

、第一欵

朝鮮國自主之邦保有與日本國平等之權嗣後雨

朝日修好條規

우리 문화재
수난일지

1929년

1929년 1월 18일

해인사 유물 도둑 검거

1월 17일 윤모는 합천 해인사의 보물고에 들어가 수정옥, 은제향료, 다기 1개, 화병대 1개 등을 훔쳐 경북 김천군 방면으로 도주하다가 18일 밤에 김천에서 체포되고 절취품은 압수되었다.[1]

1929년 2월 18일

9백원에 팔린 강릉 임영관(臨瀛館)

강릉의 역사적인 고건축물인 임영관臨瀛館이 강릉공립보통학교 운동장 확장을 위해 매각되었다. 1929년 2월 18일 강릉군청에서 경쟁입찰에 붙였는데 강릉군 강동면 최대공이란 사람에게 최고가격 915원에 낙찰되었다.[2] 『매일신보』1929년 2월 4일자에는 다음과 같은 기사가 있다.

---

1 『每日申報』1929년 1월 23일자;『東亞日報』1929년 월 22일자.
2 『매일신보』1929년 3월 1일자.

역사적 고건물 매각, 보통학교 운동장을 넓히려고 판다.

고려 태조19년에 와서 신라 경덕왕 때 명주부溟洲府를 도원경東原京으로 개칭하고 기념관으로 건설한 강릉전대청江陵殿大廳: 臨瀛館은 장구한 역사를 가지고 근경 수십년전 강릉공립보통학교 교원실教員室로 사용되어 오던바 동교의 점차 번창하여 감에 따라 생도들의 운동장이 좁아서 견딜 수가 없는 형편이므로 부득이한 사정에 의하여 역사적 건물이라도 그것을 헐어버리고 운동장을 늘리고자 건물만 매각하기로 결정하고 금월 18일 강릉군청에서 경쟁 입찰에 붙여 매불賣拂하리다더라.

『증수임영지增修 臨瀛誌』[3]의 강릉부 '건치연혁'을 보면, "경덕왕 16년에 명주溟洲로 고치고, 고려 태조 19년에 이를 동원경東原京으로 개호改號하고 임영관을 세웠다" 하고 있어 처음의 건축은 939년에 건립된 오랜 역사를 가진 건물이다. 창건 당시 건물의 규묘 등은 확인 할 수 없으나 여러 차례 중창을 거쳐 한말 이후에 와서는 많이 사라지고 남아있던 건물들은 다른 용도로 시용되었다.

『증수 임영지』에 의하면 임영관은 "전대청殿大廳 9칸, 중대청中大廳 12칸, 동대청東大廳 13칸, 낭청방廊廳房 6칸, 서헌西軒 6칸, 월랑月廊 31칸, 삼문三門 6칸(以上 舊誌)"라 하여 1993년 강릉대학교 발굴조사에 의해 나타난 건물지와 일치하고 있다. '공해公廨'조에서는 "내아內衙, 현재 학교조합사무소" 라고 하고, 임영관에 대해서는 "현재 그 터에 공립보통학교"라 하여 임영관지 내에 강릉공립보통학교가 들어서고 그 건물은 『매일신보』의 기사와 같이 강릉보통학교 교원

---

3 『增修 臨瀛誌』, 江陵古蹟保存會, 1933.

실로 사용하고 있었던 것이다.

『황성신문』 1906년 11월 16일, 17일자 광고에는 강릉공립보통학교 교원에 관한 내용이 보이고 있으며, 1908년 8월 4일자에는 건축비 부족액에 관한 내용이 보이고 있다. 이런 등으로 보아 학교 설립은 1906년경에 이미 시작되었던 것으로 보이지만 그 부지가 강릉 임영관지란 기사는 보이지 않는다. 그러나 위의 『매일신보』 기사에서 강릉공립보통학교에서 "근경 수십 년 전"부터 사용해 왔다는 것은 학교 초창기부터 이곳에 터를 잡았던 것으로 보인다.

『매일신보』 1926년 9월 30일자 기사를 보면,

> 강릉공보 증축
>
> 강릉공립보통학교 구관유물舊官有物 일부와 신축 교실을 합하여 14학급으로 남녀 아동 990여명을 수용 교수 중인데 입학 아동이 매년 증가할 뿐만 아니라 관유건물官有建物 일부 퇴락退落을 갱송更送코자 현안 중에 있던 보교 증축 문제는 지난 19일부터 증축공사에 착수하였는데 증축 교실은 2교실로 건평이 60평이오 공사 완료기는 10월 20일이라 한다.

이 기사를 보면 '구 관유건물'이란 것은 임영관 건물을 의미하는 것으로 보이며 이를 사용하고 있음을 알 수 있다. 당시 아동의 수가 천여 명 정도라면 상당한 수라 할 수 있는데 점차 증가함에 따라 2교실을 증축을 하게 된다. 1928년에 와서도 3개 교실을 증축하고 학교 정문 앞에 도서관을 건축하게 된다.[4] 이렇게

---

4 『每日申報』 1928년 9월 3일자.

강릉객사 외문전면(조선고적도보)

되자 운동장이 협소해 짐에 따라 이를 확장하기 위해 전대청을 헐어 버리고 이곳을 운동장으로 만들기 위해 매각한 것이다.

　강릉의 학구열이 높아가면서 이도 포화 상태에 이르게 되어 1935년에 가면 강릉공립보통학교의 학생 수가 1천3백40여 명에 이르러 교실도 포화 상태일 뿐만 아니라 전교생들이 운동장에서 체육활동을 하기에는 만족하지 못한 상태가 되었다. 또한 매년 증가하는 입학지원자가 수백 명에 달했으나 절반 정도밖에 수용할 수 없게 되자 강릉 지역에서는 큰 문제가 되었다. 결국은 지방 유지들은 강릉공립보통학교의 이전 계획을 세우게 된다.[5]

　그 이전지는 강릉읍 홍제리로 1936년 6월에 부지 1만 5백 평을 매입하여 공사에 착수하였다.[6]

5 『每日申報』1936년 1월 27일자.
6 『每日申報』1936년 6월 11일자.

강릉공립보통학교가 이사를 가고 난 후 이 자리에는 1940년에 강릉경찰서가 들어서게 된다. 강릉경찰서 청사가 좁다 하여 1939년 12월에 기성회를 조직하여 강릉공립보통학교 자리 1천5백평을 매입하여 건평 지하 50평 1층 100평, 2층 50평, 합계 2백평의 2층으로 신축할 예정으로 1940년 3월부터 공사에 들어갔다.[7]

강릉 객사의 문, 즉 임영관의 정문은『증수임영지增修 臨瀛誌』에 "삼문三門이라 부르는 사문沙門은 염양사艷陽寺 삼문을 이건했다 하는데, 현재 관에서 보호하고 있다" 라고 하는데, 일찍부터 세키노 등의 조사를 거쳐『조선고적도보』에 올라 관의 보호를 받았다. 그간의 퇴폐한 곳은 1940년에는 수리를 했다.[8]

임영관지에는 당시의 건물로는 현제 국보 제51호인 삼문(임영관 정문)과 칠사당이 남아 있다.

1929년 2월

직업적 도굴단 검거

2월에 파주서에서 도굴단을 검거했는데, 경기도 장단군 장도면 두매리 최경재 외 8명은 공모하여 파주, 장단 양처에 산재한 고려시대의 분묘를 도굴하고 고려시대의 자기와 기타 여러 가지 보물을 경성과 개성에 있는 골동상점에 팔

---

7 『每日申報』1939년 12월 27일자.
8 『東亞日報』1940년 3월 22일자.

아왔는데 금액이 3천여원에 달했다. 이들은 직업적으로 기구器具까지 겸비할 뿐만 아니라 연루자도 아직 상당히 많을 것이라 한다.[9]

1929년 3월 12일

재단법인 부여고적보존회가 설립 인가되다

부여고적보존회는 백제 고적 및 유물을 영구히 보존하고 사회에 널리 이를 소개할 목적으로 재단법인 부여고적보존회를 창립하여 사무소를 부여면 구아리 134번지에 두었다. 3월 12일 재단법인 부여고적보존회가 정식 인가가 나자,[10] 기부에 의한 출자금 1만 6천 320원을 자본금으로 하여 충남 도지사 신석린과 충남도 내무부장 안도安藤, 부여군수 홍한표가 이사에 취임하여 사무를 시작하였다. 당시 조선시대건물 한 동에 약간의 유물을 진열하고 일반에게 공개 관람케 한 것이 그 시작으로 볼 수 있다. 1930년에는 촉탁 오사카 긴타로大阪金太郎가 부임해 왔다.

---

9 『東亞日報』1929년 2월 7일자.
10 『朝鮮總督府官報』1929년 3월 12일자.

남선 패총 조사

1929년 1월 조선은행 부산지점장 고토後藤가 고적조사위원 오다 쇼고小田省吾에게 보낸 동래읍 부근에 광대한 패총을 발견했다는 보고에 따라 후지타 료사쿠藤田亮策와 고이즈미 아키오小泉顯夫가 3월 12일부터 경남 동래로 내려가 동래면 수안동, 낙민동 일대의 패총을 조사하고, 16일부터는 양산, 김해 등의 패총은 잠깐 돌아보고, 동래면 온천리의 고인돌을 조사하고, 20일 귀경하게 된다.[11]
『매일신보』 1929년 3월 16일자에는 다음과 같은 기사가 있다.

부산 교외에 패총의 류 무진, 성대교수가 발굴 착수
도자기 연구가로 명성이 있는 조선은행부산지점장 후등등환後藤登丸 씨는 일찍이 남선 각지의 요지를 답사할 때 부산 서부 교외에 패총이 무수히 산재해 있는 것을 발견하였는데 이 패총은 실로 진귀한 것으로 학계의 주의를 끌게 되어 등전藤田 씨가 요사이 부산으로 내려와 후등 씨와 이 패총발굴에 대한 협의를 한 후 13일 첫 조사를 하고 도당국의 양해를 얻어 곧 발굴에 착수하였는데 이 패층貝層은 길이 10리여에 달하는 고고학상의 신자료가 되리라더라.

이번 조사는 수안동의 패총 일부를 발굴하고 남선에서의 이와 같은 패총의 성질을 밝히기 위해 조사에 착수했다. 수안동의 일부 노출된 패층 단면의 3평

---

11 藤田亮策, 「昭和4年度古蹟調査の概要」, 『朝鮮』, 朝鮮總督府, 1930년 2월.

정도의 층위적層位的 발굴조사를 하여 다수의 토기편, 골각기, 동물의 뼈 등을 채집했다. 낙민동 패총은 동래읍의 동, 고등보통학교 남에 해당하는 밭에 해당하는데 낙민동의 평탄부平坦部부터 수안동의 완만한 경사면에 걸쳐 넓은 범위를 차지하고 있다. 일부분을 발굴하여 다수의 골족, 녹각제도자병 및 각종 토기 등을 발견했다.[12]

다음과 같은 관련 기사가 있다.

돌멘 다수 발견

조선은행부산지점장 후등後藤 씨가 발견한 부산부외 온천장 부근의 대패총은 등전 성 대교수가 13일부터 발굴 조사 중인데 등전 교수의 조사에 의하면 이 패총발굴은 의외의 수확이 있는 것을 발견하였는데 그 주요한 것은, 적색토기, 신라식도기, 골족 각종, 골침, 아제장신구 등의 발견으로부터 미루어 보면 이 패총은 금속사용시대의 초기에 속하였던 것이 확실하여 인류학상의 연구자료가 충분하다하며, 또 등저뇨수 일행은 다시 동래온천에서 문화석군을 발견하고 목하

『每日申報』 1929년 3월 23일자 기사

---

12 「昭和3年度の古蹟調査」, 『朝鮮』, 朝鮮總督府, 1929년 8월; 藤田亮策, 「昭和4年度古蹟調査の槪要」, 『朝鮮』, 朝鮮總督府, 1930년 2월.

조사를 진행 중인바 남선지방의 거석문화를 표상하는 이 석군石群이 존재한 것은 전문가의 조거박사가 이미 발표한 것이나 실제로 발견되기는 이번이 처음이라 한다(『每日申報』1929년 3월 23일자).

총독부박물관의 등전, 소천 양씨는 근자 경남 동래읍내 패총발굴에 예기의 대성공을 하고 귀래하여 목하 소천씨의 손으로 백수십 점의 발굴물을 정리하고 있는 중이다. 원래 조선패총은 김해, 양산과 아울러 암남반도(경남) 등에서 발굴이 있었는데 전자는 빈전 박사의 연구로서 석기시대로부터 금속시대에 이르는 과도기에 있었음이 판명되었고 암남반도의 것은 조거 박사의 고증으로 순전히 석기시대의 것이 명백히 되었으나 이 동래의 패총은 과연 전기 양자 중 어느 편에 속할까는 학계의 흥미의 중심이 되었으며 금번 양씨가 발굴한 것은 녹각제도병, 골제족 등으로서 확실히 이 패총은 금속병용시대에 속한 것, 즉 김해패총시대의 것으로 명백히 되어 <

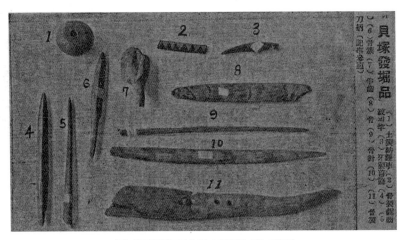

패총 발굴품(『每日申報』1929년 4월 4일자)

중략> 금번 발굴에 있어서일행의 의외의 수확은 온천리의 '돌멘' 군의 발
견인데 이것은 소위 남방식 '돌멘'으로 재래에 없는 완전한 것으로 운운
(『每日申報』1929년 4월 4일자).

1929년 3월 18일

원주 흥법사지 조사

염거화상탑은 일찍이 경성으로 운반 매각되었는데 이를 총독부에서 매수하
여 탑동공원에 이건했다. 염거화상탑이 강원도 원주군 지정면 안정리 흥법사
지 있었던 것으로 추정하여 이 탑의 원 장소를 밝히기 위해 1929년 3월 18일부
터 29일까지 오가와 게이키치小川敬吉가 사지의 조사에 착수하여 탑, 금당, 강당
등의 배치를 조사했다.[13]

『조선금석총람』(조선총독부, 1919)에는 "처음 강원도 지정면 안정리 흥법사
지에 있던 것을 현재 경성 탑동공원에 세움"이라고 기록하고 있으며,『조선금
석고朝鮮金石攷』에는 다음과 같이 기술하고 있다.

사리탑은 처음에는 강원도 원주군 지정면 안정리 흥법사지에 있었던 것
으로 선년先年 사지에서 이것을 경성부 낙원동 탑동공원으로 옮겨 세웠다.

---

13 「昭和3年度の古蹟調査」,『朝鮮』, 朝鮮總督府, 1929년 8월.

이전移轉할 때 탑 속에서 동제銅製의 탑판塔板을 발견하였는데, 즉 이것이 탑지塔誌이다. 이것은 속인俗人의 묘지墓誌에 상당相當하는 것으로 탑지는 현재 조선총독부박물관에 장藏하였다.[14]

이 같이 원래 흥법사지에서 옮겨왔다는 설이 있으나 1929년 3월에 총독부에서 오가와 케이기치小川敬吉를 파견하여 흥법사지를 답사하고 주변 일대를 면밀히 조사한 기록을 보면,

처음 파고다공원에서 염거화상의 묘탑과 진공대사묘탑을 이전하려고 할 때 살펴보니 양 묘탑 공히 맨 아래쪽의 지대석을 결실하고 있었다. 이와 같은 훌륭한 묘탑이 지대석을 잃은 이유를 이상하게 생각하여 이들 묘탑을 원주에서 경성으로 운반한 당시의 관계자에게 문의하였다. 그런데 그 대답은 염거화상묘탑의 지대석은 너무 커서 운반이 어려웠기 때문에 상부의 탑석만 가지고 왔다고 하였고 지대석은 현지에 남아 있을 것이라고 하였다. 따라서 모처럼 박물관에 이건하는 경우이기에 지대석을 가지고 와서 완전하게 할 필요를 인정하여 흥법사지 조사가 이루어 졌다. 그런데 어이없게도 염거화상묘탑의 지대석으로 보이는 것을 찾지 못했다.[15]

라고 하며 흥법사 절터에서 염거화상탑지를 발견하지 못했다. 도이 산요土居山洋

14 葛城末治, 『朝鮮金石攷』, 大阪屋號書店, 1935, p.239.
15 「1929年 3月 小川敬吉의 現地調査」, 『興法寺址 石物實測 및 地表調査報告書』, 원주시, 2000.

도 "탑은 처음 강원도 원주군 지정면 안창리 홍법사지에 있었는데 목하目下 경성 탑동공원에 세웠다. 탑을 이전할 때 지판誌板을 발견하여 조선총독부박물관에 소장하였다" 라고 하며, "위치는 이전할 때 불용의不用意로 불명不明하여 실失하였다"고 하고 있다.[16] 이는 곤도 사고로近藤佐五郎가 도굴배로부터 염거화상탑을 매수할 때 원위치에 대한 추구가 없었던 것으로 보이며, 또한 불법반출에 따른 법망을 빠져나가기 위하여 원위치를 교묘히 은폐한 것이라 할 수 있다.

해방 이후에도 수차에 걸쳐 조사를 하였으나 근거가 없는 것으로[17] 일본인들에 의해 옮겨질 때 아무런 고증도 없이 상인들의 말만 듣고 기록한 목록작성에서 차질이 생긴 것으로 보여 진다.

1961년에 발간한 『국보도록(제2집)』(한국신문연구소간)에서 조차 "흥법사염거화상탑" 이라 명명하고 있다. 오늘날은 전흥법사지염거화상탑傳興法寺址廉居和尚塔으로 명명하고 있으나 원위치와는 관계가 없는 명칭이다.

현재 경복궁에 안치되어 있는 탑에는 상륜부相輪部가 하나도 남아 있지 않다. 『조선고적도보』의 사진(도판 1566)을 보면 상륜부의 복발覆鉢 1석과 보륜寶輪 2석이 그대로 남아 있으며, 『경성제대회보京城帝大會報』(1933년 4월)를 보면, "탑의 옥근玉根 내지 보주는 편마암으로 탑신 대석 등은 화강암"이라고 기록하고 있는 점으로 보아 처음 발견시에는 가장 윗부분인 보주까지 완전한 상태로 있었던

---

16 土居山洋,「興法寺 廉居和尚 塔誌に就いて」,『京城帝大史學會報』, 京城帝大史學會, 1933.
17 鄭永鎬,「浮屠」,『考古美術』, 158, 159 號.
    여러 차례 현지 조사와 함께 염거화상탑이 흥법사에서 옮겨 왔다는 사실에 대해 현지 탐문에서도 전혀 들을 수가 없었다고 한다.

것으로 보인다. 또 높이는 2.2미터임을 밝히고 있어[18] 현재 경복궁에 보존되어 있는 탑의 높이가 1.7미터임을 감안하면 상륜부는 약 50센치임을 알 수 있다.

그리고 문화재관리국 문화재연구소에서 1993년 12월에 교토대학이 소장하고 있던 오가와 게이키치小川敬吉의 조사 자료를 입수하였는데 그 자료집에는 '염거화상탑 두정부頭頂部' 사진이 있다.

염거화상탑 두정부
(오가와 사진자료)

이는 곤도近藤의 집에서 탑동공원으로 옮겨지는 과정에서 도난당했거나 아니면 곤도近藤가 내놓지 않은 것으로 추측된다.

염거화상廉居和尙은 신라 9산선문九山禪門 가운데 가지산문迦智山門의 조사祖師 도의국사道義國師의 법을 이어받았다. 도의국사가 진전사陳田寺에서 입적할 때 염거화상에게 전심傳心하여 선禪을 널리 펼 것을 당부하였다. 염거화상은 주로 설악산 억성사億聖寺에 머물면서 선법禪法의 포교에 힘썼고, 체징體澄에게 법맥을 전하여 가지산문迦智山門을 대성시킬 수 있는 기반을 마련하고 입적하였다.[19]

염거화상과 관계되는 사명寺名으로는 장흥長興 보림사寶林寺의 보조선사창성탑비普照禪師彰聖塔碑에 "염거선사廉居禪師 거설산억성사居雪山億聖寺 전조심傳祖心"

---

18 土居山洋, 「興法寺廉居和尙塔址に就いて」, 『京城帝大 史學會報』, 京城帝大史學會, 1933.
19 『寶林寺普照禪師彰聖塔碑』.
    『原州市史』, 原州市史編纂委員會, 2000.

이라 하여 염거화상이 설악산 억성사에 주석하였다는 기록이 있다. 또 선림원지禪林院址 홍각선사비문弘覺禪寺碑文에는 홍각선사 이관이 설악산 억성사에서 염거화상으로부터 법문을 들었는데 문성왕6년(844)에 염거가 죽자 그곳을 떠나 영암사에서 선정을 닦고 다시 혜목산 원감선사 현욱(787~868)에게 나아가 그 제자가 되었다. 그 후 경문왕13년(873)경에 다시 억성사에 주지하면서 금당과 향사를 이루었으며 873년경 홍각선사가 설산 억성사에서 머물고 있던 중 왕궁으로 초빙되어 그곳에서 강설한 후 산으로 되돌아갔으며, 880년 11월 21일에 열반에 들었다는 기록이 보이고 있다.

그러나 억성사의 위치가 현재까지는 명확하게 밝힐 수 있는 고증유물이 발견되지 않고 있다. 염거화상의 행적에 대한 자세한 관계기록도 밝혀진 것이 없어 단정하기는 어려우나, 억성사의 위치에 대해 권덕영은 홍각선사의 행적에서 마지막 주석처가 억성사임을 추론推論하여 지금의 선림원지가 바로 억성사로 추정하고 있다.[20]

염거화상의 입적 후 설립된 이 탑은 팔각연당대좌형八角蓮堂臺座形을 기단으로

---

20 權悳永은 「弘覺禪寺碑文을 통해 본 新羅 億聖寺址의 推定」(『史學研究』 55, 56, 1998, 果川韓國史學會)에서,
弘覺禪寺가 입적한 마지막 사찰명은 명확하게 나타나 있지 않으나, 홍각선사가 궁에서 산으로 되돌아 갈 때, 왕이 보낸 사자가 홍각선사를 호위하여 바래다 준 산은 바로 신라의 왕궁으로 올라가기 전에 그가 살았던 설산 곧 지금의 설악산이었을 것이고 그가 돌아간 절은 앞서 거주하였던 억성사이었을 것이며 그가 열반에 든 것도 억성사이었을 것으로 추정하고 있다.
신라 말 고려 초에 조성된 선사들의 부도와 탑비가 그들이 마지막으로 입적한 사찰에 건립된 점으로 본다면 홍각선사가 입적한 사찰이 억성사이므로 그의 탑비와 부도는 억성사에 조성되었을 것이며, 현재 홍각선사의 탑비와 부도가 있는 영양군 서면 황이리 미천골의 이른바 선림원지를 홍각선사가 만년에 주석하였던 억성사지로 보고 있다.

하고 탑신은 팔각당형八角堂形의 목조건물을 모방模倣한 것으로 팔각당형의 최초最初이자 신라승탑新羅僧塔의 전형적典型的인 형식의 성립을 보여주는 것으로 이후 후대로 이어지는 승탑형식僧塔形式의 모태母胎라 할 수 있다. 원 위치는 밝혀지지 않고 있으나 서울로 옮겨질 때 금동제 탑지가 발견되어 그 내용 가운데 "회창사 년세갑자會昌四年歲甲子"로 그 조성년대가 신라 문성왕6년(844)에 해당되어 현재 까지 밝혀진 부도 가운데 가장 고식古式을 띄는 예로서[21] 일찍부터 주목받아왔다.

세키노 타다시關野貞의 기록에,

우리들은 이와 같은 신라고승의 묘탑墓塔으로서 역사상 꼭 타他에 옮겨서 는 안 될 것이 이렇게 산일되려고 함을 볼 때 너무 통석痛惜하여 참을 수가 없는 바입니다.[22]

라고 염거화상탑의 이반移搬 사실을 기록하고 있다.

---

21 石塔造營에 있어서 記錄上에는 『三國遺事』 卷第五, 惠現求靜條에, "道를 닦은 사람이나 俗人이나 모두 스님을 공경하여 石塔에 安葬하였다. 스님의 나이는 58세였으며 당시는 唐나라 貞觀初年이었다."
　　『三國遺事』 卷第四, 二惠同鹿條에, "安康縣 北쪽에 惠宿이란 절이 있는데 스님이 머물 렀기 때문에 스님의 이름이 절 이름이 되었다고 한다. 역시 浮屠가 있다."
　　『三國遺事』 卷第4四, 圓光西學條에, "나이 여든이 넘어 貞觀年間에 돌아 가셨다. 浮屠는 三岐山 金谷寺에 있는데 지금의 安康 서남쪽 고을이며 또한 明活山의 서쪽이다" 등의 기록이 보이며, 현재 江原道 양양의 陳田寺址에 遺存하는 浮屠를 廉居和尙에 앞서 造 營된 道義國師의 浮屠로 보기도 하지만 가장 확실한 銘記를 가진 현존 부도 중에서 이 廉居和尙塔이 가장 오래된 僧塔이다.
22 關野貞, 『大正元年 朝鮮古蹟調査 略報告』, 朝鮮總督府, 1914.

1929년 3월 27일

제31회 고적조사위원회 목록번호 : 96-280(1929년 3월 27일)

제31회 고적조사위원회

제31회 고적조사위원회는 회의를 생략하고 3월 27일 안건에 대한 의견을 구하기 위해 의안 '석조石槽 및 찰간지주刹竿支柱 등록 건'을 회람하여 결의하였다. 안건 내용은 다음과 같다.

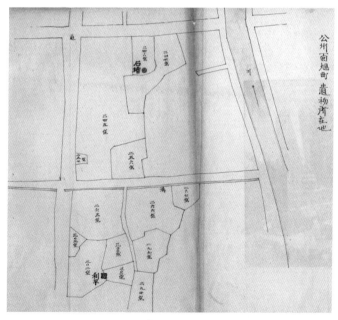

공주 욱정 유물 소재지

보통학교 내 제96호 석조

제96호 석조

　충청남도 공주군 충남 공주군 공주면 공주보통학교 정원 내

　소유자 : 국유

　화강석의 원통형의 수조, 사면에 팔엽연편이 양각.

제197호 석조

　공주군 욱정 302번지

　화강석 원통형 수조

　소유자 : 유물 소재 토지소유자

　잡목 잡물이 밑에 쌓여있으며 과반이 메몰되어 있다.

제198호 찰간지주

　충남 공주군 욱정 302번지

소유자 : 유물 소재지 소유자 박정순

공주군 공주면 욱정 312번지 화강석 기단 위에 세움.

이 안건은 4월 1일부로 별 의의 없이 통과되어 4월 17일부로 결제 완료되었다.

제198호 찰간지주

1929년 3월

3월에 노모리 겐野守健과 소속 직원 간다 소조神田惣藏는 전북 부안군 보안면 우동리에서 조선초 요지를 조사 할 때 우연히 그 부근에서 고려시대 요지를 다수 발견했다.[23]

1929년 4월

경남 창원군 남면 상남공립보통학교 부지를 정리하다 고석기를 발굴하다.[24]

『매일신보』 1929년 4월 6일자 기사

23 野守健,「扶安郡に於ける高麗陶窯址」,『陶磁』 제6권 제6호, 1934.
24 『東亞日報』 1929년 4월 11일자.

평북 강계군 어뢰면에서 고대 기물 발견

어뢰면 발견 부장품

1929년 4월 5일 김모는 평안북도 강계군 어뢰면 풍룡동에서 경작에 지장이 있다고 경작지의 돌을 제거하던 중 석관을 발견하고 그 안에 있는 유물을 꺼냈는데, 호 2개, 벽옥제관옥碧玉製管玉 27개, 구형석기球形石器 1개를 발견했다. 잔여 유물 청동제구靑銅製釦 1개, 마제석족파편 1개는 4월 24일 경찰서장이 동지 주재소를 시찰할 때 토사를 정밀 조사하여 수집했다. 이들은 모두 수습하여 총독부박물관에 진열했다.[25]

청자요지 발견

1929년 4월에 노모리 겐野守健과 오다 쇼고小田省吾는 황해도 고적조사를 하던 중 황해도 송화군 운유면 주촌에서 청자요지를 발견했다.[26]

25 有光教一,「平安北道江界郡漁雷面發見の一箱式石棺と其副葬品」,『考古學雜誌』제31권 제3호, 1941년 3월.
26 野守健,「扶安郡に於ける高麗陶窯址」,『陶磁』제6권 제6호, 1934.

사찰의 고적 유물 보호규정을 제정하여 불원간 발표 예정

  사찰 중에는 무수한 고적의 유물도 있었으나 그 처리 방법에 대한 완전한 규정이 없으므로 총독부 종교과에서는 사찰령을 개정하는 동시에 그 유물보존규칙도 개정하기로 부심 중이라는데『매일신보』1929년 4월 28일자에는 다음과 같은 기사가 있다.

  현재 조선에서는 고고학상 귀중한 고적유물보존규칙(부령)에 의하여 보호 감독하며 또 발굴품에 대하여는 유물법(제령)에 의하여 이를 취체하여 국고에 귀속하게 되었으나 전기 고적유물보존규칙은 국유 또는 사찰 소유품은 이를 공시하여 그 처분에 대하여 취체를 가하여 왔으나 개인의 소유품에 대하여 하등의 제재를 가함이 없었으며 또 법령이 부령인 관계상 민법의 소유권에 대하여 효력이 비상히 빈약하여 이를 제령으로 개정하는 동시에 개인의 소유품에 대한 취체방법도 다소 개정하기로 된 것이다.

창원군 남면에서 고석기를 발견하다

  경남 창원군 남면 공립소학교의 묘지부근 일대는 '돌멘' 기타의 고분이 많은데, 인근 사람들이 공립소학교에 인접한 송림 일대를 파내려다가 석총 같은 것을 발견했다. 상부의 석괴石塊를 들어내니 평석 6매를 겹쌓아 놓았고 하부에 횡 3척, 종 6척 가량, 깊이 1척5촌 가량 되는 장방형의 공지가 있는데 바닥은 돌로

깔아놓았는데, 이곳에서 석검, 석관, 석족, 적호, 등을 발견하였다. 이 사실을 즉시 진해경찰서에 신고하고 유물은 경찰서에 보관했다.[27]

석기 및 토기

창원군 외동리에서 고기물 발견

『박물관진열품도감』제4집에는 석곽고분 내 발견 석기 및 토기를 게재하고, "1929년 4월 경남 창원군 웅남면 외동리 웅남공립소학교 정지 내에서 한 수혈식竪穴式 석곽고분을 발굴하고 마제석검 1개, 마제석부 1개, 마제석족 19개, 토기 1개를 발견했다"고 설명하고 있다.

보상화 새긴 신라고와 구입

3월 20일경 경주읍내에 있는 김모라는 농부가 밭을 갈다가 고와 몇 편을 습득했는데, 중앙에 옥토玉兎와 보상화寶相花 문양이 있는 것이다. 농부는 경주고와가 돈이 된다는 소문을 듣고 대구 골동상 이나모토稻本의 취고당醉古堂이란 골동점에 가지고가 팔았다. 이나모토는 다시 어떤 사람에게 65원에 팔았는데

---

27 『中外日報』1929년 4월 17일자; 『東亞日報』1929년 4월 11일자.

이것을 총독부박물관에서 알고 조사해본 결과 희대의 고와인 동시에 경주에서는 종래에 보지 못하던 진품이고 고품이라 총독부박물관에서는 이를 구입하여 경주 박물관에 비치했다.[28]

구입한 고와

1929년 5월 21일

조선사찰에 관한 개정령이 각의에서 원안 통과하다

금년 봄 법제국에서 회부하였던 조선사찰령의 개정안은 21일 각의에 통과했다. 개정 요점은 사원재산 및 부동산을 처분하는 경우에 총독부 허가를 요하기로 되었다.[29]

---

28 『每日申報』 1929년 4월 11일자.
29 『每日申報』 1929년 5월 23일자.

1929년 5월 25일

함경남도 안변군 문산면 석왕사 산내의 말사 안양암安養庵을 폐지하다.[30]

1929년 5월 29일

덕안궁을 육상궁으로 이안하고, 건물과 부지는 방매하다

경성 태평로 1가 61번지 일대는 대한제국의 마지막 황태자인 영친왕 은의 생모되는 순헌귀비 엄씨의 신위를 모신 덕안궁이 있던 자리이다. 광무 원년 (1897)에 고종이 아관파천俄館播遷하였다가 덕수궁에 환궁하자 그 해에 엄씨를 빈嬪으로 책봉하면서 이곳에 경선궁慶善宮을 꾸몄다. 1911년 엄비가 돌아가자 경선궁을 사묘祀廟로 꾸며 제사를 지내게 하고 이를 덕안궁이라 했다.[31] 그 후 엄비의 신위神位가 1929년 5월 29일 육상궁毓祥宮으로 이안되자 덕안궁은 철폐 되었다. 『매일신보』 1929년 5월30일자에는 다음과 같은 기사가 있다.

---

30 『朝鮮總督府官報』 1929년 5월 25일자.
31 嚴妃諡號는 純獻貴妃로 제정되었는데 「中正精粹曰純 篤忠內德曰獻」에서 된 것이고 靈殿은 德安宮이라 하여 咸寧殿 옆에 설치되었다(『每日申報』 1911년 8월 4일자).

순비영위 이안

이왕직에서는 작 29일 오전 9시부터 태평통 덕안궁에 봉안하여 모시었던
고 순비영위를 효자동 육상궁으로 이안하였다. 태평통으로부터 육상궁으
로 이안하여 모시는 연로에는 거룩하신 위의威儀를 배관하는 민중이 인산
인해를 이루었으며 이안행렬에는 신여神輿를 모신 홍의입은 궁노宮奴가 정
렬을 하고 사모관대를 한 비관備官이 배종하며 기마경관이 경비하는 중에
청아한 구 군악을 <중략> 과연 세월은 흐른다. 18년 전 여름에는 덕수궁

육상궁으로 이안하는 모습(『매일신보』 1929년 5월 30일자)

에서 아드님 되시는 지금의 이왕전하를 유학을 보내시고 일구월심日久月
深으로 그리워하시다가 환후患候 차차 더하시와 그만 훙거하시니 원소園所
는 전 홍릉 내인 청량리에 모시고 영위는 친궁親宮되시는 덕안궁(전 慶善
宮)에 모시니 덕수궁을 이웃한 사당 앞에는 봄풀만 푸르렀다. 가끔 이왕전
하의 참배가 계시어 저윽히 위안이 계시었던 것이다. <중략> 별안간 육상
궁으로 이안해 모시는 것은 섭섭한 마음이 없지 않은 것이다(『매일신보』
1929년 5월 30일자).

영위를 육상궁으로 이안한 지 한 달도 못되어 덕안궁을 공매 처분하기로 결
정했다. 당시 신문에는 다음과 같은 기사가 있다.

팔리는 덕안궁 이왕직에서 공매
덕안궁에 봉안하였던 순비의 영위靈位를 궁정동 육상궁으로 이안한 이후
덕안궁은 무용無用케 되었으므로 이왕직에서는 7월 4일 공매에 부附하기
로 되었다는데 동 궁의 기지는 태평통 대로에 연沿하여 연장이 70여 칸, 총
면적 1,578평으로 이를 매도한 후면 주택지로서의 최적한 곳이므로 멀지
아니하여 훌륭한 건물이 우뚝 솟아 도시의 미관을 일층 더하리라더라(『매
일신보』 1929년 6월 23일자).

덕안궁터 방매
태평통에 있는 덕안궁에 모시었던 엄비의 신주를 육상궁으로 이안 한 후
그 빈터는 이번에 이왕직에서 방매하기로 되어 오는 7월 4일에 이왕직에

서 공매하기로 되었는데 그 땅은 태평통 대로상에 정면한 연장이 70여 칸으로 고층건축이 적당하리라더라(『동아일보』 1929년 6월 23일자).

당시 1929년 7월 4일에 공매처분하기로 되었으나 무슨 이유에서인지 불하되지 못하고 1930년 6월에 와서 덕안궁터를 도로면과 같은 높이로 깎아 내리는 작업을 한 후 다시 불하한 것으로 보인다. 『매일신보』 1930년 6월 13일자에는 다음과 같은 기사가 있다.

엄순비嚴純妃 신전神殿이던 덕안궁 철회撤回
희망자가 있으면 불하할 터, 경내 총 1,500평
창덕궁 전하의 생모이신 엄순비 신위를 봉안하였던 태평통 덕안궁을 작년에 엄순비 신위가 육궁으로 이안된 후 이래 비어 있어서 비바람에 시달리던 중 최근에 이르러 발전하는 대경성의 추세에 의하여 마침내는 철회하

헐리는 덕안궁(『매일신보』 1930년 6월 13일자)

기로 결정된 까닭에 이왕직에서는 이미 그 공사에 착수하였던바 이곳은 통로 지면에서 십 수 척이나 높은 곳인 관계로 금후 철회공사와 함께 도로와 인접한 최전면 땅을 깎아내려 균일하게 할 모양이라 한다. 그런데 이 건물이 낙성 준공되기는 대정2년 11월 8일로서 명치44년(1911) 7월 20일 엄순비가 흥거하신 후 순비신전에 충당하고자 당시 덕수궁의 일각인 전기 지점에 건축 기공한 것이며 건립된지 18개성상 만에 헐리게 된 모양인데 장차 이 기지는 이왕직으로부터 민가에 불하할 터로 총 평수가 1천500평 이라 한다.

덕안궁의 일부는 1935년에 체신국에 넘어가, 체신국에서는 체신협회, 해사 협회, 청사협회 등 4개 단체 회관으로서 체신사업회관이라는 것을 건설할 목적 으로 1935년 11월부터 공사에 착수하였다. 건물은 4층 콘크리트 건물로 아래층 은 체신박물관, 건강상담소, 2층은 조사협회, 전기협회, 3층은 대강연실 및 회 의실, 4층은 구락부와 간이숙박소 등으로 1937년 7월에 낙성을 했다.[32]

32 『매일신보』 1935년 4월 7일자; 『매일신보』 1935년 10월 22일자; 『매일신보』 1937년 6월 11일자.

!929년 5월 30일

제32회 고적조사위원회

제32회 고적조사위원회는 회의를 생략하고 1929년 5월 30일부 기안한 안건에 대한 의견을 구하기 위해 의안 '1929년도 고적조사계획'과 '1928년도 고적조사 사무보고'를 회람하여 결의(6월 14일)하였다.[33]

그 내용은 대략 다음과 같다.

의안1 '1929년도 고적조사계획'

제1. 고적조사

1929년 이후로 조선의 중요한 유적 · 유물을 답사하여 등록하는 것을 중심으로 일반조사를 실행할 계획이다.

– 일반조사

일반조사는 연도별로 1929년부터 1938년까지 황해도, 평안도, 강원도, 경상도, 전라도, 충청도, 함경도의 조사가 계획되어 있으며, 올해는 황해도를 조사할 예정이다.

– 특별조사

1. 경주 남산

---

33 「제32회 고적조사위원회(1929년 5월 30일 기안 내용)」, 『국립중앙박물관 소장 총독부박물관 공문서』, 목록 번호 : 96-280.

2. 함경북도 웅기패총雄基貝塚

3. 전라도 고건축물

4. 경기도내 궁궐, 전殿, 능陵

5. 경상북도 영주 고분

6. 경주 노서리 서봉총瑞鳳塚 일부

– 임시조사

1. 경기도 용인군 석탑, 석불 등 발견 개소

2. 경상북도 봉화군 갈방산 국유림내 고적

3. 충청북도 옥천군 옥천면 석불

4. 경상북도 경주군 용장리, 금척리, 설창리, 성령리 성지城址 및 고적

5. 경상북도 청도군 미성산성지眉城山城址

6. 경상북도 창원 고인돌

7. 경상북도 경주 남산 유적

제2. 보존시설

1. 이전할 유물 원소재지 및 조사 완료 고분의 석표石標 건설

2. 등록 고적 유물의 설명표 건설

3. 낙랑고분 수리 (석암리 제204호분, 제205호분)

4. 평양 대동문, 전금문, 부벽루, 을밀대, 칠성문 수리

5. 밀양 영남루嶺南樓 지붕 기와, 마루청 등 수리

6. 안주 백상루百祥樓, 성천 동명관東明館 수리

7. 등록 유물의 목책 건설[34]

제3. 유물 이전

1. 나주 서문西門내 석등石燈

나주서문 내로부터 나주 금정 경찰서 내로 옮겨 등록 보존해왔는데 이를 본부박물관 내로 이건 보존할 예정

2. 염거화상탑廉居和尙塔 기석基石 및 석관石棺

이 탑은 대정3년경 탑동공원 내로 옮겼는데 원위치에 기석의 일부 및 석관이 잔존함, 본부박물관으로 옮겨올 예정

3. 경상북도 경주군 내남면 용장리 소나무 숲松林 속 불상佛像 2기

본부박물관으로 옮길 예정

제4. 고적유물 소재지 구입

1. 전라북도 익산군 금마면 서고도리 미륵사지彌勒寺址

2. 강원도 원주군 지정면 흥법사지興法寺址

제5. 고적도보 및 보고서 출판

1.『고적도보 제10책』(위원 세키노 다다시)

2.『고구려시대의 유적』(위원 세키노 다다시)

3.『진흥왕무자순수비 연구』(위원 이케우치 히로시)

---

34 목책을 건설할 등록 예정인 유물은 다음과 같다.
제6호 중초사지 幢竿支柱, 제9호 광주 舊邑 오층석탑, 제10호 광주 舊邑 삼층석탑, 제11호 삼전도 청태종공덕비, 제23호 영통사지 대각국사비, 제24호 영통사지 오층석탑, 제25호 영통사지 동삼층석탑, 제26호 영통사지 서삼층석탑, 제27호 玄化寺碑, 제28호 현화사지 칠층석탑.

의안2 1928년도 고적조사 사무보고'

제1. 고적조사

  1. 선사시대– 동래패총東萊貝塚, 대동군 미림리 석기시대 유적

  2. 낙랑대방시대– 황해도 신천, 은율, 평안남도 용강 등의 고적

  3. 고구려시대– 태천 농오리산성籠吾里山城, 순천 고구려 벽화

  4. 사지 및 석불조사– 익산 미륵사지彌勒寺址, 원주 흥법사지興法寺址

    익산 미륵사지는 1928년 4월 및 10월에 두 차례 오가와 게이키치小川敬吉

    가 익산군 금마면 서고도리 미륵사지를 조사하고 동서 양탑, 금당, 강당

    등의 배치를 밝히고 그 보존계획으로 사유전답을 구입예정이다. 왕궁탑

    은 고적보존규칙에 의하여 보호를 하고 있다.

    원주흥법사지의 염거화상탑은 일찍이 경성으로 운반 매각되어 있는 것을

    거액을 주고 데라우치 총독이 이를 매수하여 탑동공원 내에 있음, 1929년

    3월 18일부터 29일까지 기수 오가와 게이키치小川敬吉가 사지를 조사할 예

    정으로, 탑, 금당, 강당 등의 배치를 밝히고 소재지는 매수할 예정이다.

  5. 고려시대– 개성 영남면 적조사寂照寺 요오대사비了悟大師碑, 개성 공민왕릉恭愍王陵

    1928년 11월 이마니시 류今西龍 외 2명이 사지에 존하는 요오대사비了悟大

    師碑를 조사, 귀부는 전중에 존하고 가까이에 3층석탑의 잔부가 있다.

    경기도 개성군 중서면 여릉리 공민왕 정릉 및 동비 현릉은 2, 3년 전에 파손

    된바 능참봉이 수리를 했는데 다시 1928년 여름 정릉의 봉토가 붕괴되고 호

    석이 파괴되어 석실이 노출되어 1929년 2월에 조사위원 후지타 료사쿠藤田

    亮策, 촉탁 와타나베 아키라渡邊彰, 기수 오가와 게이키치小川敬吉가 조사하여

    복구공사를 결정, 공사비가 다액을 요하므로 명년 이후에 착수할 예정임

6. 도요지陶窯址

7. 고적유물 소재지 실측ー 경주 남산 실측과 제도, 부여 성흥산성聖興山城 실측

8. 고건축물 조사ー 강화도의 조선 초기 건축

제2. 보존공사

1. 평안남도 낙랑고분 보존시설

2. 평안남도 성천 동명관東明館 수선

3. 평안남도 용강군 점제비秥蟬碑 철조책 및 지운면 고분 수선

4. 평안남도 안주 백상루百祥樓 수리

5. 평안남도 순천군 북창 고분 수리

6. 경성 남대문 수리

7. 충청남도 부여 객사客舍 수리

8. 함경남도 안변 가학루駕鶴樓 수선

9. 경기도 수원 방화수류정訪花隨柳亭 수선

제3. 고적도보 및 보고서 출판

1. 『고적도보 제9책』

2. 『고구려시대의 유적』

제32회 고적조사위원회 의안 2건은 1929년 6월 26일자로 결제 승인되었다.

I929년 6월 3일

나카무라 히데타카(中村榮孝)의 충북 사료 채방

나카무라 히데타카中村榮孝와 이나바 이와키치稻葉岩吉 그리고 박 촉탁은 1929년 6월 3일부터 17일간에 걸쳐 지방의 사료조사 및 수집을 위해 충북 진천, 청주, 음성, 단양, 보은, 영동 6개 군의 출장 조사를 하였다.

6월 3일 경성을 출발하여 천안역에 하차하고 자동차로 일몰경에 진천읍에 도착하여 군청에 부탁하여 안내자를 구하고, 4일 아침 군내 이월면 노원리 신잡申礏의 종손가를 방문했다. 이곳에서 『공신록권』, 『임신일과』(선조35년)란 제목의 일기, 기타 서적류를 조사했다.

5일에는 면내 2, 3씨를 방문하여 사료를 찾고, 6일에는 이시발李時發과 정철鄭澈의 후손을 방문하기 위해 진천으로 향했다.

이시발의 종손은 진천군 초평면 용정리에 있는데 나카무라 일행이 방문했을 당시에는 종손은 병석에 누워 있었다. 이곳 종손가에는 만권루萬卷樓라 부르는 서고에 누대에 전해오는 장서를 풍부하게 보관하고 있어 널리 알려져 있었다. 그러나 수년 전에 종손가가 궁핍이 극에 달하여 장서를 팔아버려 경성 시장에 만권루의 서적이 나돌기도 했다고 한다. 그런 연유로 만권루는 철훼해 버렸다. 나카무라 일행은 이 같이 명문가 자손이 생활의 궁핍으로 사료의 인멸을 안타까워하고 있다. 이곳에서 『경주이씨실록』을 비롯한 잔본 몇 책을 조사하는데 그쳤다.

동네 같은 후손 이창우 댁을 방문하여 이시발李時發, 경억慶億, 인병寅炳 등 3대의 유고 6책 외 시문, 서간첩, 역대묘갈명탁본류歷代墓碣銘拓本類 등을 조사했다.

진천군 봉죽리 정뢰택 댁은 송강 정철의 종손으로 이곳에 전해오는 송강집 원고 등을 조사했다.

7일에는 진천군의 조사를 마치고 청주에 도착했다.

8일에는 청주 낭성면 신숙주申叔舟 후손가의『고령신씨세보유사高靈申氏世譜遺事』를 비롯한『경수도첩慶壽圖帖』, 남일면 청주한씨 관계의 사료를 조사하고 9일에는 북일면 목은의 영당 등을 조사했다.

10일에는 음성군을 향하던 도중 조헌전장기적비, 삼충사사적비, 용두사당간기 등을 조사했다.

10일 밤에 음성군에 도착하여 11일에는 김세필金世弼 관계 사료를 조사하기 위해 그 후손가를 방문하여『지천사육현집知川四六賢集』,『월성김씨세적月城金氏世蹟』 등을 조사했다.

12일에는 단양읍에 도착하여 13일에는 원씨元氏 후손가를 방문하여 소장 서적을 조사했다.

14일에는 제천 충주를 경유하여 청주에 도착했다. 15일에는 보은군에 도착하여 법주사와 세조어찰世祖御札을 조사했다. 보은군 보은면의 우암 송시열 후손가를 방문하여 우암의 필적과 장서를 조사했다.

17일에는 영동군 양강면 지촌리의 우암 후손가를 방문하여 필적과 문집을 조사했다. 영동군 영동면 오탄리의 숙종시대의 인물 李選 후손가를 방문하여『승국신서勝國新書』,『지호사실芝湖事實』 등을 조사하고 19일에 경성으로 귀임했다.[35]

35 中村榮孝,「忠北史料採訪記」,『朝鮮』, 朝鮮總督府, 1929년 9월.

* 이 같은 사료 채방 시에 주요 사료를 빌려오기도 하는데, 지방사료 차입借入에 있어서는 조사원이 먼저 군청을 방문하여 관내의 사료의 존재유무를 조사하고 군청직원을 동반하여 사료 소장자를 면담하고 사료를 열람 조사한 후 목록을 작성하였다. 귀중사료에 대해서는 우선 차입방법을 교섭하여 승낙을 얻어 군청직원과의 연명으로 가차람증假借覽證을 작성하여 사료를 빌려온 후에 차람기간을 3개월로 정하고 조선사편수회에서 정식으로 차람증을 작성하여 관련군청을 경유하여 소장자에게 교부하기로 함으로써 차람업무의 정확성을 기하고, 차입사료는 기간 내에 등사와 사진촬영을 한 뒤 감사장을 첨부하여 군을 경유, 소장자에게 반환하였다.[36]

1929년 6월 9일

사찰령 개정령 제령 제9호로 공포

조선 사찰령 개정령은 제령 제9호로 6월 9일 공포하여 7월 1일부터 시행케 했다. 그 개정 조문은 다음과 같다.

개정 조문

제5조. 사찰재산은 조선총독의 허가를 받지 아니하면 이를 양도하거나 담

---

36 朝鮮總督府朝鮮史編修會, 『朝鮮史編修會事業槪要』, 1938.

보에 공供하거나 기타 처분을 할 수 없음

전항에 허가를 받지 아니하고 사찰재산을 양도하거나 담보에 공하거나 기타 처분 또는 차금借金한 시는 이를 무효로 함

사찰재산이라 함은 사찰에 속한 부동산 기타 조선총독이 정한 재산을 이름

제6조. 사찰재산을 처분하는 경우에는 그 사찰 주지는 이를 취득할 사事를 부득不得함, 단 특별 사정에 의하여 조선총독의 허가를 받은 시는 제한을 두지 않음

부칙

본령 시행 기일은 조선총독이 이를 정함

본령 시행의 때는 현존한 사찰의 부채는 제5조의 허가를 받은 것으로 간주함

전항 부채는 그 용도, 방법, 이율 및 상환의 방법을 구하여 본령 시행일로부터 3개월 내에 이를 총독에게 신고할 사事[37]

1929년 7월 1일부터 시행되는 사찰령 및 시행규칙의 개정에 따라 사찰재산 기입의 대장 형식을 변경하여 종래의 것보다도 상세히 기입하기로 되었다. 이에 따라 본부 종교과에서는 조선 내의 주요한 사찰에 과원을 파견하여 재산의 조사를 행하며 개정대장에 의한 조사를 행하기로 되었다. 새대장은 시행 후 40일 전에 완성하여 본부에 제출하기로 했다.[38] 『매일신보』 1929년 6월 23일자에는 다음과 같은 기사가 있다.

37 『每日申報』 1929년 6월 9일자.
38 『每日申報』 1929일 6월 12일자.

축년逐年 해외로 유실되는 진귀한 고대 유물

보존상 대장 작성 후 등록할 계획

본부 종교과가 착수

조선의 고적유물은 실로 세계에 자랑할 만한 가치가 있음은 일반이 공인하는 터이나 경비 기타 관계로 아직까지 그 조사가 불충분함은 실로 유감천만이다. 이에 대하여 총독부에서는 대정11년, 12년에 걸쳐 일반적 조사를 시試한 일이 있었으나 그 후 경비와 인원의 관계상 중지하게 된 고로 각 지방에 산재한 고적유물의 보존상 지장이 적지 않았을 뿐더러 그 귀중한 고적유물은 내지(일본) 기타에 유입함이 해마다 증가되어 그대로 방임하면 장래에는 거의 타인 소유물이 될 것이다. 그리하여 종교과에서는 1929년부터 3만 7천여 원의 경비를 전선 주요한 고적유물을 답사하여 이를 등록케 하여 자유로 운반치 못하게 할 터이다. 그러나 각 도 고적유물을 전부 조사하여 대장을 작성하는 일은 종래 경험에 징徵하면 조사원 5인의 조사반 5조 이상에 의하여야 적어도 30개년을 요할 대사업이며 현재의 경비와 인원으로서는 도저히 불가능하다. 고로 금후로는 주요한 유적의 등록을 주안으로 일반적 조사를 행하기로 되었는데 이제 소화4년부터 동13년까지 10개년 동안 일반조사연도 예정은 다음과 같다.

1929년도 황해도, 1930년도 평북, 강원도, 1931년 경북도내 12군, 전라도, 1932년도 경북도내 12군, 충청남도, 1933년 경상남도, 1934년 경기, 충청북도, 1935년 전라북도, 1936년 평안남도, 1937년 함경북도, 1938년 함경남도.

1929년 6월 29일

부여 무량사에서 진귀한 합(盒)을 발견

6월 29일에 폭풍우로 인하여 부여군 무량사의 승려의 묘탑(부도) 곁에 있는 소나무가 넘어지면서 부도가 넘어졌는데, 그 부도 속에서 직경 3촌 원형 유합鍮盒이 발견되었는데 그 속에는 직경 1촌5분의 은합銀盒이 있고 그 안에는 직경 1촌여의 금합金盒이 들어 있었다. 또 금합 속에는 직경 5분여의 옥합玉盒이 들어 있었다. 이들 진부를 부어고적보존회에 진열했다.[39]

1929년 8월 12일

황해도 8군 고적 일반 조사

고적조사위원 오다 쇼고小田省吾와 촉탁 노모리 겐野守健이 1929년 8월 12일부터 9월 1일까지 황해도 서부 6군(옹진, 장연, 송화, 은율, 안악, 신천)에 출장하여 고적 유물의 위치를 확인하고 현존 상태를 시찰하고 각 군별로 간략히 기재하여 1930년 4월 18일에 복명서를 제출했다.

마지막에 '부언' 하여 낙랑, 대방시대의 고분에 사용한 전塼들이 도로공사, 철

---

39 『中外日報』 1929년 7월 13일자; 『每日申報』 1929년 7월 9일자.

도노선공사를 하면서 이를 가져가 사용하여 고분이 많이 파괴되고 있다. 이는 모두 고적보존의 정신을 무시한 행위로서 따른 고분 파괴를 막을 보존 법령이 필요함을 보고하고 있다. 또 민간인 발견 매장품이 총독부에 신고되지 않고 경찰서 또는 군청에 머무는 것에 대한 감독의 필요성을 제기하고 있다.[40]

1929년 9월 6일

경주 노서리 '데이빗드총' 발굴

1929년에는 대구에서 《신라예술품전람회》가 개최됨에 따라 경주고적보존회에서는 이 기회에 경주의 고분을 발굴하여 신라 경주의 고적과 미술품을 널리 소개 선전할 계획을 세웠다. 그러나 예산관계로 실행을 못하고 있던 중, 마침 한국을 방문한 영국인 고고학자 데이빗드 씨가 총독부를 경유하여 비용금으로 3천원의의 기부를 하게 되어 발굴에 착수하게 된다. 『매일신보』 1929년 5월 30일자에는 다음과 같은 기사가 있다.

중국 방면에서 고기물 자료를 수집 중인 영국인 고고학자 데이빗 씨가 총독부를 경유하여 비용금으로 3천원의 기부를 하여 고분을 발굴키로 하여 일절 수속을 마치고 지난 25일 제록관장이 내려왔는데 발굴할 고분은 서

---

40 『국립중앙박물관 소장 총독부박물관 공문서』, 목록번호 : 96-140.

봉총의 부근 에 있는 것으로 외형이 완전하게 남아 있는 것인데 8월 초순
부터 발굴에 착수할 예정이다.

발굴에 선정된 고분은 경주 노서리에 있는 서봉총의 부근에 있는 고분으로
고분의 외형이 완전히 남아 있는 것이었다.[41] 이는 매장 유물이 서봉총에 버금
갈 것으로 예상하고 세상의 이목을 경주로 집중시키고자 했던 것이다. 영국인
데이빗드의 기부금으로 발굴하였다하여 일명 '데이빗드총' 이라 부르고 있다.
발굴은 1929년 9월 6일에 착수하였으며, 출토 유물로는 팔찌 4개, 귀걸이 2개,
가락지 5개 유리구슬, 그 외 토기류 등이 발견되었다.[42] 결국 예상과는 달리 큰
소득을 얻지 못하고 멀쩡한 고분만 파괴한 결과를 낳았다.

1929년 9월 12일

조선박람회 개장

9월 12일 근정전에 조선박람회 개장식을 가졌다. 조선박람회는 조신 통지의
일환으로 당시 매일신보에는 제1면 톱기사로 몇 개월씩 소개를 하면서 선전에
여념이 없었으며, 국내 사정과는 상관없이 개최되었다.

---

41 『每日申報』 1929년 5월 24일자, 5월 30일자.
42 『東亞日報』 1929년 9월 3일, 9월 24일자.

조선박람회 개장 모습
(『매일신보』 1929년 9월 14일자)

1929년에 개최한 조선박람회는 통치 20년의 선전을 위하여 300만원이라는 대예산을 투여投與하여 '시정20주년물산공진회'란 이름으로 개최하였다. 이에 4만원을 들여 미행이동경찰尾行移動警察을 예산을 적립하고 요소요소에 배치하여 불만요소의 언급을 막았다. 당시 압수되었던 신문 내용을 보면,

한발旱魃과 빈곤, 불경기와 재정긴축, 온갖 사회적 불안이 그 극도에 달한 금일에도 총독부내에서는 300만원이라는 대예산을 던져가면서 박람회준비에 안비막개眼鼻莫開의 상태이다. 통치20년의 선정善政을 선전하고 일본자본가의 투자열을 고취하고 재경대상인在京大商人의 침체상태를 타개키 위하여 지방농민 및 지주를 경성에 끌어 모으는 조선박람회는 통치계급으로서는 현 사회의 불안상不安狀을 제거하는 것으로 생각할지 모른다. 그러나 당국이여! 그것이 한갓 치자계급治者階級의 주관적 독단이론獨斷理論이고 불안의 현상을 가일층 심하게 할 일원인一原因이 될 것은 공평한 입장에서 보아 움직일 수 없는 사실이 아닐까 조선에 있어 사실 인구상 무역상 산업상 현저한 증가가 있었다고 선전해 보라. 또 일본이 조선시정에 20여 억원의 대금을 투하投下하였다. 과장하라. 그렇다고 이면에 감추인 토지겸병土地兼併의

대세大勢, 유리민流離民의 격발激發, 생활표준의 저하, 범죄자의 격증을 감출 수가 있을까.

<중략> 박람회, 공진회, 무슨 회 등 전국적 내지 세계적 대회합을 개최하려 하는 때는 해지방該地方 또는 해국가該國家의 인민이 가장 평화롭고 번화한 때에 개최함이 상례常例다. 조선 금일의 상태와 같이 연속한 한재 수해에 인민이 빈곤에 시달리고 더구나 영구적 대경기의 처지에 있어 이러한 과분한 호사생활豪奢生活을 할 수는 도저히 없는 것이다.

그럼에도 불구하고 대예산을 써가면서 통치의 선전과 자본가의 투자열과 지방민의 소비력을 일제히 경성에 모으려는 심사는 너무나 조선 현상을 몰이해沒理解하는 행동이다. 게다가 대예산을 쓰는 경비, 상경민급체경민上京民及滯京民의 부자유不自由, 불안 불쾌를 주는 특별경찰을 배치하는 것은 불가해 지극한 처치이다. 모순을 가득 담은 조선박람회는 당국의 예기하는 것과 같은 호성적好成績을 못 낼 것은 물론, 운운.[43]

그러나 그들은 이 전람회를 평하여,

1929년에 경성에서 개최된 조선20주년기념전람회는 조선의 물질적 발달이 20년간 이처럼 현저하게 나아진 것을 적라하게 보여주고 있다. 공명정대한 정치, 문화적 통치를 행하여 인민 전체의 생명, 재산의 보호와 더불어 스스로 근검역행勤儉力行의 민풍이 생기게 하여 조선의 개선과 근대화

---

43 『東亞日報』1929년 8월 21일자.

에 박차를 가하여 실로 일본이 합병이래 25년은 수백 년 간 정돈상태停頓狀態의 조선을 근대문명국에 들게 한 위대한 공적을 남겼다.[44]

라고 조선인의 심정과는 무관하게 통치의 한 방편으로 활용하였던 것이다.

1929년 9월 15일

대구에서 《신라예술품전람회》가 개최되다

조선박람회 경북협찬회에서는 1929년 7월 18일 그 위원회를 개최하여 '신라예술전람회 계획 건'을 협의하여 9월 15일부터 11월 3일까지 49일간 대구역전 상품진열소에서 개최키로 결정했다. 출품물은 대구를 위시하여 도내 각 지방 유지들이 비장하고 있는 고기물 또는 신라의 예술품의 출품을 요청하는 한편, 총독부박물관에 교섭하여 대구 부근에서 수집 발굴한 각종 고적품을 빌려 일목요연하게 신라문화를 소개하기로 했다.[45]

1929년 9월 15일부터 11월 3일까지 50일간 개최한 신라예술전람회는 15일 오전 11시부터 그 회장인 대구역전 상품진열소 광장에서 관민 유지 350여 명의 열석 하에 성대한 개회식을 거행했다. 출품 점수는 금관 이하 4천여 점에 달

---

44 小野淸, 『朝鮮 風土記』, 東京民論時代社, 1935, p.32.
45 『매일신보』1929년 7월 22일자.

했다. 개회 당일 이마무라今村 지사의 고사告辭는 다음과 같다.

조선박람회경상북도협찬회 주최
신라예술품전람회의 설비가 이루
어져 오늘 개회를 하는 바입니다.
경주는 천년의 고도로 실로 조선
제일의 명적지名蹟地이며 따라서 그
유물이 오늘에 존재함은 모두 동양
고대의 문화 발달을 과시하며 내선
관광객으로 이 지역에 여행하는 사
람이 날로 늘어나감은 실로 의의있
는 일입니다. 본도 협찬회는 먼저
조선박람회의 사업을 돕기 위하여
조직된 것으로 이번에 본회를 개최

『매일신보』 1929년 9월 18일자 기사

하여 단시일에 능히 다수의 미술공예품을 수집 진열하여 동양예술의 정수
를 나타냄에 족함은 조선박람회에 일층의 광휘를 더하며 본회의 개최가
온고지신의 료料가 되어 금후 미술공예의 발달에 기여할 바 다대함을 생
각할 때 기쁨을 감출 수 없으며 다시 회장을 통람컨대 내용이 완비하여 신
라예술의 찬연함은 출품인 제군이 본회 개최의 취지를 잘 이해하여 희생
의 정신으로 문외불출門外不出의 일품逸品을 출품케 됨은 관계자 관민일치
의 노력에 의함임을 감사하는 동시에 본회 유종의 미를 얻을 수 있기를 원

하여 고사告辭로 합니다.[46]

경주 금관총의 출현 이후 각지에서 도굴한 가야, 신라시대에 이르는 유물들로 대구에 거주하고 있는 시라카미, 오구라, 이치다 등의 소장품이 주를 이루고 있었다.[47] 출품 유물로는 경주, 양산, 합천, 고령, 선산지방에서 나온 유물을 비롯하여 입실리 발견의 유물, 왕관, 불상, 사리함, 동경, 고와, 고려자기, 조선백자 등으로, 석기시대부터 조선시대에 이르는 경주 대구 일대에서 출토된 유물을 시대별로 진열하였다.

이때 이치다의 출품 소장품은 단연 돋보였다. 이치다의 출품은 각 시대를 고루 갖춘 것으로 삼국시대의 '순금제이식', '은제환도병두', '동제전립금구', '사리호' 등 대부분이 고분에서 나온 도굴품이었으며, 총 300여 점이 출품되었다. 이속에는 '금동관음보살상'을 비롯한 불상 13체, 고려자기 38점, 조선자기 7점이포함되었다.[48] 당시 이치다가 출품한 목록은 다음과 같다.

市田次郎의 《신라예술품전람회 출품 목록》[49]

시대	유물명	수량	출토지
석기시대	磨製石斧	21	경주 부근
금석병용기	磨製石劍	2	경주 부근

---

46 『매일신보』 1929년 9월 18일자.
47 梅原末治,「一考古學徒の回顧」,『朝鮮學報』第51輯, 朝鮮學會, 1969, p.121.
48 大韓民國政府,『對日請求 韓國藝術品』, 1960, pp.181~193.
  藤田亮策,「新羅藝術品展覽會に就いて」,『考古學雜誌』제19권 10호, 考古學會, 1929년 10월, pp.46~50.
49 『被奪美術品目錄』

시 대	유 물 명	수 량	출 토 지
금석병용기	靑銅小鐸	2	경주 외동면 입실리
금석병용기	鏡	1	경주 외동면 입실리
금석병용기	靑銅劍柄	1	경주 외동면 입실리
금석병용기	小銅鐶	1	경주 외동면 입실리
금석병용기	小銅棒	1	경주 외동면 입실리
금석병용기	銅鈴	1	경주 외동면 입실리
금석병용기	細形銅劍	1	경주 외동면 입실리
금석병용기	細形銅劍	1	경북 상주
금석병용기	銅鉾	1	부산 부근
금석병용기	銅鏃	1	경북 현풍
삼국시대	陶製着冠男子立像	1	경북 경주
삼국시대	陶製男子立像	1	경북 경주
삼국시대	陶製馬	1	경북 경주
삼국시대	陶製牛	1	경북 경주
삼국시대	純金製耳飾	1	경북 경주
삼국시대	純金製耳飾	1	경북 경주
삼국시대	純金製耳飾	1	경북 경주
삼국시대	純金製耳飾	1	경북 경주
삼국시대	純金製耳飾	1	경북 경주
삼국시대	純金製瓔珞付丸玉	12	경북 경주
삼국시대	純金製丸玉	26	경북 경주
삼국시대	硬玉製勾玉	4	경북 경주
삼국시대	玉類	1群	경북 경주

시 대	유 물 명	수 량	출 토 지
삼국시대	琉璃製銀冠付勾玉	1	경북 경주
삼국시대	銀製勾玉	1	경북 경주
삼국시대	瓔珞製練玉	2	경북 경주
삼국시대	純金製耳飾	1對	경북 경주
삼국시대	玉飾	1群	경북 경주
삼국시대	金銅製觀音立像	1	경북 경주
삼국시대	裝飾土偶廣口長頸壺	1群	경북 경주
삼국시대	陶製把手付器台	1	경북 경주
삼국시대	廣口壺及台	1	경북 경주
삼국시대	角形杯	1	경북 경주
삼국시대	陶製損	2	경북 경주
삼국시대	文樣付有蓋高杯	6	경북 경주
삼국시대	土器	4	경북 경주
삼국시대	台付廣口長頸壺	1	경북 경주
삼국시대	小形陶器	10	경북 경주
삼국시대	把手付蓋付壺	2	경북 경주
삼국시대	陶製骨壺	11	경북 경주
삼국시대	金銅製寶冠	1	경북 경주
삼국시대	素燒四耳付大形壺	1	경북 경주
삼국시대	二重耳付壺	1	경북 경주
삼국시대	青銅製馬鐸	3	경북 경주
삼국시대	變形七乳銅鏡	1	경북 경주
삼국시대	青銅製鈴	2	경북 경주

시 대	유물명	수량	출 토 지
삼국시대	銀製帶金具	1具	경북 경주
삼국시대	銀製垂下佩金口	2	경북 경주
삼국시대	銀製環刀柄頭	5	경북 경주
삼국시대	銀製腕輪	1	경북 경주
삼국시대	金銅製冠殘缺 付銀製耳飾	1	경북 경주
삼국시대	鐵地金被靈珠	1	경북 경주
삼국시대	金銅製垂下佩金具付帶銙	1	경북 경주
삼국시대	靑銅製火울두	1	경북 경주
삼국시대	銅製冠前立金具	2	경북 경주
삼국시대	素燒筒形壺	1	경북 경주
삼국시대	台付長頸壺	1	경북 경주
삼국시대	小壺	1	경북 경주
삼국시대	高杯	1	경북 경주
삼국시대	배	1	경북 경주
삼국시대	兩角飾壺	3	경북 경수
삼국시대	耳付壺	1	경북 경주
삼국시대	飾環脚付杯	1	경북 경주
삼국시대	金被雲珠	1	경북 경주
삼국시대	銀製圓頭太刀柄頭	2	경북 경주
삼국시대	靑銅腕環	1	경북 경주
삼국시대	銀製指輪	4	경북 경주
삼국시대	金製指輪	1	경북 경주
삼국시대	銀製丸玉	1	경북 경주

시 대	유 물 명	수 량	출 토 지
통일신라	金銅製釋迦立像	1	경북 경주
통일신라	金銅製觀音立像	1	경북 경주
통일신라	靑銅製藥師立像	1	경북 경주
통일신라	靑銅製釋迦立像	1	경북 경주
통일신라	靑銅製佛頭	1	경북 경주
통일신라	滑石製小石塔	1	경북 경주
통일신라	綠釉舍利壺	1	경북 경주
통일신라	蓋付高杯	1	경북 경주
통일신라	綠釉鬼瓦	1	경북 경주
통일신라	瓦當	28	경북 경주
통일신라	唐草瓦	4	경북 경주
통일신라	素燒瓢形瓶	1	경북 경주
통일신라	素燒平形瓶	2	경북 경주
통일신라	素燒細頸瓶	2	경북 경주
통일신라	金銅製釋迦立像	1	경북 경주
통일신라	金銅製釋迦立像	1	경북 경주
통일신라	金銅製釋迦立像	1	경북 경주
통일신라	金銅製釋迦立像	1	경북 경주
통일신라	金銅製釋迦立像	1	경북 경주
통일신라	金銅製釋迦立像	1	경북 경주
통일신라	金銅製釋迦立像	1	경북 경주
통일신라	金銅製佛器	1	경북 경주
낙랑시대	靑銅製挾鋒銅鉾	1	평양 대동군 대동강면

시 대	유 물 명	수 량	출 토 지
낙랑시대	瓦當	1	평양 대동군 대동강면
고려시대	玻璃製丸玉	1	
고려시대	玻璃製花形玉	1	
고려시대	靑銅製阿彌陀坐像	1	
고려시대	靑磁鱸鈕陶印	1	
고려시대	靑磁象嵌菊花唐草文小壺	1	
고려시대	靑磁象嵌雲鶴文小瓶	1	
고려시대	靑磁象嵌菊花唐草文器	1	
고려시대	靑磁及白磁合子	15	
고려시대	獅子鈕銅印	1	
고려시대	靑磁鈴刻蓮花文瓶	1	
고려시대	通度寺傳來佛像入廚子	1	
고려시대	靑磁鈴刻花文鳳凰鈕承盤付水注	1	
고려시대	鐵砂釉水瓶	1	
고려시대	靑磁承盤付水注	1	
고려시대	靑磁鈕頸瓶	1	
고려시대	靑磁蓮花形高杯	1	
고려시대	靑磁象嵌蒲柳文瓶	1	
고려시대	靑磁流文鴛鴦形香爐	1	
고려시대	靑磁素文蓮花形鉢	1	
고려시대	靑磁素文蓮花文瓶	1	
고려시대	靑磁象嵌雲鶴文蓋付鉢	1	
고려시대	靑磁白齒朝顔形鉢	1	

시대	유물명	수량	출토지
고려시대	靑磁象嵌牧丹文鉢	1	
고려시대	靑磁素文片口	1	
고려시대	靑磁素文鉢	1	
고려시대	靑磁象嵌牧丹文植木鉢	1	
고려시대	靑磁象嵌蓮花童文瓶	1	
조선시대	繪三島壺	2	
조선시대	三島刷毛目壺	1	
조선시대	三島刷毛目鉢	1	
조선시대	慶州長興庫三島鉢	1	
조선시대	三島刷毛目鉢	1	
조선시대	三島手細頸瓶	1	
조선시대	染付鉢	1	
조선시대	染付角形瓶	1	
조선시대	多鈕細文鏡	1	

당시 전람회목록까지 만들었는데 전람회목록은 총독부박물관의 후지타藤田, 고이즈미小泉, 모로가諸鹿가 맡았으며, 그 권두에는 신라문화에 대한 개설을 실었나.[50]

이 전람회를 돌아 본 후지타 료사쿠藤田亮策는,

조선박람회 개최를 기회로 하여 대구의 상품진열관에 전개된 《신라예술

50 藤田亮策,「新羅藝術品展覽會に就いて」,『考古學雜誌』제19권 10호, 考古學會, 1929년 10월, pp.46~50.

품전람회》인데, 경상북도의 자랑거리가 될 뿐만 아니라 조선의 자랑 신라 도읍 경주가 있음으로 그곳에 예술품의 수粹를 수집하여 내외에 소개한 것은 의기宜機에 적適한 일이요, 또 비상한 효과를 득하여 일반으로부터 상찬을 받은 것은 학계로서도 감사하지 않을 수 없다. 진열품의 대부분은 개인이 수집하여 소장한 것이나 석기시대로부터 금석병용기를 경과하여 신라예술의 수粹라 할 만한 다수의 금은 및 도금의 장식품, 무기, 와전을 비롯하여 심히 많고도 또 우월한 불상을 집득集得한 일대 자랑거리였다.[51]

라고 하고 있다. 대영박물관의 '흡손' 외 외국의 고고학자들도 이 전람회를 관람하고는 찬사를 아끼지 않았다.

『매일신보』 1929년 11월 8일자에는 다음과 같은 기사가 있다.

신라예술품전람회 폐회 후 '신리관'을 상설, 대구상품진열관에

대구상품진열관에서 개최 중이던 신라예술품전람회는 지난 3일로서 호성적리에 폐회閉會되었는데 유지 간에는 고귀한 예술품들을 소장하여 두느니 보다 전람회 후라도 상품진열소 내에 신라관을 상설하고 일반종람에 공하는 것이 좋다는 의론이 일어나서 폐회석상에서 만장일치로 가결하고 금후 실행위원을 선정하여 이를 수행하기로 하였다.

1929년에는 대구부에서 민간이 수장하고 있는 출토품(도굴품)을 전시하였는

51 藤田亮策, 「昭和4年度 古蹟調査槪要」, 『朝鮮』 14-3, 朝鮮總督府, 1930년 3월.

데, 당시 대구고등보통여학교장 시라카미 슈키치白神壽吉, 이치다 지로市田次郎, 오구라 다게노스케小倉武之助 등의 수집품이 주를 이루고 있었으며 이들은 경주 금관총의 출현出現 이래 각지에서 옮겨온 유물들로 모두가 도굴에 의해 가야, 신라 삼국시대, 통일신라에 이르는 유품들로[52] 당시 도굴이 얼마나 성행했는지 짐작케 하고 있다.

한 예로 후지다 류사쿠藤田亮策는 「조선 및 내지발견内地發見의 이식耳飾에 대해」란 글에서, "조선에서 발견된 이식耳飾은 실로 많은 수로서 학술적 조사를 거친 것만도 70대對(쌍)이지만, 개인의 비장秘藏으로 돌아간 것으로 조선 및 도쿄東京, 교토京都에 있는 것도 아주 많다. 대부분 경주, 달성, 선산, 상주, 안동 등의 신라 영역과 창녕, 합천, 고령, 거창 등의 가야지역에서 출토된 것으로 전해지고 있다" 라고 하고 있다. 일본으로 반출된 것에 대해서는 "도쿄東京 네즈 가이지로根津嘉一郎, 교토京都 기오노 겐지淸野謙次, 모리야 고소守屋孝藏 씨 등의 비장으로 돌아간 것도 수십 대對(쌍)를 헤아린다" 라고 하며 "최후로 들 것은 대구부의 재주在住의 오구라小倉 씨, 이치다市田 씨 등의 소장품에 많은 것이 신라계통으로 생각된다" 라고[53] 당시의 도굴이 얼마나 성행했는지를 증언하고 있다.

이것은 결국 돌아보면 경주 일대의 풍부한 유물의 발굴로 도굴을 조장하는 결과를 낳게 되어 드디어는 조선인 중에서도 일인들의 앞잡이가 되어 상습적

---

52 「昭和4年度 古蹟調査の概要」, 『朝鮮』, 朝鮮總督府, 1930, p.5.
梅原末治, 「日韓併合の期間に行なわれた半島の古蹟調査と保存事業たすさわつた一考古學徒の回想錄」, 『朝鮮學報 第51輯』, 朝鮮學會, 1969, p.121 參照.
53 藤田亮策은 「朝鮮及び內地發見の耳飾いて」, 『日本文化叢考』 第2部, '論纂' 第3輯, 東京帝國大學 法文學會, 1931, p.284, 287.

으로 도굴을 하는 자들이 상당수에 달하여 신문지상에도 다음과 같이 단속을 촉구하기에 이른다.

경주지방은 최근 수십년간에 걸쳐 고분의 발굴로 귀중한 출토품이 있어 황금의 왕관, 패도佩刀, 기타 고고학상에 심대甚大한 참고자료를 기여하고 있거니와 요즘 괘심하게도 밀굴密掘하는 자가 많고 어떤 소식통이 말하는 바에 의하면 고분 밀굴의 상습자는 선인鮮人만도 약 20명에 달한다고 하는데 그 출토품은 주로 내지인의 고매자故賣者로부터 각각 연줄을 구하여 팔아치워져 상당한 이익을 얻고 있다고 하는데 최근의 현저한 출토품으로서는 당삼채와 같은 호를 밀굴하여 수천엔에 밀매하는 자가 있는 바 그 호壺 속에는 5개의 합자盒子가 있어 대단히 귀중한 것이라고 하며 그 출토물은 내지인內地人(일본인)의 고매자故賣者에 의하여 대구의 호사가에게 팔려지고 있다고 하는데 이와 같이 부정한 밀굴이 금후 거듭 행하여짐에 있어서는 신라왕조의 문화를 연구할 자료를 산일散逸케 하는 끼닭이 되므로 낭국에서 엄중한 취체를 하여 주었으면 좋겠다고 한다.[54]

1929년 9월 28일

9월 28일 제천군 금성면 상천리 백운암白雲庵에서 불이 나 암자는 전소되고

---

54 『京城日報』 1925년 4월 15일자.

불상만 구출했다.[55]

1929년 9월

진흥왕 마운령비 발견

1929년 9월에 함남 이원군에서 진흥왕의 마운령비가 나타났다.『중외일보』
1929년 11월 9일자에는 다음과 같은 기사가 있다.

신라 진흥왕의 기념비 발견. 사학상의 호자료
종래로 사학가들은 삼국시대지三國時代誌의 기록에 의지하여 고대신라의
북변 국경은 영흥만으로 정설이 되었음은 믿고 있었으나 이번에 경성제대
교수 오다小田, 후지타藤田 씨와 최남선 씨의 손으로 함경남도 이원군 마천
령의 연산인 만덕산정으로부터 신라진흥대왕의 기념비를 발견하였는데
이 기념비는 지금으로부터 1300년 전에 당시의 중흥영주中興英主인 진흥왕
이 즉위하면서 고구려와 백제의 영지를 차차 정복하여 국경을 훨씬 넓히
면서 당시에 신하를 거느리고 국경을 순시하기 위하여 이곳까지 와서 기
념비를 세운 것이라

---

55 『每日申報』 1929년 10월 29일자.

『동아일보』 1929년 11월 15일자에도 비의 사진과 함께 같은 내용을 담고 있는데 다음과 같다.

신라 진흥왕순시비 함남 이원에서 발견

이 사진에 있는 누운 돌은 신라진흥왕의 순수비이다. <중략> 지난 가을에 조선사편수회 촉탁 최남선 씨가 함남 동해안을 여행할 때 이원군 동면 용산리 만덕산 정상에서 척경拓境 순수비를 발견하고 조선사편수회에 보고하여 경성제대 소전, 박물관 등전 관장이 다시 실지조사를 하여 며칠 전에 귀경하였는데 진흥왕순수비는 북한산, 경남 창녕, 함남 황초령에 있으나 황초령의 것은 진위가 미상하여 지금까지 사가들의 의심을 품게 하던바 이번의 발견으로 당시 신라국위가 여진족의 발호지로만 알고 있던 함북 가까이 까지 미치었던 것이 판명되었다고 한다. 이 비가 발견된 위치는 만덕산 정상으로부터 단천군 쪽으로 경사지 곳이나 빌연코 그 정상에 있던

것이 굴러 내린 듯 하며 천년풍우에 마멸된 곳도 있으나 글자는 읽을 만하다고 하며 표면에는 '진흥왕척경순시眞興王拓境巡視'라고 하였으며 연호는 '대창원년팔월이십일일大昌元年八月二十一日'이라 하였다더라.

비가 발견된 것은 9월인데 11월에 와서야 기사화 된 것은 그간의 신라국경설과 마운령비의 존재에 대하여 의문이 있었던 것이다.

『매일신보』 1929년 11월 15일자 기사

이는 신라의 동북경東北境이 지금의 안변을 넘지 못할 줄 알았고 신라통일 때도 덕원을 넘지 못하였다고 믿어왔던 때문이었다. 먼저 황초령비에 대하여 일본학자 쓰다 소우키치津田左右吉는 삼국사기와 배치背馳됨과 비문에 의점疑點이 있음과 건비의 목적과 진흥시대의 대세를 들어 이 비가 믿지 못할 것이라고 결론을 내리었으며 이마니시 류今西龍도 처음에는 이 비가 근대의 위작이 아닌가 의심하였다.[56]

특히 이케우치 히로시池内宏의 주장은, 옛날 신라는 북편경계가 철원 혹은 안변

북을 넘은 때가 없었다. 황초령에 있다고 하는 순경비는 본시 진흥왕의 순경 시에 건립한 것이 아니라 철원 근방에 순행할 때에 세웠던 것을 고려 예종2년에

---

56 金允經,「北漢眞興王巡狩碑(4)」,『동아일보』1939년 7월 18일.

윤관이 17만 대군을 거느리고 함흥 평양에 출정하여 여진족의 135부락을 토평하고 9성을 축성할 때에 역사적으로 그 땅이 조선 선대의 속령이었다는 것을 역사적으로 여유있게 하기 위하여 옮겨 세웠다는 것이라고 하여 결국 함경도가 조선의 속령이 되던 당시 보다 550년(진흥왕순행시대는 진흥왕12년 서력 551년, 윤관이 여족 토벌시는 서력 1107년) 뒤지게 만들어 놓았다고 하고 있다.[57]

이 같은 학설이 정설화 되다시피 한 상황에서 마운령비의 발견은 큰 충격이었다.

신라 진흥왕 때의 국경이 황초령 근방까지만 아니라 멀리 함경남북의 경계인 이원 근방까지 나아갔음이 이 마운령비의 발견으로 명명백백하게 밝혀지게 되었으니 일본 학자들의 수장은 일고의 가치가 없게 된 것이다.

진흥왕의 마운령비의 발견 경로에 대해『매일신보』1936년 10월 14일자에는 다음과 같은 기사가 있다.

1367년 전의 신라 진흥대왕비 역사직 중보 발견경로

신라 제24대 영주 진흥대왕은 사상에 이름난 현군이라 대왕이 북한산과 옥저구지를 순행하였다는 사적 기록도 있을 뿐만 아니라 그 훈공을 말하는 비석이 오늘날까지 전하여 오는 것이 여러곳에 있으니 창녕 말흘산, 한성 북한산, 함흥 황초령 등지에 있는 석각이 그것이라, 그러나 당시의 국계가 확실치 못하여 학자 간에 많은 의혹을 가지게 된바 김부식의 삼국사에는 신라의 북방 강계를 비열홀比列忽이라 하였으니 이는 지금의 안변이

---

57 『東亞日報』1930년 4월 7일자에서 실린 기사인데, 이는 池內宏의 「眞興王の戊子巡境碑と新羅の東北境」(『古蹟調査特別報告』第6冊, 朝鮮總督府 編, 1929)의 주장을 인용한 것이다.

라 이것이 사실이라면 국계를 넘어 2백리를 상거한 북방 함흥 황초령에 있는 비석은 자연 의문에 속할 수밖에 없는 것이라 이에 대한 많은 학자들이 그 진가를 판정치 못하고 의혹을 가지고 내려왔던 것이다. 그런데 천여년 역사적 의혹을 파할 희귀한 사적 중보가 나타났으니 그것이 즉 지금 말하는 이원군 마운령 운무봉상에서 발견된 진흥왕북성비眞興王北省碑라 한백겸 동국지리에도 단천에 순수비가 있다고 게재하였고 동국통감에도 이 같은 기록이 있으나 실증이 나오기 전에는 모두 한 개의 전설로 돌리고 그리 큰 관심을 가지지 못하였다. 이제 이 역사적 중보를 발견하게 된 경로는 1929년 7월경에[58] 육당 최남선 씨가 당지에 왔다가 우연히 고비가 산간에 나타나 있다는 말을 듣고 실물을 친히 감정하여 보려 당지 유지 권승하 씨, 신병무 씨, 외 수인과 더불어 비각소재처를 향하는 도중 동면 효우리에 들러 배강율계유고裵姜栗溪遺稿를 고람하게 되었다. 그 중 이원고기일편利原古記一篇 중에 「俗傳謂縣東雲霧峰有眞興古碑而引史文無巡狩之徵而?其不可信」 등의 문구가 있음을 보고 더욱 그 전설의 등한시 하지 못할 것임을 알고 일행은 비석 소재지를 탐색한 결과 동면 용산리 만덕산 화전 중에서 수백 년 춘풍추우를 맞어가는 빛없이 묻혀있는 길이 5적5촌이나 되는 큰 돌비를 발견하여 그 실물임을 확증하게 되었다. 당시 총독부에서는 이것을 경성박물관에 옮기려고 청부까지 주었다가 본군 유지들의 진정으로 오늘의 비각낙성식을 보게 된 것이다. 전면 115자 후면 199자 합314자에 자획이 파손된 것이 30자 가량 된다. 육조체를 표현한 해예서와 정교를 다한 조각의

---

58 기사에서 마운령비의 발견 시기를 1929년 7월이라 하는데 이는 9월의 오기로 보인다.

미는 도저히 타의 모작을 허치 않은 신라예술의 정화의 일면을 보여주는
진품이다. 이끼 낀 천년 옛 돌비 앞에 선인을 대하듯이 그 영풍위백英風偉魄
이 오히려 살아있어 고왕금래사古往今來事를 묵묵히 말하는 듯 무량한 감개
를 금치 못하게 한다고 한다. 이원고적보존회는 이 뜻 깊은 성의를 기념하
기 위하여 진정성과 힘을 다하여 만반의 준비를 진행하는 동시 전선으로
다수한 유지이 참석을 바라며 특히 당일 내객의 편의를 도하기 위하여 군
선역에서부터 당지까지는 자동차로 연락한다 한다(사진은 비각).

마운령비는 이원군과 단천군의 분기점인 마운령 정상에서 약 100m 아래인
이원군 동면 운시산(속칭 만덕산)봉 아래에 있다.

단천端川 마운령비에 대하여는 『동국여지승람』에 간단히 언급됨을 신경준申
景濬이 다시 『문헌비고』의 여지고與地考에 인용하면서도 거기에 대하여는 아무

말이 없고 "단천비문, 미급고未及考"라 하고 있다.

그런데 1929년 9월에 최남선이 함경도에 방서여행訪書旅行을 하던 중 이원 강필동(호 栗溪) 후예에게 그 유저遺著를 열람하는데『제성보諸姓譜』란 백여 책 중에서 "이성고기利城古記"를 들추다가 거기에 "眞興王巡狩邊界, 至縣東雲霧峯上, 乃建定界碑" 이라 함이 있음을 보고 또『북역건치연혁고北域建治沿革考』에서 "英州雄州之間 山, 今名雲霧峯" 이라 함을 보았다. 이 마운령비에 대하여 강필동이 진흥왕순수비란 것을 부인하고 야사野史란 것을 인용하여 고려 때 윤관이 여진을 정복할 때 그 부하 임언林彦과 최홍정崔弘正들이 여진을 위협하기 위하여 이 땅은 옛적 신라강토였다는 증거를 보이려고 위조하여 세운 것이라고 하고 있으나, 최남선은 강필동의 설과 그의 인용한 야사野史의 정부正否는 별문제로 하고 진흥왕비란 것이 있다함에 흥미가 끌리어 실지를 답사하여 발견한 것이다.[59]

최남선은 조선사편수회 위원으로 조선사편수회에서는 위원들이 각 지방으로 사료채방史料採訪이란 이름으로 자주 출장에 나서기도 했지만 최남선이 강필동의 유저를 보게 된 것은 그 후손의 배려였다.

율계 강필동姜必東은 율계집을 남겼으나 그는 무슨 이유에서인지 이를 밀봉하여 놓고 자기의 5대손이 성년이 되는 날 이를 개봉하라고 유언을 하였다고 한다. 이 유언에 따라 모든 친척들과 지기들 앞에서 율계의 5대손 강성우가 개봉을 하였다. 이 자리에 사학가 최남선이 초빙되었던 것이다.[60]

---

59 金允經,「北漢眞興王巡狩碑(3)」,『동아일보』1939년 7월 16일자.
60 姜喆鐘의「磨雲領 眞興王巡狩碑의 發見經緯에 관한 一管見」(『전북사학』제3집, 1979년 2월)에 의하면,
   율계의 5대손에 율계집을 개봉할 때 육당을 모시자는 중의를 좇아 강현수가 서신을 보

마운령비가 최남선에 의해 발견된 후 조선사편수회 관련자들의 답사가 이어 졌으며, 이를 조선총독부로 옮기려 했다. 이에 이원군민들은 보존회를 조직하 여 이전을 반대했다.

『동아일보』1930년 12월 30일자에는 다음과 같은 기사가 있다.

진흥왕순수비 이전반대 진정
선역사상에 큰 파문을 일으킨 진라진흥왕순수비가 함남 이원에서 발견되 어 이원군민의 발기로 이 비를 영구보존하기 위하여 이미 보존회까지 조직 되었넌바 최근에 이르러 군 당국으로부터 이 비를 박물관에 이전하려고 견 적서까지 발송하였으므로 이에 전기 보존회에서는 지난 5일 이원군서면소 에서 반대진정을 결의하여 끝까지 보존하기로 수일전에 진정서를 총독부와 도당국에 발송하였다는 바 사무집행위원과 진정서는 아래와 같다. <하략>

이원군 진흥왕순수비보존회에서는 1936년 10월 함남 이원군 만녁산에 진흥 왕순수비각을 건립하여 낙성식을 가졌다.[61]

내어 육당을 초빙하였던 것이다. 육당 최남선에게는 姜乾夏라는 사위가 있었는데, 강건 하는 이원군 서면 육평리 강씨문중의 종손으로 동경제대를 나온 의학박사이다. 강건하 의 부친이 바로 강현수이다. 이런 관계로 최남선은 자주 왕래를 하였다고 한다.
61 『朝鮮日報』1936년 11월 1일자.

1929년 10월 13일

경남 울산군 두서면 미호리에 있는 분묘를 도굴하여 고기물을 훔친 경주 천북면 갈곡리 최현대 외 4명이 10월 13일에 검거되다.[62]

『중앙일보』 1929년 10월 23일자 기사

독립문 수선공사

독립문은 완공되었으나 낙성식도 가지지 못하고, 1898년 9월에 처음으로 독립문에서 '대한개국 506돌 경축회'행사를 대대적으로 치른 적이 있다.[63] 하지만 이후 독립문에서의 행사를 정부에서 금지시키게 된다. 1899년 3월에 황태자의 생일을 기념하는 날을 맞아 독립문에서 경축행사를 가지려 했으나 정부에서는 병사와 경찰들을 독립문 일대에 배치하여 이를 저지하게 되어 부산뇌고 밀었다.[64] 행사의 뜻은 좋은 것이나 또 다시 정부 비판으로 번지는 것을 우려한 때문이다.

러일전쟁에 승리한 일본은 한국을 독점하고 한국 강점으로 이어지면서 '독립'

---

62 『東亞日報』 1928년 10월 23일자.
63 『독립신문』 1898년 9월 2일자.
64 『독립신문』 1899년 3월 22일자.

이란 용어 자체에 예민해 질 수 밖에 없었으며, 독립문은 그리 달갑지 않은 건축물이 되고 만 것이다. 1908년경에는 주위에 철책을 둘리고 일반인의 접근을 막았다. 이후 돌보지 않은 독립문은 조금씩 퇴락되어 가면서 1918년경부터는 석재가 조금씩 떨어지기 시작하여 1927년에 와서는 도괴될 지경에 까지 이르렀다. 이렇게 되자 한때 철거론까지 상당히 있었으나 결국 수선하기로 결정하였는데,[65] 이것도 국비에서 하지 못하고도 지방과로부터 보조를 받아 수선을 하게 된다.

『매일신보』 1928년 10월 13일자에는 다음과 같은 기사가 있다.

독립문은 10여 년 전부터 쓰러지기 시작하여 근년에 와서는 무너질 지경에 이르러 부근 주민과 통행인에게 위험하여 오래전부터 수선할 필요가

있으나 경비문제로 지연되어 오던바 이번 경성부에서 그 건물을 부에서 관리하는 의주통 도로에 대한 부대구조물로 수축하기로 하고 도지방과에 수축비 보조를 신청하여 금월 6일부터 지방비에서 4천 100원을 보조한다는 지령이 나왔으므로 경성부에서는 2, 3일내 공사입찰을 시켜 곧 공사에 착수하리라는바, 독립문의 상부를 헐어 내리고 가운데에 콘크리트를 하여 그 외부에 현재

수선공사 모습
(『동아일보』 1928년 10월 20일자)

---

65 『每日申報』 1928년 8월 20일자; 『東亞日報』 1928년 8월 20일자.

1935년의 모습(『매일신보』 1935년 1월 13일자)

의 석재를 입혀 쌓아 현상과 같이 할 터이라

　기념비적 귀중한 건축물은 총독부의 지원이 없자 결국 지방비 4천백원으로 그 수선공사가 1928년 10월 19일부터 시작되었다.[66]

1929년 10월 20일

충주 대원사(大圓寺) 낙성식

　조선불교 충북 본말사 충주포교당인 대원사는 1925년 3월 21일 건축비 기부

---

66 『東亞日報』 1928년 10월 20일자.

금 3천7백여 원의 허가를 받은 후 창룡사 주지 김추월 화상이 모금활동을 하여
왔다. 『매일신보』 1926년 12월 2일자에는 다음과 같은 기사가 있다.

창룡사蒼龍寺 부활

충북 충주군 충주면 동방 금봉산복에 있는 창룡사는 사시 풍광이 뛰어나
고 절 뒤에서 냉천약수가 돌 사이에서 용출하여 각처에서 승람객이 모여
들었다. 그러던 중 1870년대에 충주목사 조병노 시대에 법당을 훼철하여
불상은 승방 한 구석에 이치하고 그 재목으로 충주영장忠州營將의 진영을
건축하였었다. 그 후 헌병대청사가 되어있다가 헌병대 철거 이후 무주공청
이 되어 있었다. 창룡사는 승려가 흩어지고 유지할 수가 없어 간혹 한 두
명의 승도가 출입을 하다가 현 주지 김초월이 이를 유감으로 생각하여 법
당을 신건축하고자 기부금 3천726원 88전의 한도로 허가를 얻어 기부금
모집에 노력한 결과 도내 유지의 다대한 동정으로 현재 1천여원의 금액이
모집되어 충주금융조합에 예금하였으나 2천원이나 부족하여 모집 중인데
이 내용을 탐문한 모 부정승배가 동사주지의 명의를 사칭하고 기부금을
모집하는 자가 있음으로 김추월 주지의 사업추진에 방해만 될 뿐만 아니
라 사기수단으로 시주를 기만함은 요서치 못할 일이라.

김 주지는 정액 모집이 되면 당국에 진정하여 진영불하를 운동하고자 활
동 중이라더라.

그러나 기한일이 되어도 미치지 못하므로 시한을 연장하여 금년 봄까지 모
집된 금액이 2천305원에 달하여 원래의 모금액에는 미치지 못했다. 그래서 창

룡사 본당 건축을 목적으로 하였던 것을 변경하여 현 건축지인 충주면 용산리에 포교당을 건축하기로 지령을 받고, 착공하여 이래 7개월에 걸쳐 공사를 진행하여 10월 20일 봉불식 및 낙성식을 거행하였다.[67]

1929년 10월 24일

여주군 주내면 고분 분포도 조사

1929년 10월 24일부터 11월 5일까지 노모리 겐野守健에 의해 경기도 여주군 주내면 상리 및 매룡리에 있는 고분의 상황 조사와 함께 분포도가 작성되었다.[68]

매룡리 제2호분 파괴부

매룡리 제2호분 발견 금동이식(金銅耳飾) 및 도자(刀子)

---

67 『每日申報』1929년 10월 24일자.
68 「여주군 상리, 매룡리 고분 분포도 작성(野守健)」, 『국립중앙박물관 소장 조선총독부박물관 공문서』, 목록번호 : 96-133.

1929년 11월 6일

희방사 소장 월인석보 판목의 재발견

희방사 소장 월인석보 판목은 1929년 불교사의 도진호에 의해 소장처가 세상에 알려지면서 국어사 연구의 귀중한 자료가 되었다. 1929년 12월 26일자 경성일보에 '월인천강지곡의 귀중한 판목이 발견' 이라는 제하의 기사와 함께 도진호 씨가 인쇄한다는 기사가 보도되었다. 다음은 도진호의 『월인석보』 목판 빌건에 대한 『동아일보』 1929년 11월 14일자 기사다.

우리의 세계에 자랑할 보배요 우리 문화의 지보인 한글에 관한 세종대왕어제의 원판본이 경상북도 영주군 풍기면 소백산 절에서 다수 발견되어 한글 연구계에 큰 광명을 비치었다. 이 희보를 불교중앙교무원의 도진호 씨는 지난 6일 그곳의 희방사에 출장하여 다음날 귀경한바 이제 이 귀중한 발견품목을 열거하면 다음과 같으며 도씨는 불일래로 또 충남 논산 쌍계사에 발견품이 있어 출발할 터인바 안동 광흥사에서도 월인천강지곡의 제21권의 앞에 있는 것과 제22권이 발견되었다 하야 이곳에 출발하리라 한다.
첫째. 월인천강지곡의 세종대왕어제의 훈민정음이 쓰여 있는 원본 첫 권을 발견하였는데 이 책은 선조대왕 원년의 작품으로 360년 전의 책이다.
둘째. 이번의 특히 귀중한 발견은『칠대만법七大萬法』,『오대집五大集』,『부모은중경父母恩重經』등 세 종류의 원판인바『칠대만법』은 순 한글로 지은 불법론이오.『오대집』은 인도말과 중국어와 조선어로 되어 있으며, 그 외에『영험록』은 한문을 조선말로 번역해 있다. 그리고『부모은중경』은 순 한글과 한문 두 가지로 쓰여 있어 모두가 이 발견으로 말미암아 순 조선말을 많이 찾게 되었다더라.

『중외일보』 1929년 11월 14일자 기사

불교사 편집원 도진호는 당시 희방사 소장 『월인천강지곡』을 복사하여 불교사로 가지고 왔다. 등사해 온 것을 정리하여 제본하였다. 등사 해온 것은 제 1권부터 제 2권까지로 판본 180장 90판이다.[69] 도진호의 『월인석보』 목판 발견 기사가 나간 후 관심 있는 여러 사람들이 희방사를 방문하고 때로는 판목을 수차 부분적으로 찍어 가기도 했다.

---

69 『中外日報』 1929년 11월 14일자.

희방사는 신라 선덕여왕12년(643)에 두운杜雲선사가 창건하였다고 전해진다. 창건 이후의 기록이 거의 전하지 않으며, 1850년(철종1년)에 화재로 소실된 것을 2년 후 강월江月대사가 중창을 하였다고 한다.

이 사찰에는 오래 전부터 1568년에 새긴『월인석보』제 1, 2권의 판목을 보존하고 있었다.『월인석보』는 수양대군이 세종의 명으로 석가세존의 일대기를 국문으로 엮은『석보상절』과 세종이 석

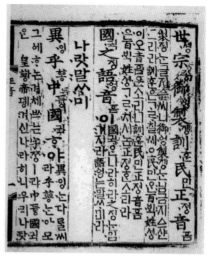

영주 희방사판 월인석보, 卷首에 수록된 훈민정음 언해본의 앞부분, 선조1년(1568) 목판본

보상절을 보고 석가세존의 공덕을 찬송하여 노래로 지은『월인천강지곡』을 합친 책이다.『월인석보』는 불경언해서로서 훈민정음 창제 당시의 글자와 말을 그대로 유지하고 있을 뿐 아니라 1권 머리에 훈민정음 판 15장, 30면이 얹혀 있다. 희방사판은 수首에 훈민정음을 싣고, 다음으로 정통십이년正統十二年에 수양대군이 쓴 '석보상절서'와 천순삼년天順三年 세조어제의 '어제월인석보서'가 실려 있다.

불경언해판목에 대한 조사는 1918년 3월에 빌행한 이능화의『조선불교통사』의 '언문자법원출범천'의 장에서 훈민정음을 논하고, 상허(이능화의 호) 왈 "내가 얻은 훈민정음 석보상절 제 1권. 들으니 그 판본은 현재 영주 희방사에 있다" 하는 것으로 보아 이능화가 가장 먼저 그 소재를 파악하고 있었다. 그 후 1926년과 1927년에 홍석모와 가토 간가쿠加藤權覺가 안동 광흥사의 월인천강지곡의 책판을 조사하였다. 이보다 먼저 오다小田省吾가 경북에 출장할 때 이능화의『조선불교

통사』의 기록에 의해 희방사의 책판을 조사하려 했으나 시일이 부족하여 조사를 할 수 없게 되자 군수에게 조사를 의뢰하고 돌아왔다는 기록이 보인다.[70]

1929년 11월 9일

충청북도 등록 유물 현상 시찰

　조선총독부 속 니시다 아키마쓰西田明松는 1929년 11월 9일부터 20일까지 충청북도 등록 유물의 지번地番, 지목地目, 지적地積, 토지 소유자 성명 등의 현상 조사를 했다. 등록 제33호부터 등록 제42호까지의 등록 유물 10건과 함께 미등록 유물 11건에 대한 조사도 함께 했다.

　주요 조사 내용을 정리하면 대략 다음과 같다.[71]

70 今西龍,「月印千江之曲と釋譜詳節とに就きて」,『朝鮮』, 1930년 10월.

71 「충청북도 등록 유물 현상 시찰 복명서(소화4년 11월 24일 속 西田明松)」,『국립중앙박물관 소장 조선총독부박물관 공문서』, 목록번호 : 96-133.

유물명	등록번호	소재지	내용
용두사지철당간	33	청주경찰서 후정 남쪽 모퉁이	
충주 탑정리7층석탑	34	충주 가금면 탑정리	1919년에 수선 참고 : 충주탑정리7층석탑의 남측에는 연편을 조각한 대석 1개가 잔존하는데 7층탑 건설 당시의 것으로 보존을 요한 것으로 보고하고 있다. 석탑의 남측에 잔존한 대석
淨土寺址法鏡大師慈燈塔碑	35	충주군 동량면	1919년 木柵을 설치했으나 형적만 있고, 비면은 작은 돌을 던져 字形이 손상된 개소가 다수 있었다. 부근 부락의 아동들의 所爲라고 한다. 동행한 면장 등에게 엄중한 주의를 주라고 하고, 본 건에 대하여 충주경찰서장에게 금후 취체를 엄히 할 것을 의뢰함.
충주남문외 철불상	36	충주본원사포교소 내	충주군청내에 있던 것으로 1929년 3월경 군청사 신축 계획상 충주본원사 포교소내로 옮겨 목하 동포교소에 보관중이라고 하고 있다.

유물명	등록번호	소재지	내용
億政寺址大智國師碑	37	충주군 괴동리	비 주변은 밀밭으로, 비는 기울어져 수선을 요함.
사자빈신사지4층석탑	39		1919년에 木柵을 신설.

유물명	등록번호	소재지	내용
괴산 신풍리 마애삼존불상	40	원풍리 동북방 약10정 표고 400고지의 암벽	좌불상의 鼻部가 破損
괴산 미륵리 석불상	41	괴산군 미륵리	
괴산 미륵리5층석탑	42	석불상의 북방 약 100보의 畑地	'참고' 근처의 석등, 3층석탑, 귀부, 당간지주에 대해 석불 당시의 건조물로 생각되어 보존을 요한다고 하고 있다.

유물명	등록번호	소재지	내용
청주 금정 294번지3층석탑		청주 금정 294번지 방인숙의 문전	제2층, 제3층탑신 및 복발을 잃고 제3층은 결손이 생겼고 1층탑신의 4면에는 불상을 조각하였으며 보존의 가치가 있다고 인정된다고 기술하고 있다.
3층석탑		충주군 엄정면 추평리 576번지(1坪의 畑地)	고려시대의 유물로 인정됨

1929년 11월 10일

문수산에서 5층석탑 발견

경남 울산군 운촌면 보통학교장 이와나가岩永가 문수산 부근의 고사찰 뒤에는 5중의 고탑이 있다는 소문을 듣고, 문수산 일대를 답사하여 11월 10일에 울산군 청량면 율리 문수산록에서 고 약 5척의 5층탑을 발견하고 곧 총독부로 통지하였다는데,[72] 어떤 탑인지 알 수 없다.

1929년 11월 15일

평북 정주군 갈사면 익성동 제석신에 있는 보광암普光庵은 고려시대에 건립한 유서깊은 사찰인데 11월 15일에 불이나 건물과 불상 전부가 소실되었다.[73]

1929년 11월 22일

11월 22일 새벽에 함남 이원군 동면 용산리에 있는 복흥사福興寺에서 불이나

---

72 『每日申報』1929년 11월 26일자.
73 『東亞日報』1928년 11월 18일자.

전소 전의 복흥사

대웅전과 기타 건물이 전소되었는데, 불상만은 겨우 화를 면했다.[74]

1929년 11월 27일

패총 도굴

최근 패총 등을 함부로 발굴 파괴하는 자가 연출할 뿐 아니라 근일의 실례로
11월 27일 동래군 사하면에서 패총을 발견하여 허가도 없이 발굴하는 자가 있

---

74 『東亞日報』 1928년 11월 25일자.

었으므로, 경남도청에서는 관하의 부윤
및 군수에 명하여 고적 발굴을 엄중히
하라고 하였다.[75]

『每日申報』1929년 12월 12일자 기사

1929년 12월 1일

김천 은적암(隱跡庵) 불상 절취범 검거

경북 김천 지례면 상부리 은적암은 주
지 이정기 외에는 여승들만 있는 조그만 암자인데, 11월 27일 주지가 출타한
틈을 타 도둑이 숨어들어 청동으로 만든 높이 1척5촌되는 불상 1좌를 훔쳐 달
아났다. 이튿날 주지가 이를 김천경찰서에 신고를 했다. 12월 1일 아침에 어떤
자가 그 불상을 3백원에 일본인이 운영하는 시계점에 팔아먹은 사실을 김천경
찰서에서 탐지하고 범인을 체포하였는데 범인은 김천군 석소면 임천리 송모임
이 판명되었다.[76]

---

75 『每日申報』1929년 12월 12일자.
76 『東亞日報』1929년 12월 6일자; 『每日申報』1929년 12월 5일자.

《조선사료전람회》

경성 서소문정 조선사편수회 주최로 1일부터 2일까지 조선사료전람회를 개최했는데, 진열된 사료 중에는 이순신의 『亂中日記草本』과 고려시대 이포李褒의 초상을 비롯한 40, 50점이 진열되었다.

전람회 모습(『동아일보』 1929년 12월 2일자)

1929년 12월 17일

경상북도 상주군 화서면 왕비암王妣庵을 폐지하다.[77]

---

77 『朝鮮總督府官報』 1929년 12월 17일자.

1929년 12월

나주 서문 내 석등 박물관으로 이치

전남 나주군 나주읍 서문 내에 있던 석등을
1929년 12월에 총독부박물관으로 이치했다.[78]

나주 서문 내 석등

같은 해

1929년에는 도쿄박물관에서 《경검새특별전람회鏡劍璽特別展覽會》를 개최하였
는데 다음과 같은 야쓰이 세이이치 소장 유물이 진열되었다.[79]

품명	출토지	유물번호	출처	비고
四神鏡	고려시대	第2函34	「鏡劍璽特別展覽會」, 1929	谷井濟一 所藏
瑞花雙鸞八稜鏡	고려시대	第2函35	「鏡劍璽特別展覽會」, 1929	谷井濟一 所藏
四神福壽鏡	고려시대	第2函36	「鏡劍璽特別展覽會」, 1929	谷井濟一 所藏
鳳瑞雲鏡	고려시대	第2函37	「鏡劍璽特別展覽會」, 1929	谷井濟一 所藏

그의 소장품들은 모두 고분 출토품으로 그가 고적조사를 하면서 개인적으로
소장하여 반출한 것으로 보인다.

---

78 『博物館陳列品圖鑑』 제12집, 1938.
79 帝室博物館, 「鏡劍璽特別展覽會案內」, 『考古學雜誌』 제27권 2호, 1929.

경주 남산 기암곡사지碁巖谷寺址는 1923년 7월에 오바小場가 답사하였을 때에는 3층소석탑의 옥개 2개와 초층탑신이 동남부의 반이나 매몰埋沒되어 있었다고 하는데, 1929년 재방문하였을 때는 경내境內 1면에 도굴이 행하여져 와편이 낭자狼藉하고 초층옥개 하방중단下方中段 등 탑석의 절반이상이 분실紛失되었다. 당시 동쪽 석탑 아래 머리가 없는 석불좌상石佛坐像은 경주분관에 옮겨 놓았다고 한다.[80]

도쿄국립박물관 한국 유물 구입

1929년에는 평양 일대의 낙랑고분에서 출토한 유물과 경주 일대에서 출토한 유물을 대량적으로 구입한 건이 보인다. 그 중 "낙랑유지 발굴의 토기, 청동기, 철기 등 9건을 구입, 같은 인물로부터 동지의 조선와전 약 100건을 구입했다"고 한다.[81]

이외 도쿄국립박물관에서 구입한 것으로는 다음 표의 것이 보인다.

80 小場恒吉,「慶州南山の佛蹟」,『朝鮮寶物古蹟圖錄』第二, 朝鮮總督府, 1940, p.28~30.
81 「東京國立博物館所藏朝鮮産土器·綠釉陶器の收集經緯」, 東京國立博物館,『東京國立博物館圖版目錄』朝鮮陶磁篇(土器,綠釉陶器), 2004.

유물 명	출토지	유물 번호	출처	비고
鋏		歷史部第11區 4010	『年譜(1929)』[82]	구입
비녀		歷史部第11區 4011	『年譜(1929)』	구입
四環文巴瓦 2개		歷史部第11區 4012, 4013	『年譜(1929)』	구입
千秋萬歲巴瓦		歷史部第11區 4014	『年譜(1929)』	구입
巴瓦 9개		歷史部第11區 4015~4113	『年譜(1929)』	구입
平瓦殘片 4개		歷史部第11區 4114~4117	『年譜(1929)』	구입
樂浪禮官巴瓦		歷史部第11區 4118	『年譜(1929)』	구입
樂浪富貴巴瓦 2개		歷史部第11區 4119	『年譜(1929)』	구입
平瓦殘片 2개		歷史部第11區 4120, 1421	『年譜(1929)』	구입
樂浪富貴巴瓦		歷史部第11區 4123	『年譜(1929)』	구입
四環文巴瓦 5개		歷史部第11區 4124~4128	『年譜(1929)』	구입
石麟	낙랑유지 발굴	歷史部第11區 4129	『年譜(1929)』	구입
TLV式鏡	낙랑유지 발굴	歷史部第11區 4130	『年譜(1929)』	구입
銅劍	낙랑유지 발굴	歷史部第11區 4131	『年譜(1929)』	구입
鳥形土器	낙랑유지 발굴	歷史部第11區 4132	『年譜(1929)』	구입
陶硯	낙랑유지 발굴	歷史部第11區 4133	『年譜(1929)』	구입
斧頭 2개	낙랑유지 발굴	歷史部第11區 4234, 4235	『年譜(1929)』	구입
鉾殘缺	낙랑유지 발굴	歷史部第11區 4136	『年譜(1929)』	구입
靑銅器殘缺	경주부근 발굴	歷史部第11區 4137	『年譜(1929)』	구입
銅製馬形帶勾		歷史部第11區 4138	『年譜(1929)』	구입
漆繪盆	조선시대	美術工藝部第2區 內442, 圖版29	『年譜(1929)』	구입

---

82 帝室博物館, 『帝室博物館年譜(昭和4년 1월~12월)』, 1930.

朝日修好條規

大日本國與
大朝鮮國素敦友誼歷有年所
今欲重修舊好以固親睦是以
日本國政府簡特命
全權辨理大臣陸軍中將兼參議開拓長官黑田淸
隆特命副全權辨理大臣議官上參議朝鮮國江
華府朝鮮國政府簡列中樞府事申櫶副摠管尹滋
承各遵所奉諭旨議立條款恍列于左

第一款
朝鮮國自主之邦保有與日本國平等之權嗣後兩

우리 문화재
수난일지

1930년 1월 2일

평양 대동군 남정리 이정석 외 2명은 공모하여 1929년 12월 21일 동네 앞이 있는 낙랑고분을 도굴하여 낙랑전樂浪塼 50매를 평양 남문정 고물상 김성도金聖 道에게 팔아버린 사실이 발각되어 1월 2일에 도굴죄로 경찰에 검거되었다.[83]

1930년 1월

강원도 통천읍「진장이골」이라는 곳에서 동해북부선 철도공사 중 지하 20여 척에서 고대 유물 식기 1개 숫갈 2개金屬製가 발굴되다.[84]

1930년 2월 21일

《진장품전람회》

경성일보와 매일신보사 주최로 21일부터 매일신보사 래청각来靑閣에서 《진장 품전람회珍藏品展覽會》가 개최되었다. 출품 점수가 무려 7백점 이상으로 이같이 대 대적인 전람회가 신문사 주최로 열리기는 처음이 아닌가 여겨진다. 출품자들은

---

83 『中外日報』1930년 1월 7일자;『東亞日報』1930년 1월 7일자.
84 『東亞日報』1930년 1월 16일자.

당대 가장 이름난 수장가들을 망라하고 있다. 『매일신보』
1930년 2월 21일자에는 "조선에서는 처음 개최되는 진장
품전람회는 사계의 제사가 일제히 진품을 내어놓게 된 것
은 이 전람회가 아니고는 생각도 못할 일" 이라고 하며,
"이 전람회가 열리는 날이면 실로 사계의 센세이션을 야
기하지 않고는 마지않을 것이다" 라고 광고를 하고 있다.

제1일과 제2일에는 고서화를 중심으로 전시를 하고,
제3일에는 사료문헌류, 기물, 도검 등이 진열된다고 하나
그 품목을 알 수 없다. 진열품 중에는 "서와 서간이 많아
오대징吳大徵, 이퇴계, 신자하, 완당, 등의 일품들이 망라"
하고 있다고 한다.

전람회 광고(『매일신보』
1930년 2월 21일자)

『매일신보』 1930년 2월 22일자 기사에 언급하는 대표적인 출품자와 출품작
품을 정리해 보면 대략 다음과 같다.

출품자	품목
末松熊彦	控鶴山人, 東方朔, 盧田仙人
이한복	楊伯潤의 산수도, 趙小琳의 行幸圖卷
김용진	姚叔平의 千尋竹齋圖
進辰馬	金壽奎의 金剛山圖, 大院君의 蘭屏, 朝鮮使節日本渡來圖
富田儀作	申潤福의 朝鮮浮世畫帖(風俗圖), 硯鑑
池田秀雄	蘇漢臣의 百兒之圖
末松多美彦	豊臣秀吉의 찬이 붙은 小栗宗丹의 蘆屏, 金明國의 樹下老人圖

출품자	품목
奥村源太郎	渡邊華山의 牧丹과 孔雀
德野眞士	淸水歌入長卷, 石
岡學村	弘法大師의 不動尊
森悟一	楊石然의 梅屛
林?吉	柳溪의 觀音圖
淵上貞助	張平山의 觀音圖, 仙女圖
山手海三	十六羅漢圖
平井熊三郎	若冲의 秋郊雙鷄之圖
矢田部貞介	龍虎之圖
富野繁一	谷文晁의 秋景山水
和田俊一	朱舜水 贊이 붙은 王建章의 東坡琴操對語之圖
小山節子	北齋의 美人圖
이병직	장승업의 화조, 水魚
鮎貝房之進	북송대가 巨然의 山水(시가 5만원)

그 외 함석태, 鹿野悠, 馬場是一郎, 中村誠, 湯村辰次郎, 松寺竹雄,
倉田喜喜園, 工藤武城, 宇野宗一, 高橋章之助 등이 출품했다.

1930년 2월

불교재산 정리

총독부 종교과에서 조선 내 31본산이 가진 불교재산 정리에 착수하여 이를
진행하고 있는데, 현재 불교의 재산은 31본산의 동산 부동산 등을 종합하여 약

1천만원 가량되리라고 한다. 또 그동안 사찰령이 완전하지 못하였던 관계로 각 본산마다 부채가 많이 생기어 그대로 방임하면 불교재산이라는 것이 어느 정도에까지 이를 른지 알 수 없는 형편이므로, 이것을 근본적으로 정리하여 불교의 재산제도를 확립하고자 각도별로 각 본산의 부채를 조사하는 중이다.[85]

1930년 3월 2일

경상북도 경주, 칠곡 및 전라북도 익산 소재 성지(城址) 조사

조선총독부 학무국 종교과 기수 다나카 쥬조田中十藏가 1930년 3월 2일부터 경주 양북면, 강동면 성지를 조사하고, 3월 9일부터는 칠곡군 인동면, 전북 익산군 왕궁면 등에 위치한 성지城址의 위치, 문헌 기록, 현상 등을 조사하고 15일 귀청했다.[86]

태봉왕국(泰封王國) 유지(遺址) 조사

경원선 중 강원도 철원과 평양역의 중간에 있는 월정리역 부근에 조선의 역사상 신라시대와 고려시대와의 사이에 한 시대를 만들어 잠시 존재하였던 태봉왕국泰封王國 도성의 유지遺址가 남아 있다. 3월 12일 이래 학무국 촉탁 가토

85 『每日申報』 1930년 10월 6일자.
86 「경상북도 경주, 칠곡 및 전라북도 익산 소재 성지城址 조사 복명서(소화5년 4월 田中十藏)」, 『국립중앙박물관 소장 조선총독부박물관 공문서』, 목록번호 : 96-431.

간가쿠加藤灌覺와 조수 김 문학사가 현장을 답사하고 18일에 돌아왔다.

가토 등은 다수의 유물을 발견하고 조사한 바 『매일신보』 1930년 3월 21일
자에는 다음과 같은 기사가 있다.

풍천원(楓川原) 석등
강원도 철원군 북면 홍원리
고궐동351-1
(『매일신보』 1930년 3월 21일자)

태봉왕국은 지금으로부터 1천 년 전에 신라
의 말기 제47대 천안왕天安王의 서자 궁예弓裔
가 혼란을 틈타 병을 일으켜 그 결과로 건설
된 것으로 그 구도의 유지가 세상에 알려지
지 않고 남아 있었는데, 장소는 월정리月井里
의 북방 약 10정 풍천원楓川原의 고원지대 도
성의 넓이 동서 약 1리, 남북 약 30정 성벽은
원래 석조였으나 지금은 남북편이 남아 있을
뿐으로 전부 토조가 되었고 성의 남에는 현
무암 사이로부터 맑은 샘이 솟고 있는데 <중
략> 유지는 모두가 신라예술의 계통으로 이
번 가등 씨가 발견한 섯은 식딥 1기, 장명등 1
개, 그에 부속되는 기석 수개 , 귀부 1개, 고사원의 지주석 10여개, 석불 1
체로 특필할 것은 고사원의 자리에서 불완전하나마 사명이 새겨 있는 것
이 발견된 것으로 태봉왕국의 역사를 발하는 귀중한 재료로 가등 씨는 이
고와 외에 각종 와편을 많이 가지고 돌아와서 일층 연구를 하게 되었다.

가토 등의 조사 후 1934년 8월 총독부고시 제430호로 석등 1대가 지정 유물

로 지정된 후 1936년에 와서는 당지 유지 이덕성 등이 고적보존회를 조직하고 태봉국성지의 소유자인 이정운에게 교섭하여 기지 백여 평의 기부를 받아가지고 그곳에 남아 있는 석등과 불상 등을 정돈하고 황량한 성터를 다시금 수리하였다.[87]

정돈 후의 철원 풍천원 도성지 내
폐사지 석등

1930년 3월 15일

고려자기 절취범 검거

개성경찰서에서는 작년 12월에 시내 남본정의 고물상 나카무라 유노스케中村勇之助에게 어떤 자가 시가 약 3백원 가량되는 고려자기를 백원에 팔고 가버려 이 자가 판 물건이 훔친 물건이라고 의심하여 추적해 왔었다. 3월 15일에 이모를 체포하여 취조한 결과 이모는 전과 5범으로 1929년 12월에 대전에 사는 일본인에게서 고려자기를 훔치는 등 10여건에 달한다고 한다.[88]

오가와 게이키치小川敬吉와 홍석모는 1930년 3월 15일일부터 3월 30일까지

---

87 『每日申報』 1936년 5월 7일자.
88 『中外日報』 1930년 3월 22일자.

전남 광양군, 구례군, 순천군 사찰 및 사지 유물을 조사했다.[89]

1930년 3월 20일

낙산사 화재

　관동팔경 중의 하나인 낙산사는 1930년 3월 20일 오전 4시에 낙산사 동편 비로전에서 불이나 접속한 빈일루와 통선당 기타 승려 주택까지 번져 연소되었다. 양양경찰서에서는 급보를 받고 소방수 50여 명이 도착하였으나 이미 3동의 건물은 전소되고 주변 주민들과 합세하여 겨우 불을 잠재웠다. 남아 있는 건물은 상계上階의 큰 법당, 하계의 천왕문 뿐이다. 낙산사에는 본래 승려가 56명이 있었으나 불이 나자 때마침 불어오는 해풍에 약 2시간 동안 불천지가 되어 인력으로는 감당할 수가 없었다고 한다.[90]

89 「昭和5年度古蹟調査」,『朝鮮』, 1931년 10월.
90 『每日申報』1930년 3월 27일자

1930년 3월 25일

부여, 경주 방면 고적 보존상황 조사

조선총독부 촉탁 가야모토 가메지로榧本龜次郎와 최세현崔世賢 등이 1930년 3월 25일부터 31일까지 부여와 경주 방면의 고적 보존 상황을 시찰하고 4월 1일 돌아와 복명했다. 평제탑(정림사지 오층석탑) 입구문 파괴, 전傳 백제왕릉 습기 방지, 소위 군창고지軍倉庫址 목책 제거, 목조건축 동경관東京館 황폐, 집경전지集慶殿址 후방 석계 보존, 석빙고 후방 천정부 붕괴, 황룡사지 및 사천왕사지의 토단, 초석 보존, 각종 석조물 보존, 남산 동면에 존하는 고분군의 근시의 도굴 등의 현상을 조사했다.[91]

1930년 3월

제3회 서화협회전람회가 1923년 3월말에서 3일간 보성고보에서 개최되었다. 출품작의 수는 고서화 34점을 포함 총 132점이 전시되었다.

제1회부터 3회까지 보면, 작품 전시는 협회 회원들의 작품을 중심으로 전시를 하되 고서화의 경우에는 "깊이 집안에 감추어 두었던 명화를 모월 모일까지 서화협회 사무소로 보내기 바란다"는 광고를 하여 출품을 하였다. 그러나 실제

---

91 「부여, 경주 방면 고적 보존상황 조사 복명서」, 『국립중앙박물관 소장 총독부박물관 공문서』, 목록번호 : 96-140.

기대했던 만큼의 고서화가 출품되지는 않았다.

고종을 발견

영일군 동해면 발산동 거주 김두찬은 붕괴한 밭둑에서 고1척 경 5촌의 현종 懸鍾을 발견하여 경주 거주하는 김영두에게 60원에 매각하였는데, 김영두는 이 것을 다시 경주 모로가 히데오諸鹿央雄에게 80원에 매각하였다.[92]

스미이 타츠오(住井辰男)의 수장품 경매

당시 출품하였던 '분청사기장군'
아사카와 다쿠미(淺川巧)의 『조선도자명고』와
『세계도자』 14권(1956)에 실려 있다.

1930년 3월에 삼정물산 지점장 스미이 타츠오住井辰男의 수장품이 경성미술구락부를 통하여 경매에 붙여졌다. 『주정가서화매입목록』에 의하면, 서화 불상, 고려 조선자기, 다기 등 182점이 출품되었다. 특히 도자기류는 모두가 일급품들만 출품되었다.

스미이는 1920년에 삼정물산 경성지점장으로 한국에 건너왔다. 1932년에 삼정물산 참사업과장으로 본점으로 영전하여 일본으로 귀국하였다. 그가 한국에 있었던 기간은 12년이지만 그가 수집

---

92 『每日申報』 1930년 3월 1일자.

한 한국 고미술품은 다양하고도 상당한 수량이었다. 그의 소장품은 일찍부터 이름이 높아 『조선고적도보』 제 9책과 15책, 그리고 『1927년도 고적조사보고』에 상당수의 그의 소장품이 도판으로 소개되어 있다.

1928년에 우루시야마 마사요시漆山雅喜가 단團 남작 부처와 함께 스미이 저택의 오찬회에 초대를 받아 갔다가 본 소감에, "스미이住井 씨는 경성에서 도자기 수집가로 알려져 있는데 그 중에는 계룡산물과 고려, 이조시대의 우수품을 많이 가지고 있다"[93]라고 하고 있다.

도록 안쪽 표지

1930년 4월 1일

실록편찬을 시작하다

고종, 순종실록편찬에 착수하였다. 그런데 실록편찬위원 중 주요인물을 보면 아래와 같다.

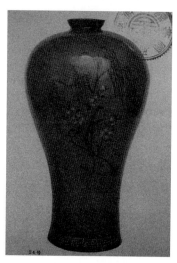

당시 출품한 청자상감수류문매병
『세계도자』14권(1956)에 실려 있다.

93 漆山雅喜, 『朝鮮巡遊雜記』, 1929, p.33.

실록편찬위원장	이왕직차관	시노다 지사쿠篠田治策
실록편찬위원	경성제국대학 교수	오다 쇼고小田省吾
실록편찬위원	이왕직사무관	스에마츠 구마히코末松熊彦
실록편찬위원	대륙통신사장	기구치 겐조菊池謙讓
실록편찬위원	이왕직사무관	사토 아키미치佐藤明道

그 외 실록편찬위원 한국인 13인[94]으로 조직되어 있는데, 이들 일본인들의 이력履歷을 살펴보면 대략 다음과 같다.

* 시노다 지사쿠篠田治策는 국제법을 전공한 자로 변호사로 활동하다가 러일전쟁 때 국제법 고문으로 종군하여 통감부간도파출소 사무관으로 한국에 진출한 후 통감부비서관, 한국농상공서기관을 역임하였으며, 1910년 10월 1일에 조선총독부 도사무관道事務官에 임명되어 평안남도 내무부장을 지냈으며, 1919년 9월 26일 조선총독부 평안남도지사, 1923년 2월에 이왕직차관, 1932년 7월에 이왕직장관李王職長官에 임명된 자이다. 저서로는『문록역文綠役과 평양平壤』,『일로전역日露戰役과 국제공법國際公法』등이 있다.

* 오다 쇼고小田省吾는 1871년생으로 1899년 도쿄제국대학 문과대학을 졸업과 동시에 동대학원에 들어갔으며, 1910년 10월에 조선총독부 사무관으로 임명받아 한국에 건너와 학무국 편집과장으로 취임, 다시 1918년 2월에 중추원 편찬과장으로 옮기고, 1920년에 일본인 교원양성소 강사를 겸하였다. 1921년 10월에 조선총독부 학무국 고적조사과장을 겸임하였다.

---

94 『靑丘學叢』第1號, 靑丘學會, 1930년 3월, p.160.

* 스에마츠 구마히코末松熊彦는 1870년생으로 동양영화학교東洋英和學校를 졸업하고, 후에 한국에 건너와 인천미두취인소지배인仁川米豆取引所支配人으로 있다가 1908년에 궁내부宮內府 촉탁囑託으로 임명되어 궁내부어원사무국부장宮內府御苑事務局部長, 1911년 2월에 이왕직속서판임관李王職屬敍判任官, 1918년 3월에 이왕직사무관으로 임명받아 근무하였다.

* 기구치 겐조菊地謙讓는 1895년 국민신문 통신원으로 한국에 주재, 1899년에 한성신문 주필로 일제의 정책수행에 앞장섰다. 1904년 대동신문 창간 및 사장에 취임, 1905년 숙명여학교를 창립, 1906년 통감부 촉탁으로 정보수집에 노력하여 통감부 시설의 참고자료를 제공하였으며, 1909년 조선통신사를 창립하고 함께 월간잡지『조선급만주朝鮮及滿洲』를 창간하였으며, 조선통치를 위해 항시 이면裏面에서 활약하였다. 1912년 8월에 한국병합기념장, 1914년 은배 1조를 받았다. 1920년 7월에는 조선총독이 조선사정의 조사를 위촉하여 조선통치에 필요한 각종자료조사를 하여 총독부에 보고하였다. 1921년에 언론계에 다시 들어와 대륙통신사장에 취임, 1930년 4월 이왕직 실록편찬 자료수집위원에 임명되었으며, 저서에『조선왕국朝鮮王國 대원군전大院君傳』,『조선제국기朝鮮帝國記』,『조선잡기朝鮮雜記』등이 있다.

* 사토 아키미치佐藤明道는 1910년 총독부서기로 임명받아 평안남도에 근무하였으며, 1920년 11월 조선총독부 도속道屬으로 근무, 1923년 6월에 이왕직 사무관으로 임명받아 회계과에 근무하다가 1926년 3월에 회계과장으로 임명받아 근무하였다.[95]

95 參考 : 朝鮮公論社編纂,『在朝鮮內地人紳士名鑑』, 朝鮮公論社, 1917; 朝鮮總督府,『朝鮮總督府施政25周年紀念表彰者名鑑』, 1935;『(隆熙二年 六月) 職員錄』, 內閣記錄課; 菊地謙讓,『朝鮮雜記』, 鷄鳴社, 1931; 朝鮮中央經濟會,『京城市民名鑑』, 1921; 阿部薰,『朝鮮人物選集』, 民衆時論社, 1934; 朝鮮新聞社 編纂,『朝鮮人事興信錄』, 朝鮮新聞社, 1922.

이들의 이력에서 본 바와 같이 순수한 학자들이 아니라 하나같이 관변(官邊)에서 일제의 조선통치기반을 닦는데 앞장섰던 자들이다. 이는 역대 조선조정에서 편찬해온 조선왕조실록편찬에 그들이 깊이 관여하여 일제에 유리한 방향으로 편찬하겠다는 심산으로 밖에 볼 수 없다.

1930년 4월 5일

전라남도 완도군 노화면 추정암樞鼎庵을 폐지하다.[96]

1930년 4월 22일

전라북도 고창군 석곡면 내원암內院庵을 폐지하다.[97]

---

96 『朝鮮總督府官報』1930년 4월 5일자.
97 『朝鮮總督府官報』1930년 4월 22일자.

1930년 4월

명품 고려 청자모란문상감호(青磁牡丹紋象嵌壺)를 구입하다

　　모리 타츠오森辰男는 1904년에 한국에서 태어났다. 모리의 부친은 1883년에 한국에 건너와 토목청부업을 시작하여 1885년에는 서울로 올라와 잡화상을 하고, 후에 전당포업을 하였다. 모리는 선린상업학교를 중퇴하고 부친의 재산을 그대로 물려받아 임대업을 하였다.

　　일찍부터 한국 고미술품에 취미를 가져 넉넉한 경제력을 바탕으로 명품을 많이 수집하였다.『조선고적도보』에 게재된 고려자기 개인 소장품으로는 모리의 소장품이 나카다와 더불어 가장 많은 수를 점하고 있다.

　　『광복이전 박물관 자료집』을

'청자상감모란문호'(국보 제98호)
모리 타츠오(森辰男)가 소장했던 것으로
현재 국립중앙박물관 소장

보면, 1930년에 모리 타츠오森辰男로부터 '청자상감모란문호' 외 4점을 구입한 건이 보이고 있다. '청자상감모란문호'는 1930년 4월에 이왕가미술관에서 모리로부터 5천원의 거금으로 매입하였다. 항아리의 앞뒤 중앙에 큰 모란꽃 한 송이씩을 상감하고 양쪽에 사자 모양의 손잡이를 단 걸작이다. 현재 국보 제98호로 지정되어 국립중앙박물관에 진열되어 있다.

　　같은 시기에 구입한 것은 '청자상감모란문호' 외에도 3점의 도자기를 구입하

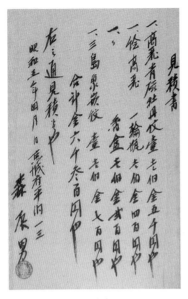

견적서

'청자상감초화문표형주전자 및 수반'
『조선고적도보』 8책에
도판번호 3614로 게재되어 있다.
모리 타츠오(森辰男)가 소장했던 것으로
문명상회를 통해 일본으로 반출되었다.

여 구입액은 모란문호를 비롯한 합계 6천3백원이었다.

이에 앞서 1930년 3월에는 고려청자상감수주외 외 1점을 4천2백원에 구입한 건도 보인다.[98]

1930년 5월 12일

황해도 황주군 주남면 원통사圓通寺를 폐지하다.[99]

98 「昭和5~7년도 복명서」, 『국립중앙박물관 소장 총독부박물관 공문서』, 목록 번호: 96-140.
99 『朝鮮總督府官報』 1930년 5월 12일자.

야마나카상회《세계민중고예술품전람회》

 1930년 5월 12일부터 14일까지 야마나카山中상회 주최로 오사카미술구락부
에서《세계민중고예술품전람회》가 열렸다.

 이 전람회 목록을 보면 총 2,200여 점이 출품되었는데, 그 중 한국 도자기는
150점이 진열되어 판매되었다. 도록에는 출토지까지 밝히고 있으며 당시 일본인
들의 선호도를 반영한 듯 계룡산 등지에서 출토한 분청사기가 주를 이루고 있다.

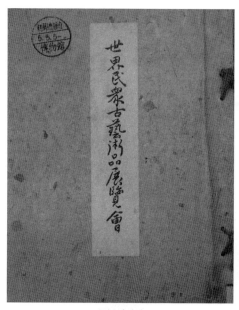

도록(山中商會,
『世界民衆古藝術品展覽會』, 1930)

『세계민중고예술품전람회』 도판 사진

1930년 5월 16일

황해도 3개군 고적조사 복명서

고적조사위원 오다 쇼고小田省吾가 황해도 일반조사에서 발견한 신천군 북부면 토성리 토성 및 봉산군 문정면의 산성을 보충 조사하기 위해, 촉탁 노모리 겐野守健은 1930년 5월 16일부터 같은 달 31일까지 황해도 안악, 신천, 봉산 3군의 고적을 조사하고 돌아와 1931년 2월에 복명서를 제출했다.

신천군 토성면 토성, 용문면 복우리 고분, 문자전 출토지, 가산면 백석리 고분, 서정리 고분, 신천면 송오리 고분, 용문면 매추리 도요지를 조사하고, 안악군 용순면 가정리 고분, 용순면 유순리 고분을 조사하고, 봉산군 신창리 고분을 조사하고, 봉산군 신창리 고분, 초와면 관수리 고분, 초와면 관수리 석탑, 문정면 용담리 3층석탑, 문정면 상탑리 5층석탑을 조사했다.

신천군 용문면 복우리 고분군 중에 제2호분에서 '녕오년寧五年', 제4호분에서 '한씨고韓氏告', 제5호분에서 '건시원년建始元年', 제8호분에서 '건무십육년建武十六年' 등의 재명전在銘塼을 발견했다.

문자전 출토지로 신천면 관촌부락의 공동묘지가 있는 부근에서 '기삼월이일起三月二日' 및 '장씨張氏' 재명의 전을 습득했다.

안악군 용순면 가정리고분을 조사할 때 부근의 도로에 전편이 다수 산재한 것에 주의했는데 '원강오년元康五年' 재명전의 파편을 발견했다. 이에 그 출토지를 조사하여 하운동 부락의 서북 약 7정의 밭에서 전편이 표면에 산란한 것을 발견했다, 부락민들이 전을 採取할 목적으로 발굴하여 다수의 전을 채취하여 도로에

사용했다. 본부에서 속히 발굴 조사하여 등록 보존하기를 희망하고 있다.[100]

1930년 5월 21일

대구 달성군 내당동에서 유물이 대량으로 발견

5월 21일에 대구 달성군 내당동에서 농부가 밭을 갈다가 금관 파편을 비롯한 엄청난 유물을 발견하여 경찰서에 신고를 했다. 다음과 같은 기사가 있다.

신라시대의 금관, 은안銀鞍 대구 교외 내당동에서 발굴.

21일 오후 3시반경 대구 달서면 내당동 회생병원 부근 밭에서 신라시대의 고기물이 발견되었다. 발굴품은 금관의 파편을 비롯하여 순은제의 도검 및 마구, 장신구, 도기 등 약 40여점에 달하여 신고에 의해 대구서에서 우선 발굴품을 보관하고 경성제대에 보내어 감정을 구하였는데 이는 내딩동 김천술이가 보리밭을 메다가 호미끝에서 철편 같은 것이 나와 주위를 파본 결과 석관이 나타나서 그 안에 전기품들이 나와 경찰에 신고한 것이다 (『매일신보』 1930년 5월 25일자).

대구의 고기 발견으로 박물관 건설 요망. 달성군에 산포한 고분을 발굴 총독부에 신청할 터.

박물관 건설은 대구의 다년 요망이었던 바, 23일 부외 내당동에서 삼국시

100 「昭和5~7년도 복명서」, 『국립중앙박물관 소장 총독부박물관 공문서』, 목록번호 : 96-140; 「昭和5年度の古蹟調査」, 『朝鮮』, 朝鮮總督府, 1931년 10월.

대의 고기물 발견으로 말미암아 박물관 건설 기운은 재연하여 총독부박물관 경주분관장 제록씨를 중심을 백신 대구여보고 교장, 기타 대구부내 유지들은 박물관 건설 계획을 추진하여 총독부에 신청할 것이 라는 바 대구부근에 있는 역사적 가치는 대구부를 중심으로 달성군 일원은 신라조 이전 삼국시대의 전선에 유일한 사적으로 박물관 건설이 되는 때는 달성군내에 산재하여 있는 고분을 발굴하여 삼국시대의 유물을 수집하여 역사체계를 명백히 하리라 한다(『매일신보』1930년 5월 26일자).

고고학상 귀중품 대구에서 발굴. 대구부외 달서면 내당동 대구회생병원 뒤 밭에서 지난 21일 어떤 농부가 밭을 갈다가 밭 가운데 잇는 고분으로부터 고고학상 귀중한 자료가 나왔는데 대구서에서는 즉시 발굴 유물을 보관하는 한편 고분의 발굴을 중지시키고 경계를 하는 중인데 이곳은 외곽의 일부분에 지나지 않으므로 아직도 내부에는 다량의 귀중한 유물이 묻혀있는 것으로 짐작되어 곧 총독부의 기사를 초빙하여 발굴을 할 모양인데 이 지대는 고래로부터 달성고분이라는 속담도 있을 뿐 아니라 대구의 유명한 칠성바위 등 명소와 함께 적어도 이천년 전의 고분이 믾은바 여리 사람의 기대가 적지 않은 모양이다(『중외일보』1930년 5월 25일자).

유물 발견 후 곧 바로 총독부에 보고함에 따라, 부여 부근의 고분을 발굴 중이던 고이즈미 아키오小泉顯夫가 6월 4일에 대구로 파견되어 재조사와 함께 잔여 유물을 채집했다.[101] 이 고분은 경북 달성군 달서면 내당동 제65호분으로 이 고분에서 출토된 유물로 인해 대구에서 한 때 대구박물관을 건설하자는 의견들이 일어나기도 했다.

1930년 5월 21일 1시 반경 경북 김천 조마면 강곡동 뒷산에서 수상한 촌민 세 명이 도굴을 하고 있었는데 마침 지나던 김모라는 사람이 주재소에 신고를 하였다. 신고를 받은 주재소원이 현장에 도착하니 범인들은 도주를 하고 말았는데, 고총에서 신라토기 20여 점을 발견했다.[102]

1930년 5월 22일

불상을 강탈하여 파괴

5월 22일 오전 10시경에 인천 도산정의 보각사普覽寺에 남녀 10여 명이 침입하여 승들을 폭행하고 불상을 강탈하여 도주했는데 절의 승이 미행하여 신고를 했는데, 불상을 강탈한 자들은 무녀배들로 불상은 이미 수족을 모두 파괴 했다.[103]

---

101 「昭和5年度の古蹟調査」, 『朝鮮』, 朝鮮總督府, 1931년 10월.
102 『朝鮮日報』1930년 5월 27일자.
103 『每日申報』1930년 15월 25일자.

1930년 5월

부여군 부여면 고분 조사(임시조사)

충남 부여군 부여면 상금리에서 고분이 도굴되어 유물이 매각되어 1930년 5월 고이즈미 아키오小泉顯夫가 실지를 조사하여 백제시대의 석실고분의 구조를 밝히고 유물은 본부로 송부했다.[104]

충남 부여읍 부근 상금리에서 농부가 백제시대 고분을 파서 순금화형 6個, 순금 귀거리 1쌍, 순금 단추 1개, 순금방울 1개, 은저 두벌 등을 발견하다.[105]

이달에 평양부외 대동강면 토성리 261번지에서 낙랑시대의 우물(直徑 3尺4寸 깊이 36尺)과 와병 7개가 발굴되다.[106]

강서, 용강, 순천군내의 고구려고분벽화 시설 조사

벽화고분의 내부에 사람들이 들어가 벽화를 삭거하여 훼손되는 일이 종종 있어, 1930년 5월에 후지타 료사쿠藤田亮策, 사와 슌이치澤俊一, 경성제대 이마세키 고우후今關光夫가 평남 강서군, 용강군, 순천군에 12일간 출장하여 그 시설

---

104 「昭和5年度の古蹟調査」, 『朝鮮』, 朝鮮總督府, 1931년 10월.
105 『朝鮮日報』 1930년 5월 19일자.
106 『朝鮮日報』 1930년 5월 23일자.

및 보존상태를 조사했다.

강서군 강서면 삼묘리의 벽화고분은 외책外柵이 파괴되어 본년도에 수리를 했다.

용강군 지운면 안성리의 대총 및 쌍영총은 외책外柵의 입구가 파손되었으며 고분입구의 문짝이 부패되고 벽화는 일부 훼손되었다.

용강군 신녕면 신덕리 성총星塚 및 수총狩塚과 용강군 대대면 매산리 감신총龕神塚 등은 벽면의 중요한 부분이 깎여 나갔다.

순창군 북창면 북창리 고구려 벽화고분은 부근 주민들이 미신에 혹하여 벽면을 삭거削去해 간 것이 많아 그 대부분을 잃었다.[107]

강서고구려고분벽화 모사(특별조사)

오바 쓰네키치小場恒吉가 5월부터 7월까지 강서고분벽화를 모사하다.[108]

1930년 6월 4일

1930년 6월 4일부터 6월 9일까지 종교과 기수 다나카 쥬조田中十藏에 의해 충주 남산성지, 장미산성지의 조사가 행해졌다.

---

107 「昭和5年度の古蹟調査」, 『朝鮮』, 朝鮮總督府, 1931년 10월.
108 「昭和5年度の古蹟調査」, 『朝鮮』, 朝鮮總督府, 1931년 10월.

1930년 6월 7일

일영대(日影臺) 발굴

『별건곤』제23호(1929년 9월)에 차상찬이 「경성의 오백년사」에서 일영대에 관한 내용을 게재했는데, 내용은 다음과 같다.

> 세종20년(서기1438)에는 정인지, 정초, 이장, 장영실(李와 蔣은 그 役을 掌督하고 양 鄭은 古典을 掌稽함) 등을 명하야 앙부일귀仰釜日晷: 속칭 日影臺 2개를 만들어 1은 혜정교반(수 光化門우편국 부근) 1은 종묘남가(鍾路 4丁目 북측)에 치하야 일반인민으로 부시俯視하고 시간을 알게 되었으니 이는 경성사상에 특기할 바이다.[109]

이 같은 내용이 알려짐인지는 모르나, 경성부 내무과 부사편찬계에서 일영대의 수색에 나서게 되어, 드디어 1930년 6월 7일 종묘 앞 도로에 설치하였던 일영대를 발견하게 된다. 『매일신보』1930년 6월 8일사에는 다음과 같은 기사가 있다.

> 세종조에 건립한 공중시계 일영대
>
> 오백년 지난 요사이 와서 알고 종묘전로에서 발굴
>
> 경성부 내무과 부사편찬계에서는 문헌비고, 동국여지승람 등의 문헌에서

---

109 車相瓚, 「京城의 五百年史」, 『별건곤』제23호, 1929년 9월.

부내 종묘 앞과 광화문우체국 옆에 있는 혜정교 옆의 두 곳에 지금으로부터 오백년 전 세종대왕 시대의 일영대가 있었다는 기록을 발견한 후 이래 이의 거처를 조사하여 오던 중 전기 혜정교 부근에 있던 것은 이미 없어지고 말았으나 종묘 옆에 있던 것은 약 30년 전까지 있었다는 사실을 약 일주일 전에 안규응 편찬원이 주영편晝永篇이라는 문헌에서 발견하고 종묘 부근에 사는 노인들에게 질문하여 종로 4정목 45번지 김창근의 국수집 앞 인도에 파묻혀 있는 것을 알고 7일 오전 8시부터 전기 안규응 씨와 강전岡田 편찬원이 출장하여 발굴에 착수하여 지하 약 석자 아래에 파묻혀진 것을 발굴하였는데 일영대는 25방척이나 되는 화강석제의 거대한 것으로 기계만은 없어졌으나 대만으로도 얼마나 굉장하였던 것인지를 알 수가 있으며 대석의 구조로 보아 비가 고이지 아니하게 비새일 구멍까지 파 있어서 그 세밀한 장치가 놀라울 만한데 이에 대하여 안규응 씨는 다음과 같이 말한다.

이 일영대는 원명을 앙부일仰釜日이라 하는 것으로 조선의 일시계日時計로는 이것이 처음일 것입니다. 30년 전까지 있었던 것이 처음 전차선로가 부설되는 때에 그만 파묻히고 말게 된 듯하며 이미 오백년 전에 대로가 상에 이 같은

일영대 발굴 광경

공중시계를 설치하여 일반 시민으로 때를 알리게 하였던 것은 당시의 천문학이 얼마나 발달되었던 것을 알 수 있는 것으로 사료로서도 또 시계역사로서도 매우 흥미 있는 것이라고 생각하오(사진은 일영대 발굴 광경).

『매일신보』 1930년 6월 16일자 기사

6월 7일에는 일영대의 삼층석대 중 두 층을 발굴하고, 6월 15일에는 전번에 발굴한 지점으로부터 동남 넉자 되는 곳에서 아래 대석까지 발견했다.[110]

1930년 6월 19일

석물 도굴범 검거

경성부 북미창정 꽃 장사 전돌쇠와 시흥군 동면 신리 강범산과 광주군 서부면 초이리 이문동 세 사람은 공모를 하여 6월 13일 오전 0시에 광주군 서부면 초이리 분묘(충북 청주군 상이면 가마리 부호 이성호의 선조 분묘) 앞에 있는 석등룡을 절취하여 시내 수표정 다케우치竹內 고물상에 670원에 매각하였다. 6

---

110 『每日申報』 1930년 6월 16일자.

월 19일에 이르러 본정경찰서
원이 탐지하고 세 사람을 체포
하였다. 발굴한 석등롱은 진귀
한 골동품으로 그 가격은 1만여
원을 한다하며, 이 자들은 다른
무덤에 설치된 시가 수백원의
석등롱도 매각하였다 한다.[111]

골동상 다케우치 야오타로_竹

『매일신보』 1930년 8월 22일자 기사

內八百太郎는 암암리에 수십 명
의 도굴꾼을 거느리고 전국적으로 석조물을 매입 수집한 다음 한 번에 수백 점
씩 일본으로 반출한 자이다.

1930년 7월 3일

제33회 고적조사위원회

제33회 고적조사위원회는 회의를 생략하고 안건에 대한 의견을 구하기 위해
의안 '1930년도 고적조사계획 건'을 회람하여 결의하였는데 그 내용을 요약하
면 대략 다음과 같다.[112]

---

111 『每日申報』 1930년 8월 22일자.
112 「제33회 고적조사위원회」, 『국립중앙박물관 소장 총독부박물관 공문서』, 목록번호: 96-280.

'1930년도 고적조사계획 건'

제1 조사 계획

일반조사로 전년도 잔여분인 황해도 황주, 김천, 봉산, 해주, 연백, 평산 등과 경기도 장단, 개성, 양주, 고양, 파주를 조사할 계획이다.

특별조사는 작년에 이어 웅기패총 발굴 및 나남, 종성, 회령 석기시대 유적, 개성 문묘 및 서원 건축, 안동 및 경주 문묘 및 서원 건축, 고구려 고분 벽화 모사 및 전라남도 고건축 및 신사 절社寺의 보물 조사가 예정되어 있다.

임시조사로는 고구려 벽화고분 조사 및 촬영(20일간 藤田 위원, 澤 촉탁), 부여 및 대구 고분 조사(11일간 小泉 촉탁), 황해도 신천군 및 봉산군 내 고분, 성지 조사(野守 촉탁), 충북 충주군 내 성지 조사, 경북 영주군 순흥 고분을 조사 예정하기로 했다.

제2 유물 취기

원 소재지에는 보존상 위험하다고 여겨지는 것과 보존 불가능한 유물은 이를 본부박물관의 적절한 장소로 옮겨 보존할 예정인데, 경주 남산의 한 폐사지에 있는 부도가 토사 중에 무너지고 일부분이 파괴되어 이를 경주 분관으로 옮겨 보존할 예정이다.

제3 보존 사업

고적 보존시설로 부여 평백제탑 외 10개소에 목책을 신설 혹은 보수하며, 작년도에 인계받은 20개소의 등록 유적 유물에 목표木標를 세우고 그 명칭과 보존상의 주의사항을 기재할 예정이다. 또한 창녕 천화조불기天和造佛記 비각碑閣, 고구려 벽화 고분, 연산 개태사 석불, 공주 서혈사 석불 등을 수리할 계획이다.

그 외에 긴급 수리가 필요한 조선시대 전릉殿陵 및 고건축에 수리비를 지급하여 보수할 예정이다. 본년도 계획으로 고려 공민왕릉은 2,3년 전 붕괴되어 긴급 수리를 요함 명년도에 수선 시행 예정으로 1930년도 5천원을 지출 예정이다.

밀양 영남루는 작년도에 3,853원을 수리비로 지출하고, 지방민의 기부금으로 일부 수축하였으며 1930년도에 다시 수선 공사를 시행하는 것으로 소화5년도 지출 예정 4,300원으로 하고 있다.

경성 청운동 소재 북문北門, 창의문彰義門 수리에는 수리비 800원을 지출할 예정이다.

제4 고적도보 및 보고서 출판

『조선고적도보』 11책 편집 및 인쇄,『금관총과 그 유보』 본문 5백부,『다이쇼大正 13년도 고적조사보고』제1책 5백부를 출판할 예정이다.

제33회 고적조사위원회의 안은 7월 8일 결의하여 통과됨

1930년 7월 16일

함북 웅기 석기시대 유적 발굴

1930년도의 특별조사로 전년도에 이어 웅기 석기시대의 유적을 조사하게 되었는데, 1930년 7월 16일부터 8월 17일까지 32일간 고적조사위원 후지타 료사쿠藤田亮策와 가야모토 가메지로榧本龜次郎, 사와 슌이치澤俊一가 조사에 종사하

고 촉탁 고이즈미 아키오小泉顯夫가 이를 도왔다.

함북 경흥군 웅기읍 송평동 패총은 요존임야要存林野로 보존된 곳으로 그 토지의 이용상 요존 해제를 철도국에서 요구해옴에 따라, 전년도에 이어 조사를 하게 된 것으로 대형정자형타석부大形丁字形打石斧, 마제석부, 마석침, 마석족, 타제석족, 타제석창두 등이 발견되었다.[113]

1930년 7월 20일

고창 선운사에서는 지난 7월 20일에 불상 2좌를 도난당하다.[114]

1930년 7월 25일

백제시대의 석불 공주군청구내에 보존

충남 공주 제민천제방에 고립하여 있는 불상을 지난 25일 공주군청 구내로 옮겨 보존케 하고, 공주 서혈사에 있는 석불도 공주군청 구내로 옮기다.[115]

---

113 高田十郎,「朝鮮古蹟調査ききがき」,『史迹と美術』第8輯 3號, 1937년 3월; 有光教一,『有光教一著作集 第1卷』, 1990, p.32;「昭和5年度の古蹟調査」,『朝鮮』, 朝鮮總督府, 1931년 10월;「雄基松坪洞石器時代遺跡の發掘」,『靑丘學叢』第2號, 靑丘學會, 1930년 11월.

114 『每日申報』1930년 10월 10일자.

115 『每日申報』1930년 7월 28일자.

1930년 7월

함북 회령 연태봉煙台峰 일대 고분 발굴

후지타 료사쿠藤田亮策, 사와 슌이치澤俊一, 가야모토 가메지로榧本龜次郎는 7월 부터 8월까지 함북 회령의 연태봉煙台峰 유적지 일대의 고분을 발굴했다. 출토 물은 다음과 같다.[116]

제1호분	人骨, 管玉 1개, 磨石鏃 2개, 打製石鏃 3개, 碧玉
제2호분	人骨, 磨製石鏃 6개
제3호분	人骨, 紡錘車 1개
제4호분	人骨, 管玉 6개, 玉環 1개, 石鏃 1개, 石刀 1개, 石斧, 土器

순흥 고분 조사(임시조사)

1924년경 순사 모가 경북 영주군 순흥면 읍내리 서방의 한 고분 내부에 벽화 가 있는 것을 보았다는 보고가 있어, 1930년 7월에 오바 쓰네키치(小場恒吉)가 이를 조사하다.[117]

---

116 榧本杜人,「咸北 先史遺蹟の調査」,『朝鮮學報』第46輯, 朝鮮學會, 1968년 1월.
117 「昭和5年度の古蹟調査」,『朝鮮』, 朝鮮總督府, 1931년 10월.

금강산 장안사와 표훈사의 수해

7월의 대홍수로 금강산도 큰 피해를 당하였다. 이에 강원도경찰부장 야마모토 사가타로山本坂太郎가 피해상황을 조사하기 위해 춘천을 떠나 금강산 일대의 험로를 도보로 강행하여 23일에 경부국에 보고하였는데, 장안사長安寺의 극락전은 산사태로 반쯤 매몰되었고 만천교는 유실되었으며, 표훈사 당우도 2동이 유실되었고 6동이 반괴되었으며, 또 사원교와 앙선교도 유실되었다 한다.[118]

경찰부장 야마모토가 7월 24일자로 매일신보 사장에게 보낸 서신 중에, "표훈사의 탐승로는 자취도 없이 전멸되고 말았습니다. 어제의 심연은 변하여 단애가 되었고 본래 길이 있던 자리는 탁류에 휩쓸려 한 길 넘는 깊이로 파였습니다. 표훈사는 비로전毘盧殿과 십왕전十王殿도 태반이 유실되었습니다. 부처님도 멀리 아래쪽으로 떠내려갔으며 천하대장군도 떠내려가서 수중나졸이 되고 말았습니다"라고 소식을 전하고 있는 것으로 보아 표훈사의 피해가 엄청난 것으로 보인다.[119]

『중외일보』 1930년 7월 24일자 기사

---

118 『每日申報』 1930년 7월 24일자.
119 『朝鮮日報』 1930년 7월 24일자; 『每日申報』 1930년 7월 27일자.

1930년 8월 30일

불상을 강탈한 6인조 강도 체포

8월 26일 오후 12시경에 충남 논산군 부적면 신풍리에 거주하는 박라귀의 집에 수명의 강도단이 침입하여 곤봉으로 주인을 협박하고 집안에 모셔둔 불상을 강탈하여 달아났다. 신고를 받은 강경경찰서에서는 범인을 수

표훈사 십왕전 피해 참상(『매일신보』 1930년 7월 27일자)

사하여 오던 중 30일 오전에 6인조 강도단을 체포했다.[120]

1930년 9월 3일

순천 송광사 보물 절취범 검거

전남 순천군 송광면 송광사 대웅전에 지난 8월 23일 오후 7시부터 이튿날 오

---

120 『每日申報』1930년 9월 7일자.

전 11시 사이에 괴한이 침입하여 진열장에 놓인 은사향로銀絲香爐, 정불頂佛 외 4점을 절취하여 달아난 사건이 발생했다.

급보를 접한 순천경찰서에서는 범인수사에 노력하였으나 하등의 단서도 얻지 못하여 고심하던 중 나주군 봉황면 오림리 황채성이란 자가 고물을 비밀 중개를 한다는 소문을 듣고 즉시 가택수색을 한 결과 의심되는 문서를 발견했다.

또 황채성과 송광면민과 연락이 있음을 알고 용의자로 황채성의 의제 윤상은을 9월 3일 체포하는 한편 순천서에 급보하여 송광면 이읍리 김두석, 황유기를 체포하였다. 이들을 취조한 결과 보물 전부를 부근 산중에 숨겨둔 것을 자백을 받고 장물 전부를 몰수하였다. 윤상은이란 자는 8년 전 송광사에 근무하던 관계로 송광사의 사정에 밝아 김두석과 황유기를 꾀어 절취한 것이라 한다.

1930년 9월 14일

『동아일보』 1930년 9월 15일자

각황사 세존사리탑 낙성식

경성부 수송동(현 종로구 견지동)의 각황사覺皇寺(현 조계사)에서 9월 14일 정오에 세존사리탑 낙성식을 거행하였다. 각황사 탑 내에 안치된 사리舍利는 17년 전 인도 고승 달마파파達磨婆罷가 입

국하였을 때 각황사에 봉안하여 달라고 전하고 간 것이다.[121]

1930년 9월 17일

대동군 법광사(法光寺) 석불 도난

평남 대동군 임원면 송암리 법광사에서는 9월 17일 오전 1시경에 어떤 자가 나한전에 모셔둔 도금한 석불을 유리창을 파괴하고 들어가 가지고 달아났다.[122]

1930년 9월 20일

황해도 일반조사

고적조사위원 오다 쇼고小田省吾와 노모리 겐野守健은 전년도에 황해도 서부 6군 및 중부 5군의 일반조사를 종료하고, 봉산, 평산, 연백의 조사와 풍천, 신천의 일부를 조사하기 위하여 1930년 9월 20일 황해도로 출장 10월 11일 귀경했다.

봉산군에서는 사리원 철산리 및 신창리 밭에 산재한 수십 기의 고구려고분군을 발견하고, 토성리산성의 서남 초와면 관수리에서 고구려 고분군을 발견

---

121 『東亞日報』1930년 9월 15일자.
122 『每日申報』1930년 9월 20일자.

했다. 또 정방산성, 고려 옥산성, 성불사를 조사하고, 평산군에서는 태백산성에서 고구려와를 다수 채집했다. 연백군에서는 석기시대의 유적을 조사하고, 비봉산성을 조사했다.[123]

1930년 9월

개성 남대문 및 문묘 조사

조선고적도보 제11책 조선전릉건축물朝鮮殿陵建築物 편찬을 위해 오가와 게이키치小川敬吉, 촉탁 하라다 기쿠原田喜久가 1930년 9월 개성 남대문, 문묘, 송양서원을 조사하고 평면도를 제작했다.[124]

부여군 무량사 대웅전 조사(임시조사)

충남 부여군 무량사 대웅전 수리를 위해 촉탁 하라다 기쿠原田喜久가 1930년 9월과 11월 2회에 걸쳐 조사하고 평면도를 제작했다.[125]

123 「昭和5年度古蹟調査」, 『朝鮮』, 1931년 10월.
124 「昭和5年度の古蹟調査」, 『朝鮮』, 朝鮮總督府, 1931년 10월.
125 「昭和5年度の古蹟調査」, 『朝鮮』, 朝鮮總督府, 1931년 10월.

동래 낙민동 옹관 유적 조사

1930년 7월에 동해중부선 부산-울산간의 철도정설공사를 하면서 동래읍 낙민동의 유적을 통관하게 되면서 석창, 다수의 토기가 발견되고 옹관이 발견되었다. 낙민동에서는 옹관이 4개가 발견되었는데, 그 중 2개는 동래고등보통학교 이이카와及川 교유가 발견 무단 조사하고, 1개는 공사 중 제거 되었다.[126] 『매일신보』 1930년 9월 28일자에는 다음과 같은 기사가 있다.

동래군에서 옹관을 발굴
목하 공사 진행 중인 동해안선의 동래군 고등보통학교 앞 공사현장에서 2, 3일 전 땅 속에서 옹을 이용한 매장관을 발굴하였음을 동교 급천 교유가 발견하고 즉시 본부에 타전하였던 바 경주박물관의 제록 촉탁 및 성대 소천 교수가 현장에서 연구 중인데 옹관이 발굴되었슴은 조선에는 두 번 밖에 없는 일로서 희유한 사실이며 동부근에 이외에도 상당한 고고연구자료가 매몰되어 있을지도 알 수 없다하여 양씨는 일간체재하여 그 부근을 발굴하리라 한다.

나머지 1개는 9월에 조선총독부박물관 후지타 료사쿠藤田亮策와 고이즈미 아키오小泉顯夫가 발굴조사를 하여 옹관 내부에서 토기, 초자제관옥硝子製管玉 및 철제지륜鐵製指輪을 발견했다.[127]

---

126 「昭和5年度の古蹟調査」, 『朝鮮』, 朝鮮總督府, 1931년 10월.
127 「東萊の甕棺出土」, 『靑丘學叢』 第2號, 靑丘學會, 1930년 11월.

규장각 도서 15만 책이 경성제국대학으로 이관키로 결정되다

규장각은 정조대왕2년 즉 1716년에 창설되어 이래 왕가의 도서와 국가의 중요 기록 전부를 보존하여 온 것으로 장서 20만권(내 당서 6500부 3만권) 중에 가장 중요한 도서로는 이조실록 1800권을 위시하여 실록의궤, 일성록, 승정원일기 등의 조선도서와 중국도서로는 명판도서집성 5천권 등이 있는데 그간 총독부도서관, 일본 궁내성도서료, 도쿄대도서관, 경성제대도서관 등 몇 곳으로 다소 이전 된 것이 있었으나[128] 그 대부분은 그대로 보존되어 있었다.

경성 소격동에 있는 총독부 학무과 분실인 규장각 즉 이전 제실도서관의 장서는 경성제대가 창설되면서부터 대학도서관으로 이관하려 해왔다. 그간 대학도서관 서고 증축이 완성되어 규장각 도서 20만 책을 경성제국대학으로 이관키로 했다.[129] 도서목록과 장서를 대조하는 작업이 끝나고 10월 29일에 이르러 인계의 완료를 보았다.

그동안 통감부시대 이후 일본인들이 규장각 도서를 마음대로 관리하고 몰래 반출한 사례로 볼 때 대학에 맡겨 관리하는 것이 오히려 안전한 것으로 보인다.

---

128 일본 궁내성도서료와 도쿄대도서관는 상당 수의 규장각 도서가 반출되었으며, 특히 도쿄대로 반출된 오대산사고본 실록은 실록 중에서 가장 중요한 것이지만 관동대지진으로 대부분 소실되고 극히 일부만 살아남았다가 후일 경성제대(서울대)로 일부 돌아오고, 나머지는 몇 년 전에 돌아왔다.
129 『東亞日報』1930년 9월 24일자;『每日申報』1930년 9월 24일자.

다시 찾은 신원사불상

9월 29일 공주군 계룡면 신원사新元寺의 대웅전에 봉안한 불상 독성존자獨聖尊者를 도난당했는데, 범인은 충남 부여군 세모면 가회리의 윤모라는 자로 이 자는 이튿날 대전의 골동상 마쓰오카松岡상점에 50십원에 팔려다가 대전서원에게 발견되어 검거되었다.[130]

1930년 10월 3일

경기도 양주군 및 연천군의 일반조사

조선총독부 학무국 종교과 기수 다나카 쥬조田中十藏, 고적소사위원 오하라 도시타케大原利武가 1차로 1930년 10월 3일부터 17일까지 15일간 경기도 양주군에 있는 대모산성, 회암사지, 봉선사 등을 조사했다.

2차로 10월 27일부터 11월 11일까지 15이간 경기도 연천군 내 육계산성, 칠중산성, 보개산성 및 고분, 사지, 요지 등에 대한 조사를 했다.[131]

---

130 『東亞日報』1930년 10월 28일자;『每日申報』1930년 10월 28일자.
131 「昭和5年度古蹟調査」,『朝鮮』, 1931년 10월.

1930년 10월 6일

경기도 고양군 숭인면 극락암極樂庵, 동군 은평면 운수사雲水寺를 폐지하다.[132]

1930년 10월 8일

10월 8일 경남 진해 안국사安國寺에서 불이나 절간 1동과 불구 등이 소실되었다.[133]

1930년 10월 12일

조선사편수회 조선사료전람회

1930년 10월 12일 조선총독부 제1회의실에서 조선사료전람회를 가졌다. 이 때 진열된 사료는 구한국 규장각으로부터 학무국 소관으로 넘어간 고기록시적류古記錄史籍類와 조선사편수회가 구舊 대마번주종가對馬藩主宗家로부터 구입한 고기록문서류 각 지방으로부터 수집한 사료 등 종래 조선총독부조선사편수회에서 사료로 수집한 것을 주로 진열하였다.[134]

---

132 『朝鮮總督府官報』1930년 10월 6일자.
133 『東亞日報』1930년 10월 11일자.
134 中村, 「朝鮮史料の展覽」, 『靑丘學叢』第2號, 靑丘學會, 1930년 11월.

1930년 10월 17일

《고서화진장품전》

1930년 10월 17일부터 22일까지 조선미술관 주최 동아일보사 후원으로 《고서화진장품전》이 열렸다.

유명 수장가들의 명품들을 한 곳에 모아 이같이 대대적으로 전시를 한 것은 극히 드문 일이다. 당시 조선미술관의 오봉빈이 지방에 있는 수장가들까지 찾아다니며 출품을 권유하여 전시가 이루어 졌다. 작품의 진열은 위창 오세창과 이도영이 맡았다. 총 출품 수는 144폭으로 강희안의 '산수도', 이상좌의 '나한도', 안평대군과 추사의 글씨, 겸재, 현재, 김홍도 등을 비롯한 당대 최고의 서화가들의 작품이 대거 출현

『동아일보』 1930년 10월 18일자 광고

하였다. 출품자들은 오세창, 박영철, 함석태, 이한규, 이한복, 이도영, 오봉빈, 이병직, 최병한, 이순명, 나중식, 설태희, 이병목, 최남선, 박재표, 윤정하 등의 한국인과, 일본인 모리 고이치森悟一, 타가쿠 토시오高久敏男, 와다 이치로和田一郎, 무샤 렌조武者錬三, 사와다澤田 등이다. *

당시 작품 진열을 맡았던 이도영은 다음과 같이 진열품에 대한 소견을 기술

하고 있다.

오세창 씨 출품의 '고구려고성각자高句麗古城刻字'는 근 1천5백 년 전 고물이
라 고고학적으로 보아도 훌륭한 참고품이라 할 것이며, '고려해인와高麗海印
瓦'는 작자, 출소, 연대까지 다 분명하니 금석도 아닌 흙으로 만든 것이 근
1천년이나 잘 보관된 것은 희귀한 일이며, 또 동씨의 고려활자본 '산곡시
집山谷詩集'은 세상에 둘도 없는 귀한 것입니다. 오세창 씨의 선친 5형제분
의 '축모서화십폭祝母書畵十幅'은 다 명화 명필이냐는 별문제로 하고 5형제분
이 다 서화를 하였다는 것은 조선 뿐 아니라 외국에도 드문 일이라 하겠습
니다. 진주 박재표 씨가 천리 밖에서 출품하는 것도 가하可賀할 것이며 더
욱 동씨의 진장품 중의 대작인 인재 강희안의 산수 외 학포 이상좌의 나한
은 진열품 중 수위 신품神品이라 하겠습니다. 겸재의 작품은 많은데 대작이
없는 것이 유감이나 다 재미있는 것입니다. 조선미술관 출품의 현재의 '골

안평대군 '사경폭(寫經幅)' 최남선 구장

치도滑雉圖'는 현재의 작품 중 대걸작
입니다. 대폭이면서 배치와 필치가
매우 좋습니다. 단원의 풍속도는 소
시작少時作인 듯합니다. 조선화계의
집대성자인 단원의 진면목이 아직
들어나지 못하였지만은 오세창 출품
'달마절노도해상達摩折蘆渡海像'과 기타
수점의 신선도는 적으나마 다 재미
있는 묘품妙品입니다. <중략>

최남선씨 출품 안평대군 '사경폭寫經幅'은 그의 신품입니다. 부드러우면서도 힘있는 작품입니다. 국보라 하여도 과언이 아닐 것입니다. 단원은 조선 화가의 집대성자라면 완당은 조선서가朝鮮書家의 집대성자라 하겠습니다. 참말 전무금무前無今無의 신품입니다.

이는 그간 개인들이 비장하고 있던 한국 고서화 144폭을 한자리에 모아 대대적으로 전시한 것으로는 처음이라 할 수 있다. 당대 최고의 명품들이 한자리에 모이자, 이 전람회를 후원한 동아일보는 다음과 같이 민족미술관 설립을 주창하였다.

민족적 보물들은 개인의 비장에 맡길 것이 아니라 마땅히 민족미술관에 보관하여 후손으로 하여금 자유로 조선인의 정신을 접하도록 하여야 할 것이다. 이대로 버려두면 이미 산일된 것도 많거니와 더욱 날로 산일散佚할 염려가 있을뿐더러, <중략>
재산가와 유지가 분발하여 이러한 민족적 정신적 유산을 수집 보관하는 민족미술관 건설 운동을 일으키기를 바라는 바다.

민족미술관은 설립에까지 이르지 못했지만 한국인의 자긍심을 불러일으키는 고서화전람회는 동아일보가 폐간되기까지 계속 후원하였다.

1930년 10월

절취한 불상을 다시 도난

화천 관응사觀應寺에서는 1926년에 불상를 도난당하여 범인을 찾지 못하고 미궁에 빠졌었다. 그런데 범인은 불상를 훔쳐가지고 경성에 올라가 팔려다가 뜻을 이루 못하고 자기 집에 보관하여 왔었다고 하는데, 어떤 자가 이 불상을 훔쳐갔다는 사실을 경찰에서 밝혔으나 불상은 찾지 못했다.[135]

1930년 10월

도쿄제국대학 후지시마藤島 교수가 신라왕도 복원도를 완성하다. 수년간 경주를 답사한 끝에 완성된 이 복원도에 의하면 왕도의 동서가 1만4천척, 남북이 12,860척인데 좌경 우경으로 나누어 호수가 17만호 인구는 80만의 대도시로 되어 있다.[136]

창원군 서면 안성리에서 봉안수리저수지공사를 하던 중 도자기파편과 도금 불상 2체와 청동불상 1체를 발굴했다. 현물은 마산경찰서에서 보관 중인데 총

---

135 『東亞日報』 1930년 10월 4일자.
136 『東亞日報』 1930년 10월 4일자.

독부로 송부할 예정이라 한다.[137]

1930년 11월 19일

11월 19일에 함남 이원군에서 진흥왕순수비를 영구 보존키 위하여 유지 40여 명의 발기로 신라진흥왕보존회를 조직하다.[138]

1930년 11월 19일

경남 밀양군내의 고적을 보수 유지키 위한 밀양보승회가 창립되다.[139]

경주 고분 발굴에 대한 통한

조선총독부에 경주 고분에 대한 발굴이 연구라는 명목 하에 계속되자 일부에서는 이것이 오히려 파괴임을 인식하고 있었다.『조선일보』1930년 11월 29일자에는 이를 대변하는 다음과 같은 기사가 있다.

---

137 『每日申報』1930년 11월 1일자.
138 『東亞日報』1930년 12월 2일자; 『朝鮮日報』1930년 11월 29일자.
139 『東亞日報』1930년 11월 9일자.

천여 년 전 신라유물이 처처에 산재하여 세계 각국 연구가들의 흥미를 끌고 있는 경주고적도 현금에 와서는 하나씩 둘씩 없어져 감으로 불원한 장래에 그 흔적도 찾아보기 어려울 만치 점점 사라져 간다. 금년에도 총독부 박물관에서 와서 고분 1개소를 발굴 중인데 고물을 연구하며 보물을 발견하는 것도 현대 과학인데 연구 재료가 될 것이지만은 천여 년 전 분묘쯤이야 보호할 책임도 없지 아니하다고 일반 뜻있고 생각 있는 인사들은 심히 통한 중이라 한다.

대동강면 오야리 낙랑고분 조사(특별조사)

1930년 11월 23일 대동강면 오야리부락 129번지 회사사택 기초공사 중 우연히 목곽분 1기를 발견되었는데, 인부들이 곽재槨材, 관재棺材 등을 제거하고 밤중에 부장품을 도취해갔다. 그 후 27일에 당시 평양부 도서관 겸 박물관장이 이 사실을 듣고 평양경찰서와 본부에 이를 보고하여 본부에서 노모리野守, 가야모도榧本 양인이 조사에 착수하고, 그간 평양경찰서에서도 도굴된 유물을 조사하여 도거逃去된 부장품 45점을 찾았다.[140]

노모리 등은 11월 28일 경성을 출발 29일에 평양에 도착하여 경찰서 및 부립박물관과 협의하여 직접 오야리로 나아가 이 고분의 조사를 했다.(오야리18호분)

다시 1930년 12월 12일에 2기의 고분을 발견되어 대동강면 선교리경찰관파출소에 신고가 들어와 평남도청학무과장이 총독부로 전화로 보고하여, 본

---

140 野守健 外,「平安南道 大同郡 大同江面 梧野里 古墳調査報告」,『昭和5年度 古蹟調査 報告 第1冊』, 參照.

부에서 즉시 노모리 등에게 그 조사를 명하여 12월 13일에 평양에 도착하여 현장에 이르러 2기의 고분을 발굴에 착수 26일에 조사를 종료했다(오야리19호분, 오야리20호분).[141]

출토 유물은 정리하면 대략 다음과 같다.

고분	위치	조사자	출토 유물
오야리 제18호분	평남 대동군 대동강면	野守健, 榧本龜次郎	漆盤殘缺, 漆杯殘缺 외 漆器類 다수, 銅製容器, 靑銅製飾鋲, 陶甕殘缺, 木器 기타 수점
오야리 제19호분	평남 대동군 대동강면	野守健, 榧本龜次郎, 神田忽藏	漆盤 2개, 漆繪盤殘缺 그 외 漆器類 20여개분, 鏡, 목기 수점, 木馬殘缺, 陶甕
오야리 제20호분	평남 대동군 대동강면	野守健, 榧本龜次郎, 神田忽藏	漆匣殘缺, 漆繪案殘缺 그 외 칠기3점, 유리소옥 2종, 佩玉 1聯, 陶壺 1개, 기타2점

다음과 같은 관련 기사가 있다.

낙랑시대의 대고분을 발견

평양부내 선교리 제분회사 건축공사장에서 얼마 전 낙랑시대의 대고분을 발견하였는데 그 당시 조사를 하기 위하여 총독부박물관 야수 촉탁 일행은 고고학 참고상 귀중한 재료가 되었었는데 지난 12일 동 회사 건축공사장에서 대고분의 륜곽 한 개가 또 발견되었는바 도학무과로부터 보고를 접한 본 부박물관 야수 촉탁은 13일 평양에 도착하여 평남지사 등과 함께 현장에 출

---

141 野守健 외, 「平安南道大同郡大同江面梧野里古墳調査報告」, 『昭和5年度古蹟調査報告書』, 朝鮮總督府, 1935; 「昭和5年度の古蹟調査」, 『朝鮮』, 朝鮮總督府, 1931년 10월; 濱田耕作, 『考古學硏究』, 座右寶刊行會, 1939, p. 297.

장하여 동 고분에 대한 연구를 개시하였다(『매일신보』 1930년 12월 16일자).

발굴 작업 중인 평양부외 오야리의 낙랑고분에서 오늘까지 출토된 유물은
은반지 1개, 수정구슬 4개, 자색유리 등속, 목제인형조형 등 조각품 등이
다(『동아일보』 1930년 12월 20일자).

오야리 제19호분

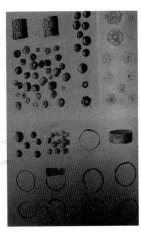

오야리 제20호분 출토 유물

1930년 12월 9일

경기도 양평군 종서면 운곡암雲谷庵, 영회암永懷庵 및 동군 단월면 여경암餘慶
庵을 폐지하다.[142]

인천공립상업하교 생도들은 수 일전에 조선역사를 교수과목에 넣을 것을 요

142 『朝鮮總督府官報』 1930년 12월 9일자.

구했으나 학교당국에서 거절하여 2,3학년 80명이 동맹휴학했는데, 9일 오전에 교무 당국으로부터 동맹휴학생에게 무기정학을 서면으로 발송하다.[143]

1930년 12월 11일

12월 11일 밤에 개성 풍덕군 중서면 곡령리에 있는 고려 정릉正陵을 도굴꾼들이 몰려가 능을 파헤쳤으나 목적을 달성하지 못하고 달아났다.[144]

1930년 12월 15일

고령의 고려자기 요지 확인

경북 고령군 성산일면 사호동에서 고려자기를 굽던 요지를 두 곳에서 발견했다. 발굴물은 분청사기와 고려자기편으로, 전에 도리이 류조鳥居龍藏가 발견했던 것인데 12월 15일 경북 산업과 속 박형진이 출장하여 확인을 하였다.[145]

---

143 『每日申報』1930년 12월 10일자.
144 『東亞日報』1930년 12월 18일자.
145 『每日申報』1930년 12월 20일자.

같은 해

개인적 발굴

이 해에 경성제대 요코야마 쇼자부로橫山將三郎와 부산고고회의 오오마가리 요시타로大曲美太郎는 개인적으로 각지의 유적을 함부로 발굴하여 채집한 유물을 개인적으로 소장했다. 대략 다음과 같다.

부산 절영도	橫山將三郎	東三洞貝塚 (개인 적으로 발굴조사)	石槍, 骨製品, 土器	수집품은 해방이 되면서 모두 중앙박물관에 기증. 출처[608]
함경남도	橫山將三郎	유판패총	節目紋土器, 石器, 骨角器	출처[609]
경남 동래군	大谷美太郎	낙동강안 大浦패총		출처[610]

교토대학 고고학교실 진열품 도록 발간

『교토제국대학 문학부진열관 고고도록』은 1923년에 하마다 고우사쿠濱田耕作가 주요품 300여 점을 골라서 간행[149]한 이후 1928년에 신수품 100여 종을 추가하여

---

146 有光敎一, 『有光敎一著作集 第1卷』, 1990, pp.5-6.
147 早乙女雅博, 「新羅の考古學調査 100年の硏究」, 『朝鮮史硏究會論文集』39, 朝鮮史硏究會, 2001년 10월, p.77.
148 早乙女雅博, 「新羅の考古學調査 100年の硏究」, 『朝鮮史硏究會論文集』39, 朝鮮史硏究會, 2001년 10월, p.77.
149 京都帝國大學文學部, 『京都帝國大學文學部陳列館 考古圖錄』, 1923.

축쇄 재판하였다. 다시 1930년에 새로이 원색판 약간을 넣어 3판을 발행했다.

『교토제국대학 문학부진열관 고고도록』(1930)에 실린 한국 유물은 다음과 같은 것이 있다.

품명	출토지	출처	비고
石劍	경주부근 발견	『考古圖錄』1930, 도판 33-1, 2, 7	
陶壺	경주 황남리고분 출토	『考古圖錄』1930, 도판 34	濱田耕作 채집
토기	경주 발견	『考古圖錄』1930, 도판 35	

품명	출토지	출처	비고
토기	경주 발견	『考古圖錄』1930, 도판 36	寄贈: 諸鹿央雄
金製耳飾	경주 고분 발견	『考古圖錄』1930, 도판 37-1	
金製耳飾	경주 고분 발견	『考古圖錄』1930, 도판 37-2	

품명	출토지	출처	비고
銅製鍍金裝身具		『考古圖錄』1930, 도판 38	

이 해 도쿄국립박물관에서 구입한 유물 중에는 다음과 같은 것이 있다.

품명	출토지	유물 번호	출처	비고
金銅製銙 3개	경북 발굴	歷史部第11區 4139~4141	『年譜(1930)』[612]	구입
金銅製銙 17개	경북 발굴	歷史部第11區 4142	『年譜(1930)』	구입
金銅製金具	경북 발굴	歷史部第11區 4143	『年譜(1930)』	구입
金銅製金具 2개	경북 발굴	歷史部第11區 4244	『年譜(1930)』	구입
金銅製金具	경북 발굴	歷史部第11區 4245	『年譜(1930)』	구입
金銅製環頭太刀柄頭	경북 발굴	歷史部第11區 4146	『年譜(1930)』	구입
鐵製鉾		歷史部第11區 4147	『年譜(1930)』	구입
眞鍮製銛		歷史部第11區 4148	『年譜(1930)』	구입
陶製金時默墓誌		歷史部第11區 4149	『年譜(1930)』	구입
瓿 22개	한국 것으로 추정	歷史部第11區 4150~4171	『年譜(1930)』	구입
內行花文鏡	한국 것으로 추정	歷史部第11區 4172	『年譜(1930)』	구입

150 帝室博物館, 『帝室博物館年譜(昭和5年 1月~12月)』, 1931.

품명	출토지	유물 번호	출처	비고
方格丁字鏡	한국 것으로 추정	歷史部第11區 4173	『年譜(1930)』	구입
內行花文鏡	한국 것으로 추정	歷史部第11區 4174	『年譜(1930)』	구입
銅鉾	한국 것으로 추정	歷史部第11區 4174	『年譜(1930)』	구입
黑漆螺鈿箱	조선초기	美術工藝部 內450	『年譜(1930)』	구입

우리 문화재 수난일지

1931년

1931년 1월 20일

평양의 대 수집가 고 세키구치 나카바(關口半)의 수집품을 구입하다

세키구치가 1930년에 불귀의 객이 되자, 평양부윤 오시마 요시오大島良士[151]의 권유로 세키구치의 유족들은 1931년 1월 20일자로 그의 수집품을 박물관에 양도하였다. 그의 수집품은 박물관 수입번호受入番號 12068~12216번으로 총 숫자는 낙랑경 35점을 포함하여 440여 점으로 나타나 있다.[152]

평양고등법원 검사장 세키구치 나카바關口半는 야마다와 함께 낙랑 유물 수집의 선두 주자라 할 수 있다. 처음에는 도검과 서화 수집에 열심이었다가 1920년부터 수집 폭을 넓혀 낙랑, 고구려의 각종 유물에 손을 대었다. 수집품 중 상당수는 오랫동안 평양박물관에 진열품으로 제공했다. 1931년에 총독박물관에서 구입하여 평양부윤의 희망으로 평양박물관에 있는 상당수는 평양부립박물관에 진열품으로 대여하기도 하였다. 나머지는 본부박물관에서 연구용으로 격납했다.

그의 수집품은 1925년에 조선총독부에서 발행한 『낙랑군 시대의 유적』에도 '조

'조선우위(朝鮮右尉)'

---

151 1916년 5월 조선에 건너와 곧바로 官界에 들어와 朝鮮總督府試補, 道理事官, 咸鏡北道 財務部長, 慶尙南道 財務部長, 京畿道 財務部長, 全羅北道 內務部長을 역임. 1929년 12월 平壤府尹, 1931년 9월 釜山府尹을 역임함.

152 朝鮮總督府博物館,「故關口半氏蒐集品」,『博物館報』第4號, 朝鮮總督府博物館, 1933.

선우위朝鮮右尉'의 봉니를 비롯한 상당수가 도판으로 게재되어 있다.

1931년 2월 2일

인왕상 발견

1931년 2월 2일 경주군 외동면 모화리에 거주하는 이춘갑이란 자가 경주군 외동면 모화리 성조산복 중(원원사지 서남방 약 1리)에서 고 약 2척5촌의 석불(인왕) 1체를 발견했다. 이 인왕상은 대소 15개로 파손된 것을 경주박물관에서 접합 완료하여 재4실(고려, 조선시대유물실)에 진열하였다.[153]

『매일신보』 1931년 2월 18일자에는 다음과 같은 기사가 있다.

발견한 인왕상

---

153 1931년 2월 12일자로 경주경찰서장이 조선총독에게 보낸 '유물 발견의 건'과 1931년 7월 6일자 경주박물관 諸鹿央雄가 총독부 학무국장에게 보낸 '유물 조치(措置)에 관한 건', 『국립중앙박물관 소장 조선총독부박물관 공문서』, 목록번호 : 97-발견10.

석불발견 경주 외동면에서

경주군 외동면 모화리 이춘갑은 수명의 동네사람들과 2월 2일 성조산에 나무하려 갔다가 산계곡 중(원원사지 서남 약1리)에서 여러개의 파괴된 석불상이 있는 것을 발견하고 일동이 외동주재소에 운반하여 신고하고 동소에 보관 중인데 이 발견한 석불은 12개로 파손되었는데 접합을 해본즉 완전한 인왕상인데 높이 약 2척5촌, 폭 2척의 석회암으로 되었는데 소유자, 관리자, 전설 등은 전혀 없는 것으로, 경주박물관의 대판금태랑의 감정에 의하면 이 석불상은 조선시대 작이라 한다.

1931년 2월 15일

임시 역사교과용 도서조사위원회규정 제정

조선총독부 '임시역사교과용도서조사위원회규정'이 제정되었는데, 정무총감을 위원장으로 위원은 23명으로 구성되어 있다.[154] 그 중 한국인은 이능화, 최남선, 안인식 등 3명만 포함되어 동 위원회는 한국사를 일본사 교과서에 편입하려는 목적에서 설치되다.

---

154 『朝鮮總督府官報』 1935년 2월 15일자.

1931년 2월 18일

고려왕릉 도굴범 검거

1930년 12월 12일에 경기도 개풍군 중서면 곡령리에 있는 제1왕릉과 제2왕릉을 도굴한 사건이 발생한 이후 개성경찰서에서는 비밀리 범인을 염탐해 오다가 드디어 그 범인들을 검거했다.

그 범인들의 자백에 의하면, 1930년 12월 12일 개풍군 중서면 곡령리의 설윤동과 동군 동면 여릉리 김봉준이 산중에서 만나 왕릉을 파기로 공모했다. 동일 오후 11시에 중서면 곡령리에 있는 제2왕릉에 이르러 양초에 불을 켜놓고 설윤동이가 가지고 온 숟가락과 김봉준이 가지고 온 삽으로 판 후 분묘 내에 들어가서 고려자기를 찾았으나 쓸 만한 아무 물건도 건지지 못하고 약 4시간 뒤에 둘이 다 도망하는 도중에 다시 다른 왕릉을 발굴하기로 하고 헤어졌다.

그 이튿날인 13일 밤에 설윤동은 약속한 이목동산 산속에서 기다렸으나 오지 않아 설은 하는 수없이 그 이웃에 사는 강장군을 찾아 함께 도굴하기로 하고 즉시 곡령리 제1왕릉에 이르러 동11시경부터 능 서편으로부터 파기 시작하였던바 큰 바위돌이 가로막혀서 팔수가 없는 고로 그 이튿날 오전 4시경에 파기를 중지하고 도주했다.

이후 1931년 2월 18일에 검거가 된 것이다.[155]

<hr>

155 『每日申報』1931년 2월 21일자, 3월 4일자.

1931년 2월

창녕 일대의 도굴 상태

1917, 1918년의 창녕 일대의 발굴은 나머지 고분에 대한 도굴을 조장시키는 결과를 가져왔다. 1930년 여름에 창녕군 창녕읍 교동고분군이 도굴되었다는 보고를 창령공업보통학교장 하시모토橋本로부터 접한 조선총독부는 기수 다나카 주소田中十藏를 1931년 2월에 현지에 보내어 조사를 했다. 조사 복명서에는 창녕군의 연혁, 역사적 위치, 고분 도굴 현황에 대한 설명과 고분 부장품의 유출을 막기 위해 이미 천공된 부분을 메우고 주위에 석벽을 설치했다는 내용이 기재되어 있다. 그리고 1917년과 1918년에 총독부에서 조사한 것을 제외하고는 전부 도굴 당하여 내부의 유물을 모조리 약탈당했다는 것을 강조하고 있다.[156]

다나가 주소田中十藏는 "이곳에 잔존하는 유물은 모두 그 당시를 말하여 주는 중요한 것으로 될 수 있는 한의 보호를 가하여서 영구보존을 요해야 함은 현대인의 책무라고 생각한다. 그런데 선반先般 명을 받고서 그곳에 출장 조사를 한 바 타의 유물을 고사하고라도 유독 고분만은 놀랄지어다. 2백기에 넘는 다수가 남기지 않고 대부분 도굴의 난을 입은 일은 유감지극遺憾之極이라 하겠다" 라고 당시의 상태를 말해주고 있다.[157]

---

156 朝鮮總督府官房文書課, 「昭和5年度古蹟調査」, 『朝鮮』, 朝鮮總督府, 1931년 10월, p.140.
157 「경상남도 창녕지방 출장 복명서(1931년 2월 9일)」, 『국립중앙박물관 소장 조선총독부 박물관 공문서』, 목록번호 : 96-140.

1931년 3월 11일

경주 인왕리 적석총 도굴

3월 11일 경주군 인왕리의 적석총이 도굴된 것이 발견되어 이를 총독부에 보고했는데, 1931년 3월 13일(경박분 제16호)부 경주박물분관 촉탁 모로가 히데오諸鹿央雄가 학무국장에게 보낸 '고적도굴에 관한 건 보고'[158]는 다음과 같다.

지난 본월 11일 본군 경주면 인왕리 (구 신기리) 부락 북방 철도선로 북측 약 6칸의 개소에 있는 적석총이 어떤 자에게 도굴 당하여 부근을 통행 중 발견하여 경주면 서기 김수완으로부터 보고를 받아 경주경찰서에 보고를 하여 취조에 착수하는 한편 지난 12일 경찰서원과 함께 현장을 조사, 이

도굴 상태

---

158 『국립중앙박물관 소장 조선총독부박물관 공문서』, 목록 번호 : 96-101.

고분은 경주면 황오리 이모의 소유 전지畑地로 이미 봉토를 잃고 약 4칸의 적석총으로, 도굴자는 이 전지의 소작인 동리 거주 전모, 안모 및 황남리 거주 권모 등 수명으로 체포하여 조사 중이며, 이들은 지반으로부터 6척 가량을 파고 고배 수개, 감 1개, 부패한 검신의 파편 1개, 철부 1개, 은제대금구의 파편 수개 등을 파내었음.

1931년 3월 16일

전라남도 광양군 기타 고적유물 조사와 석조물의 현상

1930년부터 전남 지방에서 석탑, 묘탑, 석등롱 등이 매매되어 부자들의 정원을 꾸미거나 혹은 천여 년의 귀중한 국보적 고탑을 전도 파괴하여 내부에 비장한 유보遺寶를 절취 매각하는 자가 있다는 소문이 나돌았다. 특히 1930년 가을에 전남 광양군 옥룡면 보통학교 후원회가 기본재산을 만들 목적으로 중흥산성 내 삼층석탑과 석등롱을 매각한다는 보고가 총독부에 올라오자 총독부에서는 촉탁 홍석모洪錫模와 기수 오가와 게이키치小川敬吉를 파견하여 그 조사에 착수했다.

전남 지역에 파견된 이들은 1931년 3월 16일부터 3월 29일까지 조사를 하고, 1931년 5월 20일부로 학무국장에게 그 복명서를 제출했다. 복명서에는 조사 행적을 일별로 기록한 일기, 조사기 등이 실려있다. 사진, 실측도 등도 첨부한 것으로 기재되어 있지만 이 문서철에는 빠져있다. 그러나 그 당시 촬영한 것으로

보이는 사진은 별도로 국립중앙박물관에 유리건판사진에 남아있다.[159]

1931년 오가와 일행의 조사 행적은 복명서의 '일기'에 의하면 대략 다음과 같다.

3월 16일	밤에 경성역을 출발하여 전남 광주로 향함
3월 17일	오전 10시에 광주역에 도착하여 도청을 방문하여 도지사관사 내에 있는 석등롱을 보고, 광주읍 동단 방면 동계리의 경사가 심한 5층탑을 촬영하고 돌아오는 중에 읍내의 철불을 봄
3월 18일	아침에 광주 발 열차로 출발 화순 보성을 경유하여 오후 2시 순천에 도착하여 도청을 방문하여 남문 밖의 석등롱을 보고, 자동차로 광양읍으로 향함, 광양군청을 방문하여 옥룡면 옥룡사지 및 중흥산성 내 폐사지의 조사를 협의하고 광양여관에 투숙
3월 19일	1931년 3월 19일 옥룡사지를 조사했는데, 고려초기의 묘탑 1기가 유존하고, 2, 3년 전에 동진대사의비는 파괴되어 지금은 없다. 동리민들이 파괴하여 가공하여 묘석(墓石) 등을 만들었다고 함. 옥룡사지의 북방 송천사지(松川寺址)를 답사
3월 20일	아침 8시에 중흥산성에 올라 사지 일대와 3층석탑 등 석조물을 조사하고 내려옴, 밤에 옥룡결찰관주재소를 방문하여 중흥산성 내 폐탑 매매의 1건을 들음. 소화5년 8월경 옥룡보통학교 후원회에서 기본금 조성을 위해 산성내의 석탑 및 석등의 매각을 옥룡면 운평리 변정섭이란 자에게 의뢰함, 변은 분주(奔走)의 결과 부산부내 씨명불상(氏名不詳)의 매수인 2명을 데리고 와서 봄, 그리하여 750원으로 매매계약이 성립함. 후원회는 100원쯤이면 팔릴 것으로 생각했으나 고가임에 놀라 군당국에 상담하여 고적유물보존규칙에 불가하다는 지시를 받음, 한편 토지의 소유자는 괘심하다고(상담 없었으므로)하여 주재소에 유물발견 계출(屆出)함. 1930년 9월17일 경찰관이 임지 조사 후 광양서에 보고함. 익야(翌夜) 어떤 자가 와서 해석탑급석등(該石塔及石燈)을 파괴하고 도망가서 여러 가지 문제가 일어남 이상은 옥룡면경찰관에게 들이 일은 대요(大要)임 부산의 매수인은 대구의 이치다(市田) 모(某)에 전매(轉賣)를 약속함, 이치다 모로부터 후지타(藤田) 촉탁에 상담이 있어서 금반의 출장 조사로 이르렀다.
3월 21일	아침에 중흥산성에 올라 석등의 실측과 촬영을 마침
3월 22일	옥룡면사무소, 광양군청, 경찰서 등을 들러 자동차로 순천으로 가 남문 밖 석등을 실측함
3월 23일	오전 중 팔마비 및 남문 밖의 석등을 촬영하고 구례 화엄사로 향함
3월 24일	화엄사 각황전 기타를 시찰 촬영하고, 밤에 홍 촉탁은 귀청

---

159 「全羅南道 光陽郡 其他 古蹟遺物 調査 報告書」, 『昭和5~7年度 復命書』, 국립중앙박물관 소장 조선총독부박물관 공문서, 목록번호 : 96-140.

3월 25일	화엄사 경내 내장암 등을 시찰하고 일부는 실측
3월 26일	화엄사 유물 조사
3월 27일	화엄사 유물 조사
3월 28일	군청을 방문하고 구례를 출발 곡성을 경유하여 남원으로 나옴, 주천면 용담사(龍潭寺)를 보고 남원읍에 숙박
3월 29일	남원을 출발, 30일에 경성에 귀착(歸着), 여행을 마침

* 오가와 게이키치(小川敬吉)의 조사와 그 이후의 현상(現狀)

1. 광양 옥룡면 중흥산성(中興山城)쌍사자석등(雙獅子石燈: 국보 103호)과 3층석탑 매각 사건

이 석등의 유랑流浪이 시작된 것은 1930년 8월경에 전남 광양군 옥룡면의 옥룡보통학교 후원회가 조직되어 그 재원財源을 마련하기 위해 중흥산성에 있는 석탑, 석등을 매각하고자 하였다. 그래서 부산에 있는 골동상에게 팔기로 하여 흥정을 하였는데, 부산의 골동상은 700원에 사겠다고 하여 이 말에 후원회측은 크게 놀랐다. 후원회측은 기껏해야 100원쯤에 팔릴 것으로 생각했는데 700원을 부를 줄은 몰랐던 것이다. 후원회측에서는 이에 분명히 유서由緒있는 것이라고 생각하여 군청에 상담을 하였다. 군청당국에서는 몰래 매각하는 것은 고적취체법古蹟取締法에 저촉抵觸된다고 하여 매각賣却을 일시 중지하였다. 그런데 이 석물石物이 소재한 땅 소유자所有者가 자신의 사유지에 있는 것을 후원회 측에서 자신에게 의논도 없이 무단으로 매각하고자 한데 대해 화가 나서 주재소에 유물발견계출遺物發見届出함에 따라 1931년 3월 조선총독부에서 오가와 게이키

치小川敬吉가 파견되어 조사에 나서게 된 것이다.[160]

그 결과 오가와가 학무국장에게 보낸 복명서(1931년 5월 20일)를 보면 오가와小川가 경찰서에서 들은 예기로 부산의 매수인은 대구의 이치다市田 모에게 전매轉賣를 약속했다고 한다. 이에 이치다市田는 후지타 료사쿠藤田亮策에게 상담까지 하였다고 한다.

이에 대해 1931년 5월 오가와 게이키치小川敬吉의 보고[161]에,

전라북도 지방에서 석탑, 석등롱 등이 매매되어 부자의 정원에 놓여지고 혹은 바다를 건너 내지内地(일본)로 반출搬出되고 심지어는 천유년千有年이나 유존한 국보적 고탑을 도괴 파괴하여 내부에 수장收藏된 유보遺寶를 도취盜取하고 매각하는 자가 있다는 풍문이 종종 귀에 들어오고 그 유물이라고 보여 지는 것을 2, 3회 본 일도 있다. 작년 가을 경 대구 사람이 어느 시골에서 석탑과 석등롱을 샀다. 대구로 운반하여도 좋은가라고 하여서 소재지와 매매의 이유를 물으니 전라남도 광양군 옥룡면에서 보동학교學의 후원회가 기본재산을 만들 목적으로 중흥산성내에 있는 삼층석탑과 석등롱石燈籠을 매각하였다. 이러한 지방의 산중에 고대유물을 두어 보아야 보호가 안된다. 대구에 이전하여 정내庭内에 두고 싶다는 희망에서였다.

고 한다.

---

160 朝鮮總督府官房文書課,「昭和5年度古蹟調査」,『朝鮮』, 朝鮮總督府, 1931년 10월, p.37;
    小川敬吉,「玉龍面の石塔婆と石燈籠に就て」,『朝鮮 建築』第十輯 第八號, 1931, p.2.
161 黃壽永 編,「日帝期 文化財被害資料」,『考古美術資料』第22輯, 韓國美術史學會, 1973.

1931년 3월경에는 석등을 몰래 운반하여 산 아래 옥룡면 사무소 앞에 가지고 온 자가 있어서 동네 주민들의 반대에 부딪쳐 노상에 방치하고 달아났다[162]고 하는데, 1931년 4월 7일자 광양경찰서 보고[163]에,

작년 말 해유물該遺物에 주목하여 파편 등을 가져간 자가 있어 소유자 이재영은 망을 보아 산일을 막고 있었으나 과일過日 야음을 타서 유물을 도괴하고 석탑중의 유물을 가져간 듯한 상황에 있어 소유자 이재영은 보존의 곤란함을 느끼고 해該토지 유물을 대구 오구라 다케노스케小倉武之助에게 매각하려고 하고 있음.

이라고 하며, 1931년 4월 22일자 총독부에 보낸 광양경찰서보고(유물발견 계출屆出에 관한 건)에,

수제首題의 건에 관하여서는 본호本號로 본월 7일부 조사보고 한 바와 같으나 그 후 소유 및 관리권의 이양을 받은 경상북도 대구부 오구라 다케노스케小倉武之助로부터 아래와 같이 원출願出하였으므로 조사하였는바 관리 보존상 적절하다고 인정하시도록 어허가御許可있으시기로 하고 싶어 보고함.

　　기

　　주소: 경상북도 대구부 동운정 69

　　　　　　　　　　　　　오구라 다케노스케小倉武之助

162　黃壽永 編,「日帝期 文化財被害資料」,『考古美術資料』第22輯, 韓國美術史學會, 1973.
163　金禧庚 編,「韓國塔婆研究資料」,『考古美術資料』第20輯, 考古美術同人會刊, 1969.

一. 유물인 석탑 1기, 석등 1기는 운평리의 산림 중에 있다. 도난 혹은 파손 등이 될 염려가 있어 전라남도 광양군 읍내로 이전하여 관리 보존을 안전하게 하려함.

一. 위의 원출願出로서 조사하였는데 해該유물은 근래 갑자기 가치가 있는 것임이 일반에 알려져 전반前般도 탑을 넘어뜨리고 내용품은 절취된 의심이 있다. 또 미신적 행위론지 파편을 가져가는 자도 있다. 소유지는 산간벽지로서 관리 보존상 광양읍내에 이전하는 편이 타당하다고 사료됨.[164]

이러한 탑의 도괴와 이건 등은 재력을 이용한 오구라小倉의 음모가 숨어 있

중흥산성 3층석탑 파괴 상태(국립중앙박물관 소장 건판 018002)

164 金禧庚 編,「韓國塔婆硏究資料」,『考古美術資料』第20輯, 考古美術同人會刊, 1969.

을 것이란 의혹이 남는다.

이를 보면 처음 옥룡보통학교 후원회에서 매매를 할 때는 부산의 골동상을 통하여 대구의 이치다市田에게 매각하려 하였고, 이에 화가 난 땅 소유자는 대구의 오구라小倉에게 매각을 해 버린 것으로 추정된다.

전남 광양시 옥룡면의 중흥산성이라 알려진 이곳 산성내에는 현재 삼층석탑만이 남아 있지만 일찍이 사명寺名을 잃은 폐사지임을 알 수 있다. 이곳에 대한 조사는 1916년경에 『고적대장』을 만들기 위하여 산림과에서 처음 조사가 이루어졌는데 당시 기록에는,

중흥산성中興山城이라 칭稱하는 이곳은 광양읍光陽邑 북1리반北一里半에 있음. 산 정상 및 일부와 계곡을 포함하고 있는데 토석土石으로 축성築成한 것으로 약 천팔백칸間, 내이사지급석탑석등內二寺趾及石塔石燈이 있다.[165]

라고 하고 있으며, 그 후 1931년 3월에 이곳을 조사한 오가와 게이키치小川敬吉는 그 내용을 『조선과 건축』에 발표하였다. 그의 조사에서 사에 대해서는,

동국여지승람東國輿地勝覽의 기록에도 토지나 사명寺名이 전하지 않아 어떤 절이며 어느 때에 세웠는지 알 수 없다. 유일한 기록으로 광양읍지光陽邑誌에, '중흥산성재현북십오리中興山城在縣北十五里 석축주위팔백척石築周圍八百尺

---

165 『朝鮮寶物古蹟調査資料』, 朝鮮總督府, 1942, p.190.

내유일계상유대탑內有一溪上有大塔 기폐己廢'라고 기록되어 있다. 옥룡면의
운평리에서 서로 백운산맥을 연하여 내려오면 표고400의 산정상山頂上에
는 평탄하며 계류 중간쯤에는 논밭이 있고 주위 1800칸間의 토벽이 둘러
져 있는데 중흥산성이라 한다.

하고 있다.

　이 석등이 원래 있었던 사지는 어느 때부터인지 폐허화 되어 주위에는 석성石城만
이 둘러 있었기 때문에 석등의 명
칭은 성명城名을 따라 '중흥산성
쌍사자석등'이라고 일인들이 부
르기 시작하여 오늘날까지 그렇
게 부르게 되었다. 오늘날에는 중
흥사中興寺로 보는 견해도 있다.[166]
　이곳 석탑, 석등에 대한 오가와
게이키치小川敬吉의 조사보고에,

중흥산성3층석탑

---

166 寺名에 대해서는 中興寺로 보아야 한다는 見解도 있다.
　　장충식은『한국의 탑』(1989, 일지사)에서,『大東地志』에 "中興山 古城은 북쪽 10리에 있다"
　　하는 것에 착안하여, 이 산성이 중흥산 고성이란 이름으로 불리어 왔다면 중흥사가 있는
　　山名이 中興山이었다는 새로운 착안을 지닐 수 있다. 그것은 山名과 寺名이 일치하는 경우
　　가 흔히 있으므로 이곳의 사명 역시 산명과 동일한 中興寺로 보아야 한다는 견해다.

3층석탑 : 이 중흥산성 중의 탑은 양질의 화강암석으로 만들어진 방형方形의 3중탑重塔으로 이중기단二重基壇에 세웠다. 기단의 우목석隅目石에는 우수한 천부상天部像이 양각陽刻되어 있고 정면에는 인왕상仁王像, 좌우 양측면에는 사천왕상四天王像, 후면에는 보살상菩薩像을 조출彫出하였다. 이중기단 위에 초층탑신을 올려 놓고 4우四隅는 주형柱形으로 만들었다. 내에는 4불상四佛像을 양각陽刻하고 위에 옥개屋蓋를 올렸다.

·········· 만약 내지內地에 있었다면 일찍이 국보로 지정되어 미술적 가치를 인정받았을 것이다.

경복궁에 있을 때의 모습

쌍사의 석등 : 탑의 배후背後에 한 기의 석등롱石燈籠이 있다. 그 자세가 진기珍奇하고 그 의장意匠 풍모風貌는 웅장하여 희稀하게 보이는 걸작이다. 내지에는 이 석등롱에 비할 수 있는 것은 없다. 조선에는 유일하게 1기가 유존하는데 유명한 속리산 법주사쌍사자석등이다.

···· 이는 동의동수법同意同手法으로 진중珍中의 진기중珍奇中의 기슭이다.[167]

라고 극찬을 아끼지 않고 있다. 또 이 석등은 "다이쇼大正7년(1918) 1월 전남 광양군 옥룡면 운평리雲平里 중흥산상中興山上에서 이건移建한 것으로 이 지점의 사

167 小川敬吉,「玉龍面の石塔婆と石燈籠に就て」『朝鮮 建築』第十輯 第八號, 1931, pp.3~5.

적에 대한 상세한 것은 알기 어렵다"고 하며, 일본『고고학 제7권』 6호(1936년 6월)에 '조선의 석조미술자료'로 소개하고 있다.

매각 사건 이후 중흥산성석탑은 1935년 5월 24일 조선총독부고시제318호로 보물 제183호로 지정되어 현지에 보존되었다. 그러나 이 석등은 광주 도지사 관사로 옮겨졌다가 1931년 12월에 오가와 케이기치小川敬吉에 의해 재조사되고

1932년 1월에 조선총독부로 옮겨져 경복궁 자경전 앞에 이건되었다.

그 후에도 이 석등은 계속 유랑을 끝내지 못하고 1959년에는 경무대 정원으로 이건되었다가 1960년에는 덕수궁국립박물관 중앙 진열실로 옮겨져 전시되었다. 1972년에는 경복궁에 국립박물관이 신축 이전함에 따라 불교조각실로 옮겨 전시되다가 1986년에는 중앙박물관이 중앙청으로 이전히면서 이 석등도 함께 옮겨져 야외 정원에 전시되었다. 그 후 국립광주

중흥사지석사자(『小川敬吉調査 文化財資料』)
이 석사자상은 중흥사지 3층석탑의 기단 네모서리에 있던 것으로
1931년 오가와가 조사할 당시만 하여도 4구였으나 현재는 소재불명이다.

박물관이 이 지방에서 반출되었던 문화재를 다시 찾는 계획에 따라 이를 문화재위원회에 상정하여 통과함에 따라 광주박물관 중앙홀로 옮겨지게 되었다.

우리나라 문화재의 수난을 대변하는 역정이라 할 만큼 기구한 유랑의 역정을 가진 문화재이다.

2. 광주관사 내 석등

오가와의 복명서에는 "동국여지승람을 보면 광주읍 부근 소재의 고사 2, 3이 올라있으나 탑파, 석등 등에 대한 기재가 없으며, 조선금석총람 상권에, '소재 처음 전라남도 광주읍내 남문내에 있었는데 현재 도청관사에 옮김'" 이라고 기록하고 있다.

이후 이 석등에 대해 특별히 조사 고증한 기록이 보이지 않는다. 해방 이후 이 석등에 대한 조사는 1963년 4월 21일에 정영호, 문갑수에 의해 이루어졌다. 당시 조사 시의 상태는 "본시 광주성문에 있었던 것을 일제 시 도지사관사 전정前庭에 이치移置하였으나 이곳 화재火災 후 관사는 옮겨지고 석등은 도괴된 채 현 위치에 유존한 것임" 이라고 1963년의 현상을 기술하고 있는데 화재의 시기는 언급하지 않고 있다.[168] 전남도청은 1958년 3월 21일 새벽에 전남 도청에서 불이 나 도청 별관(2층)이 전소되었다는 기사가 보이고 있는데,[169] 이후 1963년

---

168 鄭永鎬, 「光州 有銘石燈」, 『考古美術』, 1963년 8월.
169 『동아일보』 1958년 3월 22, 23일자.

4월 정영호 교수 일행의 조사 시까지 도괴된 채로 방치되었던 것으로 보인다.

정영호 교수의 조사 시의 현상은 사진과 함께 다음과 같이 기술하고 있다.

화강석재로서 현재는 도괴되어 자연석들 틈에 산재하는데 팔각하대석은
매몰되어 상면만이 보이고 팔각간주와 그 위 팔각앙연중대석八角仰蓮中臺石
과 화사석, 옥개 등 부재는 모두 현재現在하여 복원이 가능하다. 중대석은
상면에 일단의 각형받침을 마련하였으며 연판蓮瓣의 수법이 풍려한데 하
대는 마손磨損이 심하다.

도괴된 상태(鄭永鎬, 「光州 有銘石燈」)

라고 하며,『조선금석총람』상권에 나타난 명문銘文보다 일부의 명문을 더 판독
해 내고 있다.[170]

---

170 鄭永鎬, 「光州 有銘石燈」,『考古美術』, 1963년 8월.

그 이후 전남도청 소재 시 언제 다시 복원했는지는 알 수 없으나 2008년에 국립광주박물관으로 옮겼다고 하여, 2016년 1월에 박물관을 방문하여 석등이 있었던 정원을 찾았으나 실물은 보지 못했다.

광주 동5층식딥(보물 제110호, 건판)

3. 광주 동5층탑(광주 지산동 5층석탑)

광주 지산동 5층석탑은 광주시내에 상당한 거리를 두고 있는 2기의 탑 가운데 동쪽에 위치했다고 하여 광주 동5층석탑으로 불리었다. 현재 행정구역상 광주광역시 동구 지산동에 소재한다고 하여 광주 지산동 5층석탑으로 부르고 있으며, 통일신라기의 탑으로 1963년에 보물 제110호로 지정되었다.

구명 광주읍 동5층석탑은 세키노 다

다시關野貞의 1910년의 조사에서도 "금회 조사된 유물 가운데 지급수선至急修繕을 요하는 것"으로 분류하여 "(병)광주읍동5층석탑-신라시대의 비교적 큰 석탑이다. 지금은 심하게 한쪽 수리가 필요하다. 수리비 약 2백 원, 만약 다른 곳

그 내용은 「聖壽天長□ 戊辰□五 穀豊登 □□□民安 文趣迷倫三途滯 □□ 刹之願燈龕
一座令者 棟樑秉善消皆□□□ □後證菩提之□□□ 菩薩戒右弟子」.

으로 이전한다면, 다시 그 경비가 필요할 것이다"[171]라고 하여 이미 붕괴되기 직전의 위험에 처해 있었던 것임을 알 수 있다.

이후 1916년에 수리하지 않은 상태로 등록번호 제84호로 등록하였다. 1931년 3월 17일 이 석탑을 관찰한 오가와는 고려초경으로 생각되는 가작佳作이라고 하며 경사가 심하여 바로 전도될 위험에 있어 하루라도 빨리 수리할 것을 요구하고 있다.

그러나 일제강점기에 수리가 있었는지는 알 수 없으나 1955년에 해체 수리할 때 당시 4층 옥개석 상면에서 사리장치舍利藏置가 발견되었으나 장엄구莊嚴具는 전하지 않았다고 한다. 그곳에 있었다는 동합銅盒이 현재 국립중앙박물관에 보관되어 있다. 그 후 1961년에 다시 수리하여 일부를 보충하였다고 한다.

탑이 서있는 부근은 백주사栢州寺 터로 알려져 있기도 하나 추정할 만한 자료는 아직 발견되지 않았다.

최근의 모습

---

171 「朝鮮古蹟調査略報告」, 『考古學雜誌』 1권 제5호, 1911년 1월.

4. 증심사철불(광주읍내 철불)

1931년 3월 17일 이 불상을 조사한 오가와는 "소재지 전라남도 광주군 서방면 동계리, 철의 좌불상으로 고 3척3촌 국유"라고 고적등록부에 기재되어 있다고 하며, "현재 소당우 안에 안치되어 있다. 관리보존이 비교적 양호, 고려초기의 제작으로 생각되는 우수한 불상이다" 이라고 복명하고 있다.

등록대장

「전라남도 소재 고적 및 유물 대장」에는 다음과 같이 등재하고 있다.[172]

등록번호 제87호 광주읍내철불상光州邑內鐵佛像

종류 및 형상 : 철좌불상으로 높이 3척 2촌

소재지 : 전라남도 광주군 서방면 동계리全羅

南道 光州郡 瑞坊面 東溪里

소유자 : 국유國有

이 내용은 「고적급유물등록대장초록」(1924)에 등록하고 있기 때문에, 1924년 이전에 조사한 내용임을 알 수 있다. 여기에서 기록한 지명 동계리는 현재의 지산동으로, 현재 지산동 5층석탑이 소재하는 곳이다. 이 불상과 석탑이 어떤 관계를 가지고 있는지 알려진 것이 없으며, 지산동에는 백주사栢州寺라는 절

---

172 「고적 및 유물 등록대장」, 국립중앙박물관 소장 조선총독부박물관 공문서, 목록번호 : 96-169.

이 있었다고 전하고 있어 이 절과도 관계가 있을 법하나 명확한 자료가 보이지 않는다.

폐사가 된 지 오래되어 사명을 알 수 없는 이 불상은 오가와의 조사에 나타난 것처럼 오래 동안 소당우에 안치되어 주민들 신앙의 대상으로 모셔온 것으로 보인다. 소유가 국유로 되어 있으면서 관리의 미흡함인지 이 불상이 보물 제213호로 지정

증심사철불

되면서 증심사로 옮기게 된다. 그 내용은『조선총독부 보물 지정 대장-사지寺址별』[173]에 기록하고 있다.『조선보물고적명승천연기념물요람』(조선총독부 사회교육과, 1937)에도『조선총독부 보물 지정 대장-사지寺址별』의 기록을 그대로 옮겨 "이 불상은 광주군 서방면 동계리에 있던 것을 소화9년(1934) 이를 증심사로 옮겼다"는 것을 기록하고 있다.

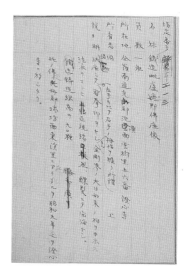

『조선총독부 보물 지정 대장-사지(寺址)별』

---

173 『조선총독부 보물 지정 대장 -사지(寺址)별』, 국립중앙박물관 소장 조선총독부박물관공문서, 목록번호 : 97-지정19.

5. 순천 남문 밖 석등(순천 장명석등)

순천시청 전 장명석등(長明石燈)
(국립중앙박물관 소장 건판)

순천시청 옆의 석등(최근 모습)

이 석등은 출처가 분명치 않고 오래전부터 순천 남문 근처에 있었다고 하여 '남문 밖 석등' 이라고도 하다가 오늘날엔 '장명 석등' 이라고 부르고 있다.

오가와 게이키치小川敬吉는 1931년 3월 18일 오후에 순천군청을 방문했다가 순천 읍의 구남문 밖의 도로 곁, 즉 순천보통학교 정문쪽에 있는 주점酒店의 처마 밑에 고립되어 있는 석탑을 발견했다. 이 석등에 대해서 만복사지에 전하던 것이라는 소문이 있었음인지 '전傳 만복사석등' 이라 기록하고, "확증은 없다" 라고 첨언을 하고 있다.[174]

1916, 1917년경의 조사인『조선보물고적조사자료』에는 순천군 순천면 장천리南門 外에 위치한 석등에 대해 "순천읍 남문 외의 길 옆에 있다. 화대부火袋部가 결여缺如된 외에는 완전히 잔존殘存함" 으로 기록하고 있다.

---

174 「전라남도 광양군 기타 고적유물 조사 보고서」, 국립중앙박물관 소장 조선총독부박물관 공문서, 목록번호 : 96-140.

촬영 시기는 알 수 없으나 국립중앙박물관 소장 건판사진에는 '순천시청 전
장명석등長明石燈'(건판 029861)이라는 사진이 남아 있는데, 초가집 돌담 옆에
위치한 모습이 나타나 있는데 화사석을 제외한 나머지는 완전하게 남아 있다.
이 사진은 현재 순천시청 앞에 소재하는 석등과 완전히 일치하고 있다.

이 석등은 1964년 도로 확장공사로 인해 옛 승주군청 뒷뜰로 옮겼다가 다시
승주군 청사가 승주읍으로 옮기게 되자 1984년에 지금의 순천시청으로 옮기게
된 것이라고 한다. 현재의 모습은 화사석을 새로 만들어 보완한 것이다.

그런데 의문은 국립중앙박물관 소장 건판사진 중에 '제4회 사료조사'와 관련
한 사진이 1점이 보이고 있는데, 제4회 사료조사라면 1914년의 도리이 류죠鳥
居龍藏의 조사 때 촬영한 것으로 추정되는 것이다. 이 사진의 위치 및 명칭에 대
해서는 '순천읍성 동문 밖 석등'라는 사진으로, 초가집 처마 밑에 있는 모습으

로 '남문 밖 석등'(순청시청 앞 석등)과 거
의 일치하고 있다. 보주는 처마 밑이라 잘
보이지 않으며, 화사석이 없는 것 도 일치
하고 옥개석, 상대석, 간주석, 하대석 등
이 모두 일치하고 있다. 단지 지대석이 순
청시청 앞의 장명석등은 방형인데 비해
'순천읍성 동문 밖 석등'은 지대석이 원형
인 것이 다를 뿐이다.

동일한 석등인지, 아니면 별개의 것으
로 분실된 것인지 숙제로 남게 되었다.

오가와 게이키치小川敬吉는 1931년 3월

순천읍성 동문 밖 석등
(국립중앙박물관 소장, 건판)

순천시청 칠층석탑(건판)

18일 순천군청 방문과 관련하여 의문이 있다.

『조선보물고적조사자료』에는 순천군 순천면 본정에 9층석탑 1기가 있는데 높이가 9척5촌으로 기단에 연판蓮瓣이 새겨져 있으며, 순천면 석현리 비봉산 탑곡 내의 폐사지에 있던 것으로 1908, 1909년 전(1916, 1917년 전을 기준으로 9년 전)에 읍내 대성여관 전정前庭에 반치搬致한 것이라고 한다. 그리고 국립박물관 소장 건판사진 중에는 '순천시청 칠층석탑'(건판 029865)이라 하여 순천군청에 이치한 석탑 1기가 있다. 이로 보면 대성여관에 있던 것을 순천 군청에 옮긴 것으로 추정되고 있는데 동일석탑으로 추정되나 석탑의 행방이 의문이다.

1931년 3월의 오가와의 기록은 당시 그가 본 것은 그대로 기록했다고 보이는데 그가 순천군청을 방문했음에도 불구하고 이 석탑에 대한 언급이 없음이 의문이다.

6. 순천 팔마비(八馬碑)

오가와 게이키치小川敬吉가 팔마비를 조사한 것은 1931년 3월 23일로, "처음 전라남도 순천군 순천읍 남문 밖의 교반橋畔에 있던 것을 지금 순천군 청사 앞

팔마비 및 비각(최근 모습)

의 작은 도로 내로 옮겼다"고 한다.

팔마비는 고려조 시인 최석崔碩의 청렴을 기념하여 세운 비이다. 『신증동국여지승람』에는 다음과 같이 비의 건립 유래를 전하고 있다.

부사 최석崔碩이 임기가 차서 비서랑으로 들어갔다. 고사故事에, "태수가 바뀌어 돌아가면 반드시 망 8필을 주었었다. 석碩이 돌아갈 제 고을 사람들이 말을 주면서, '이 중에 좋은 말을 고르라' 하였다. 석은 웃으면서 말하길, '말이 서울에 가면 족할 뿐이지 무얼 고른단 말인가' 하고, 집으로 돌아와서는 그 말을 도로 돌려보냈다. 이에 고을 사람들이 이것을 받지 않으니, 석은 말하기를, '내가 너희 고을에 있을 적에 말이 새끼를 낳은 것까지 데려왔으니, 이것은 내가 욕심이 있는 것이라' 하고, 그 새끼들까지 돌려 보내니, 이런 뒤로부터 말을 주는 폐가 없어졌다. 고을 사람들이 그 덕을 칭송하여 비석을 세우고 팔마비라 이름 했다. 세월이 오래되어 비가 땅에 자빠지니, 뒤에 최원우가 다시 세우고 시를 지시를, '승평昇주에 오고가느라 절서節序가 바뀌었는데, 보내고 맞노라 농사 짓는 시기 뺏은 것 부끄러워라. 뒤에 전할 덕이 없다고 말하지 말라, 지금 최군의 팔마비를 일으켜 세웠노라' 했다" 하였다.

이 비는 정유재란(1597) 때 훼손된 것을 순천부사 이수광이 광해군 9년(1617)에 재차 복원하여 지금에 이르고 있다. 본디 연자고 남쪽 길가에 있었는데 1930년 시가지 계획에 따라 지금의 자리로 옮겨졌다고 하는데,[175] 그로부터 1년 후에 오가와의 답사가 있었던 것이다. 1977년에는 비각을 세워 보호하고 있다.

7. 옥룡사지 동진대사비

오가와의 옥룡사지와 동진대사묘비에 대한 조사는 1931년 3월 18일에 있었다. 동진대사비에 대하여 "현장에는 이수, 귀부, 비신의 잔편이 남아있지 않다. 주변 주지를 수색하여 문자가 있는 소파편을 주워 박물관으로 가져왔다"고 하며 복명서에 동진대사비의 파편을 사진으로 첨부하고 있다(1920년 6월 3일, 제15회 고적조사위원회의 '고적유물보존의 건'에 나타난 석조물의 현상現狀 참조).

---

175 八馬碑 안내판 내용.

1931년 3월 24일

일본서 개최된 《조선명화전람회》

1931년 3월 24일부터 4월 4일까지 일본에 반출되어 있는 안견의 '몽유도원도'를 비롯한 한국 고서화와 국내에 있는 고서화를 모아 일본에서 《조선명화전람회》를 개최하였다.

이 전람회의 동기는, 1930년 조선미술관 주최로 개최하였던 《고서화진장품전》에 세키노가 참관하게 되었다. 이때 조선미술관의 오봉빈이 이와 같은 전람회를 도쿄에서도 개최하는 것이 어떠냐고 물어보았다. 세키노는 쾌히 의미 있는 사업이라고 하여 도쿄 측과 의논하여 확정하기로 하였다. 도쿄 측 미술 관계자 역시 대찬성을 하여 조선명화전람회가 우에노上野공원 도쿄부립미술관에서 개최하게 되었다.

처음에는 조선미술관 주최와 도쿄 측 후원으로 하려다가 변경하여 도쿄에 있는 미술총연맹격인 사단법인 미술연합회 주최로 하게 되었다. 여기에는 당시 식민지국의 한국인 측 조선미술관과 일본의 사단법인 미술

《조선명화전람회》 도록 표지

연합회를 동격으로 보지 않으려는 의도가 있었던 것으로 보인다.

한국 측에서는 조선위원회가 조직되어 이왕가박물관, 총독부박물관, 조선미술관이 후원하게 되었다. 전람회의 명예총재는 순종왕이 맡고 위원장은 세키노가 맡았으며, 한국과 일본의 권위자 30여 명으로 위원회가 조직되었다. 한국측 위원으로는 조선상업은행장 와다 이치로和田一郎, 총독부박물관 감사위원 아유카이 후사노신鮎貝房之進, 이왕가박물관 주임 시모고리야마 세이이치下郡山誠一, 조선남서원 주간 구보타 덴난久保田天南, 이왕직사무관 스에마츠 구마히코末松熊彦, 조선총독부 학무국장 다케베 킨이치武部欽一, 경성제국대 교수 다나카 도요조田中豊藏, 이왕직 차관 시노다 지사쿠篠田治策, 총독부박물관 주임 후지타 료사쿠藤田亮策, 조선미술관주 오봉빈, 이도영 등이다. 하지만 한국인이래야 이도영과 조선미술관주 오봉빈만이 포함되었다.[176]

『매일신보』 1931년 3월 2일자에는 다음과 같은 기사가 있다.

동경 한복판에 진열될 조선의 고대문화

성적 양호로 수백 점을 출품할 터

3월 중에 동경에서 개최되는 조선고서화전람회에 대하여 총독부 학무국에서는 조선 안에 있는 신라, 고려, 이조시대의 고서화를 수집하여 동 전람회에 출품하고자 그동안 이왕직 소장품과 박물관에 있는 고서화와 기타 약 3백여 점을 수집하여 심사에 심사를 거듭하던 중 2월 28일로서 최후의 심사를 마치었는데 심사결과 최초에는 조선 안에서 약 백 점 가량을 출품

---

176 藤田亮策, 「朝鮮名畵展覽會」, 『靑丘學叢』 제4호, 靑丘學會, 1931.

할 예정이었으나 심사의 성적이 매우 양호하여 백 점 이상을 출품하게 될런지도 알 수 없는 형편에 있다. 이번에 수집된 3백여 점의 고서화는 모두 고대 조선의 찬연한 문화를 말하는 명화들로 족히 옛날 조선의 문화가 과연 어떠하였었다는 것을 세계에 크게 자랑하고도 남을 만한 위대한 예술품들뿐임으로 학무국에서 매우 만족한 생각을 가지고 될 수 있는 대로 다수히 출품하라는 것인데 출품할 서화에 대하여는 3월 3일 학무국으로부터 이를 발표하려는 예정이라 한다.

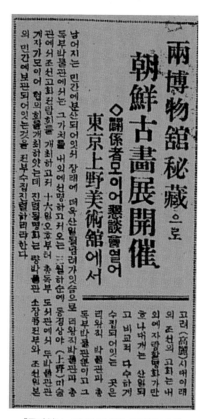

『동아일보』 1931년 1월 17일자 기사

중요한 출품작을 보면, 우현리대묘의 벽화(모사), 고려불화, 부석사조사당벽화(모사), 공민왕 필 '천산대렵도', 이상좌 필 '송하보월도', 어몽룡 필 '묵매도', 김명국 필 '달마도', 안견 필 '몽유도원도', 김인문 필 '강산무진도', 신윤복 필 '풍속화첩', 김홍도 필 '금강산 화첩', 신사임당 필 '포도도', 조선시대 초상화 등 우수한 작품들이 관람자들의 시선을 끌었다. 한국인 출품자는 이한복, 김용진, 박영효, 김찬영, 박재표, 오봉빈, 이순명, 민형식 등 7명이고, 한국재주 일본인으로는 고미야 미호마츠小宮三保松, 스에마츠 구마히코末松熊彦, 모리 게이스케森啓助, 나카무라 마코토中村誠, 아사카와 노리타가淺川伯

전람회장의 이왕(『매일신보』 1931년 3월 26일자)

敎, 도미타 기시쿠富田儀作 등이 출품을 하였다.[177]

출품작품은 한국에 있는 서화뿐만 아니라 일본에 반출되어 산재한 한국 고서화까지 출품 전시하였다.

전시 작품 수는 총 400여 점으로 현재까지의 전시 중에서 양과 질적으로 가장 대규모적인 전시라 할 수 있다.

전시기간 동안 일본의 각 신문은 연일《조선명화전》의 기사와 작품 사진을 게재하였다.[178] 이 전시회는 일본인들에게 그리 우대를 받지 못했던 한국 서화가 일본인에게 일층 그 가치를 더하는 계기가 된 의미 깊은 대 전람회라 할 수 있다.

일본 측 출품 목록

품명	필자	출품자	비고
釋尊說法圖		高野山親王院	至正10년
夢遊桃園圖	安堅	園田才治	현재 天理大
北畵山水圖		小宮三保松	
岳陽樓圖	秀文	富田豊彦	
山水屛風		嚴島大願寺	

---

177 國民美術協會, 『朝鮮名畵展覽會目錄』, 1931;「《朝鮮名畵展覽會》」, 『靑丘學叢』 제4호, 1931.
178 『東亞日報』 1931년 4월 10일~12일자.

품명	필자	출품자	비고
花鳥畵帖	傳 李英胤	刑部齊	
藥師十二神將圖		高野山圓通寺	嘉靖40년
藥師曼多羅		高野山常喜院	隆慶6년
觀音圖		屋島寺	
諸尊圖		東京帝室博物館	
扇面山水	沈師正	正木直彦	
關東第一江山帖		林權助	
游魚圖	小堂	藤島武二	
蝶及山水	五峰	藤島武二	
山水圖	東山	藤島武二	
牧丹圖	東皐	長原坦	
鷄牧丹圖		長原坦	
花鳥圖	丹麟		
枇杷小禽圖	風州	阿以田治修	
水原城儀式圖		東京美術學校	
山水圖	焦山	飯山季秋	

하야시 곤스케林權助는 청일전쟁 후부터 아유카이의 조언을 받아 많은 고려 자기를 수집한 것으로 전해지고 있으나『조선고적도보』에 나타난 것 외에는 구체적인 것이 밝혀져 있지 않다. 하야시는 서화작품도 상당수 수집하였는데 이번 전람회에는, 오대산, 금강산 기타 관동지방의 승경을 묘사한 '관동제일강산첩關東第一江山帖' 5책을 출품전시 하기도 하였다.

조선총독부박물관 출품 목록

품명	필자
고구려고분벽화 模寫 5폭	평남 강서군 강서삼묘 벽화, 1930년 5월~6월 조선총독부박물관 촉탁 소장항길 모사
고려 고분벽화 모사 1폭	경기도 개풍군 청교면 양릉리 고분 북벽면 벽화 모사
부석사 조사당벽화 보살상 및 천부상 모사 2매	太田天津 模寫 6매 중 2매
陰山大獵圖	傳 恭愍王
산수도 1폭	전 강희안
산수도 1폭	전 양팽손
唐犬圖 1폭	두성령 이암
묵죽도 1폭	李霆
산수도 1폭	李英胤
산수도 1폭	전 宋民右
화조도 1폭	전 孟永光
鷄子圖 1폭, 猫圖 1폭	和齋
曉景山水 1폭, 雪中探梅圖 1폭	玄齋 沈師正
淡彩山水圖	毫生館 崔北
風俗畵帖 1책(35圖), 風俗畵帖 1책(8圖)	檀園 金弘道
牧隱 李穡 肖像	필자 미상
婦人肖像 1폭	필자 미상
花外小車圖 1폭	李漢喆
雪景山水 1폭	北山 金秀哲
雪娘子肖像 1폭	石芝 裵龍臣

* 끝내 못 가져온 몽유도원도

이번 전람회와 관련하여 한 가지 아쉬운 것은, 조선 초에 안견이 그리고 안평대군의 발문과 당시 명사들의 찬시가 기록된 '몽유도원도권축'[179]의 한국 매입 실패 건이다.

이것은 1447년 4월 20일 밤에 안평대군이 도원을 몽유하고 안견에게 이야기하여 그리게 하고 이 그림이 사흘 만에 완성되자 안평대군 자신이 발문을 적고 당대의 문사들에게 보여 제찬을 받았다. 이렇게 몽유도원도와 그 제발 및 제찬을 받아서 만들어진 것이 바로 몽유도원도권축이다.

『조선고적도보』 제14권에 일본인 소노다 사이지園田才治의 소장으로 게재되어 있으며 세키노의 『조선의 건축과 예술』 도판에 실려 있는 우리나라 회화사에 가장 중요한 작품이다.

그런데 이것이 언제 어떤 경로로 일본에 들어갔는지 명확하지 않다. 최순우는 오랜 옛날부터 큐슈九州에서 전승되어 내려 온 것이라 하니 필시 임진왜란 때 탈취품이라는 것이 정설이라고 한다.[180]

이병주는 "이 몽유도원도는 워낙 임진왜란 때 일본에 건너간 것이라고 하는데 실은 한일합방 뒤에 없어진 것으로 그 뒤 이왕직에서도 이를 되찾고자 많은

---

179 李德懋, 『靑莊館全書』.
　　"서화를 포구하는데 가로로 꾸민 것을 軸이라고 하고, 길이로 꾸민 것을 障子라 한다. 우리나라에서는 장자를 족자라 한다."
180 崔淳雨, 『崔淳雨全集 4』, 學古齋, 1992.

애를 썼다"[181]고 한다. 고희동高羲東은 "이 권물卷物이 5백년간을 지내온 운명의 자취는 도무지 들을 수 없고 상세한 조사를 해볼 능력도 없다. 다만 들은 대로 말하면 여러 십년 전에 어느 조선 사람의 손에서 오사카 사람에게 양도되었다가 현 소장자인 가고시마 사람에게 가 있게 되었다는 것이다"라고 하고 있다. 또한『경향신문』1950년 3월 30일자 기사에도 "일제시대 때 일인들의 간악한 술책에 의해 일본으로 건너간 것"이라고 하는데, 어디에도 반출근거에 대한 명쾌한 자료가 나타나 있지 않다.

현재 텐리대天理大도서관에 보관되어 있는, 1893년에 임시전국보물조사위원회에서 발행한 '감사증'에는 몽유도원도에 대해 "미술상의 참고가 될 수 있는 것으로 인정함"이라 명기하고, 소유자 가고시마鹿兒島의 시마즈 히사시루시島津久徵의 이름이 적혀 있다고 한다. 이 '감사증'은 일본 국보 조사의 전신이기 때문에 공신력이 있는 것이다. 텐리대도서관에서는 가고시마鹿兒島의 토호인 후지타 사츠미藤田禎三가 이를 가지고 있다가 후에 소노다 사이지園田才治가 인수하였고 다시 마유야마繭山가 맡아 있다가 천리대학도서관에 들어간 것으로 되어 있다고 한다.[182]

최인숙은 그의 논문「몽유도원도관견」에서 텐리대학 스즈키 나오루鈴木治가 한 동안 이것을 개인 소장했던 마유야마繭山와의 여러 차례 전화 통화를 근거로 하여 다음과 같이 밝히고 있다고 한다.

---

181 李丙疇,「夢遊桃園圖 散步」,『박물관신문』1982년 8월.
182 韓國國際交流財團,『海外所藏 韓國文化財』, 1997.

"임진란 때 사쓰마번薩摩藩 시마스島津에 의해 반출되어 가고시마鹿兒島의 토호인 후지타 사츠미藤田禎三가 간수했다가 소노다園田가 인수했고 다시 마유야마繭山가 지녔다가 텐리교주였던 나카야마 쇼젠中山正善이 사들여 오늘날 천리대학 도서관에 소장되었다. 또한 마유야마의 회고에 의하면 구입 당시에는 上, 下의 두 권으로 나뉜 것이 아니라 하나의 두루마리였다고 한다. 그리고 천리대학에서 구입할 당시에는 편액과 권축의 둘로 되어 있었으며 이를 새로 보수하는 과정에서 편액의 그림을 안평대군의 칠언시와 발문 사이에 끼어 넣은 것이며 신숙주의 글이 맨 앞에 오게 된 것은 옛날부터 일본인들에게 신숙주의 명성이 남달랐던 것 같다"[183]

또 일본인 나이토 코난內藤湖南도 이 몽유도원도가 일본에 전해진 유래에 대해,

"다분 문록 정한역의 획물로 가져와 오랫동안 사쓰마薩摩에 전해내려 오다가 현재 가고시마현의 소노다園田씨의 장으로 돌아갔다"[184]

라고 하고 있다. 임란 이후의 우리나라에서도 아직까지 몽유도원도 소장에 관한 기록이 없는 것을 보면 임란 때 약탈당했을 가능성이 높다.

소노다 사이지園田才治는 가고시마현의 출신으로 몽유도원도를 입수할 1920년대 후반에는 오사카에서 전화소독기 제조회사의 사장이었다. 소노다는 몽유

183 崔仁淑, 「夢遊桃源圖管見」, 『書通』 通卷24號, 1991.
184 內藤湖南, 「朝鮮 安堅의 夢遊桃源圖」, 『東洋美術』 第3號, 東洋美術研究會, 1929.

도원도를 손에 넣은 뒤 교토의 학자들에게 가지고 다니며 자랑을 했고 이 과정에서 나이토 코난에 의해 1929년에『동양미술』에 최초의 논문이 발표되었으며, 1930년에는 조선총독부 발행『조선』지에도 소개되었다. 그 후 1934년에『조선고적도보』에 수록하게 되었다. 1933년에는 일본 중요미술품으로 지정되었다가 1939년에는 국보로 격상되었다.

이번《조선명화전》을 계기로 몽유도원도는 소노다園田의 소유로 하여 처음으로 일반인들에게 공개되었다. 당시 이 전람회의 관계자였던 조선미술관의 오봉빈은 다음과 같이 기술하고 있다.

> 현동자 안견의 작품은 6점이 진열되었는데, 다 소품이고 파손되어 참고가 곤란하나 일본의 소노다 사이지園田才治 씨가 출품한 안견의 몽유도원도는 참 위대한 걸작입니다. 권화卷畵가 폭 3척여 세화細畵로 서명 가도可度인이 분명하고 그림의 초두에 안평대군 친필 찬과 그림의 말미 30, 40척 종이에 김종서 등 20여 인의 발跋이 있는데, 모두 서명 날인이 명확합니다. 이것은

『동아일보』 1931년 4월 12일자 기사

조선에 있어서 둘도 없는 국보입니다. 금번 명화전의 최고 호평입니다. 일본 문부성에서 국보로 내정하고 가격은 3만 원 가량이랍니다. 내 전 재산을 경주하여서라도 이것을 내손에 넣었으면 하고 침만 삼키고 있습니다. 나는 이것을 수십 차나 보면서 단종애사를 재독하는 감상을 가지게 됩니다. 이것만은 꼭 내손에, 아니라 조선 사람의 손에 넣었으면 합니다.[185]

오봉빈은 몽유도원도를 처음으로 대하면서, 이 같은 국보가 고국에 있지 않고 일본 땅에 있는 것에 대해 안타까움을 금치 못하였다.

당시 고희동도 이 전람회를 돌아보고 몽유도원도에 대해 1935년에 다음과 같이 쓰고 있다.

'중앙화보'로 게재된 몽유도원도
(『중앙일보』 1935년 9월 1일자)

보관되기는 필연코 안평대군의 집이었을 것인데 안평이 멸망할 때 그 집안의 온전한 것이 하나도 없었을 것임에 불구하고 이 권물 한 점이 어찌하여 금일에 전지(傳至)하였는가 하는 것은 오직 참으로 기이한 일이라 할 것이다. 그러나 현재 이 권물을 실견하기는 도저히 어려우니 박물관에 소장된 것도

---

185 『동아일보』 1931년 4월 10일자.

아니요 어느 조선 사람의 수중에 있는 것도 진품이 아니다. 그 진품은 소화6년(1931) 4월에 동경미술관에서 조선고서전람회가 열렸을 때 그곳에 출품되었으니 필자는 우연치 않는 기회로 그 실물을 보게 되었다.

그림의 필치든지 구상이든지가 모두 다 정묘하고 우수하며 1점 1획이 범연泛然한 게 없어 과연 고대의 진정한 화풍이요 심오한 필법이며 다 삭아 빠진 견본이 보기에도 염려스러울 뿐으로 아주 바삭바삭하게 되었으나 필법과 색채만은 의구義舊히 정밀하고 조금도 손상이 없고 도화 찍은 것이 지금에 찍은 것처럼 선연鮮妍하여 그 시대에는 채색 등 재료도 상당히 좋았던 것을 엿보여 주는 것이었다.[186]

오랜 세월이 흘러 외부가 비록 바삭바삭하게 되었지만 좀먹은데 하나 없이 색채가 처음처럼 그대로 보존되었다고 하니 여러 차례 소장자가 바뀌었지만 아주 귀중히 보관되어 왔음을 알 수 있다.

한 때 이를 소장하였던 큐슈九州 가고시마시鹿兒島市의 소노다園田가 전후 가정사정이 곤란하여 이 그림을 팔려고 내놓았는데 그때 돈으로 70, 80만 엔이면 살 수 있었다고 한다. 1946년 김재원 국립중앙박물관장은 일본의 미술사학자 구마가이 노부오熊谷宣夫로부터 1만 달러 내외로 살 수 있다는 말을 들었으나 당시 박물관 예산으로는 엄두를 낼 수 없었다고 한다. 최순우도 어떤 상인으로부터 은밀히 이 소식을 듣고 즉시 문교장관에게 상신하였으나 예산이 없어 사지 못했다고 한다. 후일 최순우는 몽유도원도 이야기만 나오면 그때를 생각하

---

186 高義東,「近代朝鮮美術行脚」『中央』 3권 1호, 1935년 1월.

고 매우 안타까워하곤 했었다.

또 이병주의 이야기는 1951년 부산피난시절 당시 정객인 하라原씨에 의해 매각 의뢰가 있었기 때문에 그때 재벌인 설 씨가 일본에 건너갔다가 그 그림이 하도 낡아서 그냥 돌아왔다고 한다. 당시의 돈으로 3만 불이었으니 거액은 거액이었으나 청맹관으로야 용기가 없었다고 한다.

그런데 당시 장석구는 일본에 있으면서 한국에 가끔씩 건너왔는데 1949년 가을날 장석구가 서울에 왔을 때를 이영섭은 다음과 같이 회고하고 있다.

나는 이 자리에서 일본인 원전재치가 가지고 있던 국초의 안견의 몽유도 원도에 대해 물었더니 그는 즉석에서 그 그림은 자기가 사서 제일은행금 고에 넣어 두었다고 예기하고 소노다 사이지園田才治는 죽고 부인을 만나 서 20만 엔에 샀는데 어떻게 그림에 공을 드렸는지 복숭아꽃의 심 하나하 나가 금채로 그려 있으며 고적도보에 있는 사진으로 보기에 다소 컴컴해 보이지만 실제 보니까 상태가 무척 좋더라는 예기였다. 나는 기뻤다.
그의 말은 조금도 의심할 여지가 없었다. 제일은행 지점장으로 있던 사람이 제일은행 본사의 전무취체역으로 있더라는 예기까지 자세하게 늘어놓았다.
나는 일정시 식산은행에 있었지만 그때 서울서 일본제일은행에 거래하는 우리나라 사람은 극히 적은 수였고 신용상태가 뛰어난 거상이 아니면 거래 를 틀 수 없었는데 장석구 씨는 거래를 하고 있었던 것을 나는 알고 있었다.

그 후에 1955년경에 장석구가 서울에 와 다시 몽유도원도 소식을 물었더니 이미 텐리도서관에 들어갔다고 한다. 텐리도서관에 들어가기 전인 1950년 장석구가 한국으로 가지고 와 판로를 찾은 적도 있었다. 일본과 한국을 번갈아 왔다 갔다 하던 장석구는 어느 날 몽유도원도를 들고 부산에 나타났다. 한국에서 처분하기 위해서다. 가격은 300만원을 받고자 했다고 한다.

오랫동안 골동계에 몸 담아오면서 장석구와도 친분이 있던 신기한은 장석구가 몽유도원도를 가지고 한국에 들어왔을 때를 다음과 같이 회고하고 있다.

수많은 문화재와 골동품을 다루었지만 그 중에도 생전토록 한이 되어 오늘에 이르기까지 끝없는 아쉬움으로 얼룩진 일대사가 있으니, 안견의 '몽유도원도'에 얽힌 사연이다. 천고에 빛나는 이 그림이 언제 어떻게 섬나라로 건너가게 되었는지 도대체 궁금하다. 의연히 미궁에 속하는 일일 따름이다. 그러니까 8·15 후 5년에 접어드는 어느 날이었다.

"아우님 내게 일본으로부터 가져온 우리나라 보배 중의 보배 하나가 있는데 이것을 어떻게 한국인에게 처분할 길이 없겠소?"

너무나 뜻밖의 일이었다. 나와는 호형호제하며 가깝게 지내는 장석구 씨에 의해 이렇게 해서 이 명화가 잠시 내손에 들어온 것이다. 그는 이 그림을 입수하자마자 곧바로 나를 찾았노라는 사연이기도 했다.

"이 그림은 누가 뭐라 해도 우리나라에 있어야 할 그림이 아니겠소! 그러니 박물관이나 실력 있는 수장가를 찾아 교섭해 보시오"

그는 그렇게 거듭하여 강조하였다. 너무도 지당한 논리인지라 서둘러 국립박물관에도 말하고, 모모한 수장가를 찾기도 했지만 모두가 허사였다. 예산 타령이고 또 돈이 없다는 것이었다. 그래서 궁여지책으로 중간상인 (한용우, 유종염 등)을 동원하여 다른 각도에서 교섭을 해보았지만 이렇다

할 소득이 없었다. 하기야 당시의 시대 상황이 무리는 아니라고 여기면서도 그 안타까움이란 도저히 형용하기 어려운 것이었다. 끝내 허사로 돌아가게 되어 피차의 마음이 얼마나 안타까웠는지, 결국 이 그림은 장석구씨의 손에 다시 되돌아가고 말았다.[187]

1950년에서 1951년 사이에 몽유도원도의 판로를 찾기 위해 국내의 수집가들과의 교섭이 있었으나 당시 국내에서는 이를 입수할 여력이 없었던 것이다.

몽유도원도가 매물로 나온 것이 1946년부터 1950년 말경까지로 보이는데, 이 기간이면 소노다 사이지園田才治의 아들 소노다 쥰園田淳의 손에 있거나 천리도서관에 들어가기 직전인 고미술상점 류센도우龍泉堂의 주인 마유야마繭山의

「조선일보」 1996년 11월 8일자 기사

---

187 申基漢, 「잊을 수 없는 명품들」, 「고미술」, 1989년 가을호.

손에 있을 때이다. 이 과정에서 장석구는 소노다에게서 천리도서관에 들어가기 전에 직접 샀거나 아니면 최소한 이를 팔기 위한 중계역할을 했다고 추정해볼 수 있다. 그러나 그는 마지막으로 조국에 조금이라도 속죄할 수 있는 기회마저도 놓치고 말았으니 참으로 안타까운 일이 아닐 수 없다.

현재로는 이 도권을 한번 본다는 것은 너무나 힘들어 졌는데, 1986년 아시안게임 때 당시 한병삼 박물관장은 이 몽유도원도를 빌려와 전시하기 위하여 6개월 동안 다섯 차례나 천리대를 방문하여 설득을 했다. 1986년 8월 국립박물관이관기념으로 약 20일간 조건부로 실물이 전시되었다가 몽유도원도의 반환 여론을 우려함인지 날짜도 채우지 못하고 단 1주 일만에 일본으로 가져갔다.

1994년에는 '몽유도원도 반환모임' 이란 단체까지 생겨 텐리대天理大에 서신을 보내고 방문까지 하여 반환을 요청하기도 했다. 1996년에도 몇몇 인사들에 의해 '일본유출문화재 반환운동'의 일환으로 몽유도원도 회수운동이 전개되기도 했다.

몽유도원도권(1997년, '조선전기국보전')

1997년 '조선전기국보전'에 두 번째로 몽유도원도를 빌려와 호암갤러리에서 공개된 적이 있다.[188]

그러나

"꿈 깨어 신이한 경치 화폭에 옮겼으니

---

188 호암갤러리, 『조선전기 국보전도록』, 1997.

세상에 귀한 보배로 전해질 걸세"

이예李芮가 쓴 제찬처럼 언젠가 되찾아 와서 대대로 전해야 할 국보 중의 국보이다.

1931년 3월

도난당한 불상을 다시 찾다

대전시외에 있는 고산사에서 3월 22일 오후 11시부터 23일 오전 5시까지의 사이에 불상을 도난당했다.

이 도난 사건을 접수한 대전경찰서는 각 지로 수배를 하고 검거에 노력하던 중 24일 오전에 대전시내에 사는 하아시라는 고불상을 하는 사람이 경찰서에 출두하여 어떤 이상한 사람이 불상을 가지고 와서 150원에 사라하기에 안산다고 하니까 맡아두라고 하고는 다시 오지 않기에 가지고 왔노라고 하며 맡기고 갔다. 이 불상은 목조석가여래상에 도금한 좌불로 불상의 복장에는 불경 등이 가득 들어 있었다. 경찰은 불상을 고산사로 보냈다.[189]

---

189 『東亞日報』 1931년 3월 26일자.

1931년 4월 7일

충청남도 부여 장하리석탑 내 발견 유물

　부여군 장안면 장하리 석탑은 자탑리字塔里 폐사지에 남아있는 높이 약 5m의 3층석탑으로[190] 1931년 4월 7일 동네 주민이 석탑 내의 유물을 빼내간 것을 적발하여 박물관에 보관했다.

탑 도면

　1931년 5월 29일부 부여경찰서장이 조선총독에게 보낸 '고적 및 유물 발견에 관한 건'[191]은 다음과 같다.

　돌로 만든 탑으로 고 17척 3층탑, 그 최하부로부터 좌기의 물건이 발견

고문서 폭 2촌5분 장 1척8촌 조선지 31매로 된 1책

골제 고 1촌3분의 석가여래입상 1체

목제금박도 고 1촌의 탑 3개

190　부여고적보존회, 『百濟舊都 扶餘古蹟名勝案內記』, 1934.
191　「昭和6년도 충청남도 부여군 소재 석탑 내 발견 은소환(銀小環) 외」, 『국립중앙박물관 소장 조선총독부박물관 공문서』, 목록번호 : 97-발견10.

금속제선식잠金屬製鮮式簪 8개

수정옥 2개

금속제이환

소재지 : 충남 부여군 장암면 장하리 540번지 전중

석탑 최하부 폭 1척5촌 고 3척의 석 1매

유물은 경찰서에 보관

유래 전설 : 부락민에 의하면 고려조 말기 동소에 남산사南山寺라 하는 사

찰이 있었으나 조선조에 사는 폐하고 탑이 잔존

1931년 6월 23일자 부여경찰서장이 조선총독에게 보낸 '고적 및 유물 발견에
관한 건'[192]은 다음과 같다.

발견자 : 장암면 장하리 조환구

발견일 : 소화6년 4월 7일

전기 자는 발견 후 자택으로 옮긴 것을 장암주재소원이 탐지하여 수사 5
월 8일 검거하여 고적급유물보존규칙 제3조에 의해 훈계 방면放免

발견 이유 : 발견한 유물은 부여군 장암면 장하리 540번지 전중畑中에 있는
석탑 내로부터 석탑 소유자에 의하면 부근 아동 등의 유희장소로 최근 아
동 등의 악희惡戲에 의해 석탑을 구성하고 있는 석판을 빼내었는데 발견자
에 의하면 고 약 3척 폭 1척 평방위平方位의 혈穴로부터 유물을 발견

---

192 『국립중앙박물관 소장 조선총독부박물관 공문서』, 목록번호 : 97-발견10.

추이, 발견한 유물은 6월 20일 소포로 박물관에 송부

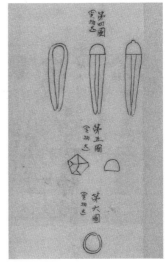

탑 내 발견물 도면

1931년 4월 9일

제34회 고적조사위원회

제34회 고적조사위원회는 회의를 생략하고 안건에 대한 의견을 구하기 위해 의안 '석탑 및 석등石燈 등록 건'(1931년 4월 9일 기안)을 회람하여 4월 10일 결의하였다.

이는 1931년 4월 7일자 광양경찰서장이 조선총독에게 보고한 '유물 발견에 관한 건'에 따른 의안으로 채택한 것으로, 광양 중흥산성 내 3층석탑 1기는 등

록번호 제199호, 중흥산성 내 석등은 제200호로 지정 등록했다.[193]

1931년 4월

창녕 청암리에서 사리구 발견

1931년 5월 15일자 창녕경찰서장이 조선총독에게 보낸 '매장물 발견에 관한 건'[194]에 의하면, 1931년 4월 27일 유모, 배모 농부 2명이 경남 창녕군 부곡면 청암리 680번지 밭에서 부도로 보이는 산란한 석종石鐘을 치우던 중 그 속에서

석등과 석탑 도면

193 『국립중앙박물관 소장 조선총독부박물관 공문서』, 목록번호 : 96-280.
194 『국립중앙박물관 소장 조선총독부박물관 공문서』, 목록번호 : 97-발견10.

진유제식기, 고려자기식기, 원형와, 사리를 발견하고, 이튿날 경찰서에 출토물
을 가져가 신고를 했다.

1931년 4월 27일

『매일신보』1931년 4월 23일자 기사

진귀한 고서와 어필 다수를 소실

4월에 충북 단양군 가곡면 보발리
에서 화재가 발생하여 가곡면 면장
원용갑元容甲 씨가 소장한 고서 약 5천
권史記, 文集, 隨筆 등과 이태조로부터
정종대왕에 이르기까지의 각 어필이
며 각 대가의 서화와 중국 고대 당송
시대의 한퇴지韓退之, 소식蘇軾, 구양수
歐陽脩의 필적 약 6백점을 소실하였다.

도쿄대학『문학부고고학연구실 수집품 고고도편』에 나타난 한국 유물

도쿄대학 문학부고고학연구실에서는 1927년부터 1936년까지 매해『문학부
고고학연구실 수집품 고고도편』을 발간하였는데 그 속에는 한국에서 반출한

유물이 일부 실려 있다. 1931년 4월에 발간한 고고도편에는 다음과 같은 한국 유물이 실려 있다.[195]

품명	출토지	소장처 및 소장자	출처	비고
石器	경주군 동천리	考古學研究室	圖版10	
石槌	경주군 동천리	考古學研究室	圖版11	

1931년 5월 1일

진흥왕 황초령비 하반부 발견

황초령비는 진흥왕이 568년(진흥왕 29년)에 황초령에 건립한 순수비다.

황초령 아래의 진흥왕비는 어느 때인가 반쪽은 떨어져 분실이 되었다. 추사 김정희는 1832년에 절친한 권돈인이 함경도 관찰사로 부임해 임지로 떠나게

---

195 東京帝國大學, 『文學部考古學研究室蒐集品 考古圖編』 第5輯, 美術工藝會, 1931년 4월.

되자 황초령비의 반쪽을 찾아볼 것을 권유했다. 권돈인은 하단부분을 찾아내어 관아로 옮겨 보존했다.

그 후 1852년에 추사가 북청에 유배를 갔을 때 함경도관찰사로 윤정현이 부임해 오자, 추사는 황초령비의 원위치 복원을 부탁했다. 추사의 부탁을 받은 윤

정현尹定鉉은 비를 보호하기 위해 황초령 정상의 원위치에서 고개 남쪽인 중령진中嶺鎭 부근, 즉 하기천면 진흥리로 옮겨 비각碑閣을 세우고 추사가 써준 "眞興北狩古竟"이란 현판을 걸었다.

함흥 황초령 진흥왕순수비 비각 편액

추사 김정희는 「제북수비문후題北狩碑文後」에서[196]

이 비를 흙속에서 얻었는데 이 비는 곧 우리나라 금석의 으뜸으로서 이천여년의 묵은 자취가 다시 세상에 밝혀졌으니 <중략> 나는 일찍이 이 탁본을 얻어 연월, 지리, 인명, 직관 등을 證定하여 써서 비의 考를 만들어 『해동김석록』과 『문헌비고』의 그릇됨을 시정한 바 있었는데 지금의 잔석에 비교해 보면 오히려 55자가 더 많고 그 부스러져 손損된 것이 또 열여섯 글자나 된다.

---

196 金正喜, 「題北狩碑文後」, 『阮堂全集』 제6권.

라고 하고, 「진흥이비고眞興二碑攷」에서는[197]

신라 진흥왕 순수비는 함경도 함흥부 북쪽 110리에 위취한 황초령 아래에 있다. 비는 지금 없어졌는데 내가 탁본을 얻은 것은 다만 두 쪽이다. 합쳐 서 보니 12행이 되었으나 그 길이와 넓이는 알 수 없다. 지금 그 탁본으로 보면 곁은 테로 둘렀는데 <중략> 이상이 대체로 12행의 완전한 글자 239 자, 불완전한 글자 13자, 쪽 떨어진 글자 17자, 빈칸 3자로 모두 272자이 다. 비의 왼쪽이 이미 없어져서 그 빗머리(이수)가 삼각형으로 다듬어진 것인지 전액이 있었던 것인지 자세히 알 수 없다.

그러나 북한산의 비석과 이 비석은 같은 시대인데, 이 비석도 아마 북한비 와 같은 예일 것이다.

<중략> 『문헌비고』에 이르기를, 「진흥왕순수전계비는 함흥부 북쪽 초방원 草坊院에 있습니다. <중략> 초방원은 지금 함흥부 북쪽 100여리 되는 곳의 초황령草黃嶺 아래에 있습니다. 방坊은 『동국여지승람』에서 '황黃' 이라고도 썼는데 '坊'과 '黃'의 음이 서로 비슷하기 때문입니다」라고 하였다. 정희가 살펴 보건데, 황초령은 함흥부 북쪽 110리 되는 곳에 있고 산 아래에 역원 이 있다. 예나 이제나 기록하는 사람들이 혹은 '草坊'이라고 하고, 혹은 '草 方' 이라고도 하며, 혹은 '草黃' 이라 하고 또는 '黃草' 라고도 쓰는데 기실 은 하나이다.

근세에 유문익공 척기 집안에 소장하였던 『해동금석록海東金石錄』에서 삼

---

197 金正喜, 「眞興二碑攷」, 『秋史集』(崔完秀 譯註), 玄岩社, 1978.

수초방원三水草坊院 진흥왕순수비라고 하였다. 대개 삼수군에 초평원草坪院
이 있어서 혹은 초방이라고도 부르기 때문이었을 것이다. 지금 사람이 간
혹 삼수에서 이것을 구하려고 하는데, 그것은 헛일이다.

라고 하며 진흥왕 순수비가 황초령에 있었음을 분명히 하고 있다.

그럼에도 불구하고 이께우치 히로시池內宏는 황초령 진흥왕비의 그 위치에
대하여는 안변의 남대천유역南大川流域이 진흥왕 때의 신라 동북경이었던 고로
그 부근인 철령鐵嶺 등지에 세웠던 것인데 윤관이 그 점령의 이유를 역사적으
로 증명하려고 철령에서 황초령으로 옮기어 세운 것이라 주장했다.[198] 이 주장
은 결국 마운령비가 발견되어 잘못된 것임이 밝혀졌다.

1852년에 윤정현尹定鉉은 비를 황초령에서 하기천면 진흥리로 옮겨 세울 때
위치변동을 증명하는 이건비까지 세웠다.[199] 그러나 좌하부 비편과 산부파편은
찾지 못하였다. 그러다가 드디어 1931년 5월 1일에 좌하부 비편을 발견하였다.
비편 발견과 관련한 다음과 같은 기사가 있다.

진흥왕석비의 하반부 발견. 함주군 초방곡에서 고기잡던 어부가
작년 5월 10일 함주군 하지천면 은봉리 초방곡 내川에서 고기를 잡노라고
강판에 있는 돌을 집어 일컷더니 그 돌에 글자가 쓰여 있음으로 끄집어내
어서 자세히 살펴보니 이것이 곧 진흥왕 석비의 오른쪽 아래(우측하단)

---

198 池內宏, 「眞興王の戊子巡境碑と新羅の東北境」, 『古蹟調査特別報告』 第6冊, 朝鮮總督府 編, 1929.
199 金允經, 「北漢眞興王巡狩碑(3)」, 『東亞日報』 1939년 7월 16일자.

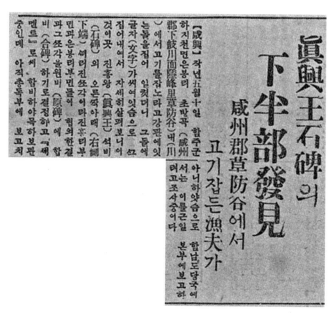

『매일신보』1932년 6월 7일자 기사

떨어진 조각이라 진흥리 부민과 은봉리 부민들이 협의한 결과 그 조각을 원비에 합비合碑히기로 결정하고 시멘트로 붙여 보관 중인데 아직 총독부에 보고치 아니하였으므로 함남도 당국에서는 이를 근일 본부에 보고하려고 조사 중이다(『매일신보』1932년 6월 7일자).

진흥왕비석편 함흥에서 발견

지난달 30일경 함주군 하기천면 은봉리에 사는 김모가 초방곡 강에서 고기를 잡으려고 돌을 뒤적이다가 우연히 글씨가 있는 것을 발견하고 동네 노인에게 물어본 결과 신라 진흥왕이 북순하였을 때 기념으로 황초령상에 세웠던 진흥왕비 임이 틀림없어 이를 소관 함흥경찰서에서 임시 보관하고 영구보존책을 강구하는 중이라고 한다(『동아일보』1932년 6월 7일자).

1천3백여 년 전 진흥왕의 순수비 파편 일부 분실되었던 것이 장진선 부근에서 발견

함주군 하기천면 진흥리에 있는 진흥왕 순수비는 고고학계의 중요한 보물로 학자들이 소중히 여기고 있던 것인데 불행히도 그 한편이 떨어져서 전부를 알 길 없어 심히 유감으로 여겼던 바 최근 그 이편이 장진선 삼거역으로부터 3백미터 되는 지점에서 발견되었다고 한다. 이로써 종래 학자로 하여금 유감되었던 동비도 완전한 사료로서의 가치를 발휘하게 된 것이다 (『매일신보』 1936년 7월 24일자).

위 기사를 보면 비편의 발견시기가 통일되어 있지 않고, 또 비편 발견 후 1년이 지난 후에야 신문에 기사화 되었는가 하는 의문이 생기게 된다. 그것은 신문기사에 나타난 바와 같이 주민들이 비를 발견 후 총독부에 보고를 하지 않아 소문이 중

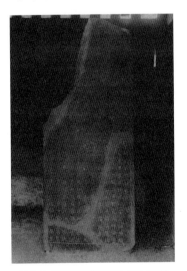

앙에 도달하지 않은 탓으로 보인다. 1년이 지난 후에야 이 같은 사실이 밝혀진 것은 조선사편수회의 이나바 이와키치稻葉岩吉가 1932년 5월에 사료조사차 함경남도에 갔다가 이 같은 사실이 밝혀지면서 언론에 알려지게 된 것이다.

당시 이나바 이와키치稻葉岩吉가 밝혀낸 내용은 다음과 같다.

발견연월일 : 1931년 5월 1일

장소 : 함주군 하기천면 음봉리(草芳谷 小川)

황초령비(국립중앙박물관 소장 건판)

발견자 : 함주군 하기천면 음봉리 엄재춘(당시 18세)[200]

이 비는 현재 북한의 함흥역사박물관에 보관되어 있다고 한다.

1931년 5월 2일

경성대학《창설7주년기념 고서적전람회》

경성제국대학에서는 5월 2일 7주년개교
일을 맞이 기념식을 가시고, 법문학부 본관
에서 고서적전람회가 있었는데 이 전람회에
서 제일 이채를 낸 것은 한 권밖에 없는 남
송판南宋版의 '주역겸의周易兼義'이었는데 이
는 2천원의 고가로 매입한 것이었다고 한다.

『매일신보』 1931년 5월 3일자 기사

1931년 5월 9일

평남 용강군 오신면 내덕리 용천사湧泉寺에서는 지난 9일 새벽에 불상 2구를

---

200 稻葉岩吉,「草黃領新羅眞興王斷碑の出現」,『靑丘學叢』第9號, 靑丘學會, 1932년 11월.

잃어버렸다.[201]

1931년 5월 17일

동명왕릉 부근의 고분 도굴

1931년 5월 28일 평안남도지사가 학무국장에게 보낸 '고분 도굴에 관한 건 보고'[202]에 의하면, 5월 17일 밤중에 관하 중화군 동두면 소재 동명왕릉의 소속 임야 구역 내에 산재한 대소의 고분 중(왕릉의 후방 약 1町여) 3기가 도굴되었다고 능참봉으로부터 보고가 있었다고 한다.

1931년 5월 21일

충청남도 논산군 발견 청동도금석가여래입상

1931년 7월 18일자 충남도지사가 조선총독에게 보낸 '매장물 발견에 관한

---

201 『每日申報』 1931년 5월 22일자.
202 『국립중앙박물관 소장 총독부박물관 공문서』, 목록번호 : 96-098.

건'[203]에 의하면, 1931년 5월 21일 논산군 오산리 김
인수 외 1명이 오산리 산중 밭에서 불상 일부가 노
출된 것을 발견하고 파내어 이튿날 신고를 했다.

발견한 불상

1931년 5월 23일

이충무공유적보존회의 발족

충무공 유적보존에 대한 기운은 1931년 5월 23일
드디어 사회 각 방면의 유지들이 이충무공의 묘소 위토, 사당, 유물 등을 영구
히 보존할 방침을 강구하자는 취지에서 조선교육협회[204]에서 회합하였다. 교육
협회는 1919년 6월에 이상재와 한규설, 유진태, 김주병 그 외 교육관계자 80여
명이 발기하여 창립한 것으로 회장에 이상재, 부회장에 남궁훈, 유진태가 맡고
있었으며 이들과 동아일보가 앞으로의 이충무공 사업에 중추적 역할을 했다.

1931년 5월 23일 모인 인사들은 통영, 마산, 철원 등을 포함한 전국에서 70여
명이 모였다. 이날 회의에서 보존회의 명칭은 '이충무공유적보존회'로 만장일

---

203 『국립중앙박물관 소장 총독부박물관 공문서』, 목록번호 : 97-발견10.
204 조선교육협회는 3 · 1 운동 이후 만들어진 대표적인 민족단체이다. 1920년 6월 독립협
회 부회장을 지낸 월남 이상재, 제2차 한일협약(을사조약)을 끝까지 반대했던 강석, 한
규설, 동아일보 주필이었던 설산 장덕수를 비롯한 90여 명의 지식인이 참여하여 1920
년 6월 19일에 창립하여 처음에는 조선교육회라 하였으나 당국의 간섭으로 규약의 내
용을 수정하고 조선교육협회로 개정하여 1922년 1월 24일 정식으로 인가를 받았다.

『동아일보』1931년 5월 25일자 기사

치로 가결하고 위원으로 윤치호, 남궁훈, 유진태, 박승빈, 유억겸, 최규동, 안재
홍, 조만식, 정광조, 김정우, 김병노, 정인보, 한용운, 윤현태, 송진우 등 15명과
위원장 윤치호를 선출하고 정식 창립을 하기에 이른다.

　이날 회의석상에서 유진태가 보고한 내용과 의견을 보면, "충무공의 위토 수입
은 1년간 195원인데 그 중 세금과 산림조합비 등 110원을 제하면 나머지 85원이
다. 이것으로서 유물, 묘소 등을 보존하기는 절대로 불가능한 일이며 더욱이 그
위토는 은행에 저당되어 있으며 묘산도 어떠한 곳에 잡혀 있다고 한다. 이 같은
형편이니 충무공을 기념할 여러 가지 사업을 하기 위해서는 적어도 2만여 원이
필요하다"는 것이다. 유적보존회의 임시 사무소는 조선교육협회에 설치하였다.[205]

　1931년 5월 23일 유적보존회 결성에 대해 동아일보 편집국의 설의식은 5월
25일 논설에,

---

205 『동아일보』1931년 5월 25일자.

본보가 일찍 묘소문제의 경위를 보도하여 이 강산 이 민족에게 우리의 치욕이오 죄과임을 호소한 이래로 당파와 계급을 초월한 민중의 정성과 분발奮發이 어떻게 절대絕大하였던 것은 매일 보도하는 본 지면으로도 충분히 짐작할 일이었다. 더욱이 이번 보존회 발기에 통영, 마산, 평양, 철원 지방에서까지 일부러 참석한 것 같은 것은 이 보존회 창립을 일반이 얼마나 기대하였던가를 단적으로 표시함이라 할 것이다.[206]

라고 역설하였다. 동아일보가 매일같이 충무공 묘소 문제와 관련한 내용을 지면에 실은 것은 바로 거족적으로 힘을 모으고자 한 뜻을 내비치고 있다.

오랫동안 동아일보가 연일 충무공의 묘소 저당을 기사화 하고 이 사업에 치중하자 "동아일보가 이충무공유적보존에 관하여 성심성의를 다하는 것을 감사하는 동시에 큰 성공이라 하겠으나 너무 오랫동안 두고 신문 전 페이지를 희생하는 것은 도리어 독자로 하여금 지리한삼을 준다" 라고 비판하는 잡지도 있었다.[207] 그러나 동아일보는 이충무공유적보존사업을 계속 부각시켜 나갔다.

이어 1931년 5월 26일에는 다음과 같이 '이충무공유적보존회성명서'를 발표하였다.

이충무공유적보존회성명서
우리는 충무공의 유적을 영구보존하기 위하여 이제 이 모둠을 발기하는 것이다. 묘소, 사묘祠廟, 위토로부터 친필, 일기, 당시 쓰시던 기물 미세한

---

206 설의식, 『해방이전』, 새한민보사, 1958.
207 『별건곤』 제42호, 1931년 8월.

것까지도 어느 것이나 다 민족적으로 보중寶重할 것은 이제 긴 말을 붙일 필요도 없거니와 근일 신문에 보도되는 바를 보건대 기약을 정할 바 없이 근촉勤促을 받은바 없이 시時로 붓고 날로 커지는 성금은 참으로 충무의 당일 지성을 느끼웁게 영사映寫하는 것 같다. 처음 걱정하던 문제로 말하면 이렇다. 이 어른의 사묘 수호와 향화가 없이 황송스럽게 되어 일구황량—區荒凉으로써 우리의 심면心面을 미루어 볼 수 있지 아니할까 하였던 것인데 이제 저 같은 열성으로서 차차 처음 걱정을 놓을 만큼 되었으나 다시 걱정할 바이 있으니 목전의 보존을 넘어 만세의 보존을 기하지 아니할 수 없으며 충무의 사묘 이외 일체를 보존하는 문제가 지금으로는 충무 한 분의 대공大功, 성열盛熱을 받드는 것 뿐 아니라 이 모든 유적에 전민중의 그칠 줄 모르는 열성이 위요圍繞한 것이 더 한층 보중寶重에 보중寶重을 더하여 놓았으니 우리로서 더욱이 그 영보永保를 걱정하지 아니할 수 없다.

<중략> 충무 유적을 영구히 보존하고 장엄히 보존하여 법인의 조직으로서 사묘는 사묘답게 꾸미고 유물은 유물답게 진열하여 받들며 시설이 있고 관우館宇가 있어야 할 것도 또한 우리의 천성淺誠이 끝끝내 대방大方의 아독阿督하심을 받들지라 소수所需는 원으로 2만 이상을 산算하나 우리는 성금을 구힌다 못하며 회원을 모은다 하지 않는다. 삼가 기다림에 그칠 뿐이다. 오직 이 어른의 유적이 조선에 있어 지대한 광휘인 동시에 이제 전조선의 열성까지 아울러 뭉치어 고금 희유의 고사를 이룬 것을 한 걸음 더 나아가 자손만대에 길이 길이 찬란병기燦爛丙期할 기초의 공고鞏固 있어야 할 것을 호기互期하랴한다.

1931년 5월 26일

충무공유적보존회위원

윤치호, 남궁훈, 송진우, 안재홍, 박승빈, 유억겸, 최규동,

조만식, 정광조, 김정우, 김병노, 정인보, 한용운, 윤현태, 유진태

* 이충무공유적보존회의 발단
1. 이충무공 종가의 퇴락(頹落)

이충무공의 종가 이종옥 댁은 이충무공 이후 대대로 종가에서 이어온 고택이다. 충무공의 장인 방진에겐 무남독녀만 있어, 충무공이 무남독녀와 결혼하자 나중에 모든 것은 충무공에게 물려졌다. 처가집이 자연스럽게 충무공의 본가가 된 것이다.

충무공의 고택이 있는 백암리는 충무공의 후손들이 집성촌을 이루고 있었다. 일제기에 들어와 생활고로 인해 하나 둘 차츰 타지로 떠나가면서 1930년대에 와서는 동네 자체가 많이 황폐화 되었다.

1931년 4월에 이곳을 답사한 고영환은 「충무공의 유물을 배관하고」란 제하의 글에서 다음과 같이 기술하고 있다.

온천에서 백암리까지는 10리가량밖에는 아니 되었으나 시각이 거의 정오나 되어 목적지의 동구에 도달하게 되었는데 바로 그 동구에는 충무공을 필두로 한 5칸의 정문旌門이 서있으나 많이 퇴락頹落된 것을 수리도 하지 않고 그대로 둔 것은 시국의 변천이 그렇게 만든 것이라고 생각될 뿐만 아니라 그 동리는 충무공 이후 10수인 동안 그 자손이 세거하는 300여 호 대촌이었으나 점차 축소되어 현재는 100호 미만이 되는 만큼 여기저기에 띄

「동아일보」1930년 9월 20일자

엄띄엄한 한두 채씩 엉성하게 있는 것은 나로 하여금 어떤 폐허에 당도한 듯한 느낌을 가지게 하여 참으로 감개무량하게 만들었다. 그러나 그 동리 앞의 조그마한 구릉에 고색이 창연한 송림과 비록 그 동리의 뒷산은 보기에도 참혹할 만큼 아주 뿌리까지 벌채되어서 벌거벗은 붉은 산이 되었다.[208]

이곳에서 대대로 종손이 살아오다가 이종옥 대에 와서는 가세가 기울어 생계가 어렵게 되자 가족들은 이곳저곳의 친척집으로 흩어져 이산가족이 되었다. 묘소를 수호하는 묘직이도 모두 흩어지고 기제忌祭도 거의 지내지 못하고 있는 형편이었다. 묘소와 묘각도 제대로 돌보지 못하여 퇴폐되어 있었다. 사당의 담장이 비에 허물어지고 유물은 쥐가 갉아 일부 훼손되기도 하였다. 묘소는 산림이 완전히 사라지고 황량했으며 주인 없는 산소와 같았다. 유물에 대해서는 일찍이 박람회 또는 공진회에 출품하라든가, 모 박물관에 갖다 두라는 등 압력과 금력에 의한 회유를 당하기도 했다. 이종옥은 이를 완강히 거부하고 유물을 지키며 간혹 찾아오는 유물 배관자의 안내를 하면서 세월을 보내고 있었다.[209]

---

208 『동아일보』 1931년 5월 12일자.
209 朴允錫, 「李忠武公 墓 參拜기」, 『삼천리』 제16호, 1931년 6월.

일제기의 충무공의 고택(현충사 자료)

충남 아산군 음봉면 삼거리에 있는 충무공 산소의 산림 120여 정보와 약 40
석을 추수하는 제토祭土는 70여 명의 연명으로 공동재산으로 되어 있었다. 충무
공의 묘소와 사당의 유지비는 순전히 이 토지에서 얻어 써왔었다. 그러나 1919
년 이래로 13대 종손 이종옥의 가세가 기울어 1925년 8월 29일 호서은행(후에
동일은행)에 2천원에 위토 40두락을 근저당하였다. 그런데 그동안 원금 2천원
에 대한 이자까지 약 2,400원을 갚지 못하고, 1929년 봄부터 독촉장을 받아 왔
었다. 동일은행에서는 채무자인 이종옥과 그 토지의 공동소유자인 이 씨 일족
70여 명에게 대하여 여러 번 독촉을 하였다. 그러나 모두들 가난한 살림이라 갚
을 도리가 없어 여태 미루어 왔다. 동일은행에서는 최후통첩을 하여 1931년 5
월 말일까지 갚지 않으면 경매 처분을 하겠다고 했다. 종중에 선후책을 협의 하
였으나 모두가 가난하여 별다른 조치를 취할 수가 없었다. 위토뿐 아니라 충무

『동아일보』1930년 9월 20일자.

공의 묘소가 있는 산판도 역시 다른 곳에 채무관계가 되어 있었다.[210]

충무공 묘소(『동아일보』 1928년 6월 12일자)

앞에서는 저당 잡힌 은행은 호서은행이고 경매에 붙이겠다고 하는 것은 동일은행으로 나타나 있는데, 이는 조선한일은행과 호서은행이 합병하여 동일은행으로 개칭을 하였기 때문이다. 호서은행은 1913년 7월에 자본금 30만원으로 설립한 은행으로 본점은 예산군 예산면에 두고 있었다. 1930년 11월에 조선한일은행과 합병하여 1931년 1월에 동일은행으로 개칭하여 인가를 받았다. 당시 조선 사람이 경영한 은행은 동일은행과 해동은행 두 곳 뿐이었다.[211]

2. 동아일보 분기하다

동아일보는 1930년 9월 20일자로 충무공의 위토 등이 저당 잡힌 기사를 싣고, 1931년 5월 12일에는 충무공의 유물의 상태에 대한 기사를 실었다. 이어 1931년 5월 13일자 기사에는 충무공의 종가 상황을 게재하고, 동일은행에서 충무공 위토를 경매한다는 문제로 동아일보 기자가 동일은행을 찾아가 은행장

---

210 『동아일보』 1931년 5월 13일자.
211 田內竹葉 編纂, 『新朝鮮成業名鑑』, 朝鮮研究會, 1917.
　　日本商業通信社 編, 『朝鮮經濟統計年鑑』, 日本商業通信社, 1938.

민대식의 비서를 만난 기사를 실었다. 그 기사를 본 독자들은 격분하였다.

1931년 5월 13일자의 기사는 온 겨레의 피를 들끓게 하는 결정적인 계기가 되었다.

1931년 5월 13일자 동아일보 기자 박금이 쓴 기사에,

<전략> 두취 민대식 씨는 임 비서를 통하여 아래와 같이 말했다. "그 채무 관계는 10년을 끌어온 것입니다. 그러나 사건 전체를 천안지점에서 맡아 가지고 있으니 그 내용을 도무 지 모릅니다. 오늘 당장 천안지 점에 통지를 해보겠지만은 기 정방침이 경매로 되어 있다면 그야 어쩔 수 없겠지요"

문제가 된 기자 박금이 쓴 1931년 5월 13일자 기사

하였다. 물의가 된 것은 "그야 어 쩔 수 없겠지요" 하는 기사였다. 이것이 문제가 되어 "동일은행을 ○○한다", "민 취두를 ○○한다"거니 하는 투서가 매일 빗발치듯 동아일보사로 들어왔고, 또 그 은행에도 들어왔다고 한다.[212]

고하 송진우는 정인보를 찾았다. 송진우는 정인보에게 다음과 같이 주문을 했다.

그 산판을 후손들에게 도로 찾아주고, 거기다가 현충사를 짓는 것이 어떨

212 朴今, 「신문기자 실패담, 충무공의 경매사건」, 『東光』 제28호, 1931년 12월.

까요? 삼척동자라도 이 나라 사람으로 임진왜란의 충무공을 모르는 사람은 없을 터이니, 이 일은 하라하면 동포들도 또 한 번 각성하게 될 것이고, <중략> 큰 등불을 켜놓는 거요. 글은 위당이 써야겠소마는 은행이나 왜정을 공격해서는 도리어 화를 일으켜 일을 그르치는 결과를 가져올 염려가 있으니, 다만 그 산판 잡혀먹은 충무공의 후손들을 치는 논조로 쓰도록 하지요. 여하간 죄는 그들에게 있는 것이니 그래야만 일이 될 거요.[213]

일제에 꼬투리를 잡히지 않기 위해 교묘한 방법을 생각해낸 것이다. 위당으로 하여금 충무공의 후손을 야단치는 글을 쓰면서 내적으로 사당 중건을 역설케 하라고 주문을 한 것이다. 이어 정인보는 1931년 5월 14일자에 「민족적 수치羞恥, 채무에 시달린 충무공 묘소」란 제하의 사설을 게재하였다.

만일 조선인이 조선의 정신을 제대로 가지고 왔다고 하면 그의 비각도 있어야 했을 것이다. 그의 동상도 곳곳에 섰을 것이며 그의 기념관 그의 도서실 그의 박물원이 있었을 것이다. 이것은 없다할 망정 그의 위토와 묘소가 채귀債鬼에 넘어간다하니 수치함도 한 걸음 넘어서 민족적 범죄라고 할 것이 아니냐.
나옹奈翁이니 화옹華翁이니 하고 이국의 위인을 숭양崇揚할 줄 알되 자가自家의 위인을 모르는 그 시대는 다시 말할 것도 없거니와 '조선을 찾자'는 부르짖음이 벌써부터 잦은 이때에도 을지문덕의 묘소가 평토화 해서 그 자취를 찾기 어렵되 우리 손이 한 줌 흙도 옮기지 못하더니 이제 또 이순

---

213 古下 先生編纂委員會, 『古下宋鎭禹先生傳』, 동아일보출판국, 1965.

신의 사당祀堂에 표지가 붙게 만들었다.

<중략> 수치를 수치로 아는 자에게는 이러한 붓대를 들기조차 손이 떨리고 얼굴에 모닥불을 붓는 듯하다. 그러나 이를 널리 사회에 알리어 그 책임감에 호소함이 이때의 의무로 생각하며 이 붓을 아니 들지 못하는 것이다. 어찌 충무공의 분묘를 위함뿐이랴 이것을 계기로 하여 우리는 일층 민족문화에 대한 숭앙심崇仰心과 애착심을 불길질 할 필요가 있다.

이 기회를 이용하여 민족혼에 불을 붙이고자 하였다. 이어 31년 5월 15일자에 정인보는 「이충무공 묘산 경매문제」란 제하의 글을 실었다.

이 일은 이 씨 일문마의 대변이 아니라 조선의 변고이며 수치이라 통한이 사람마다에 사무치니 사손嗣孫의 이일은 마땅히 민족적으로 징벌할지며 성죄聲罪할지며 또 나이가 이씨의 종문을 문책코자 하노니 사손은 그르쳤다 하자 오늘날 이 지경에 이르도록 두었디함은 여하한 사정이 있다할지라도 전 조선을 향하여 변해辨解치 못할 것이니라. 그러나 우리끼리인지라 사손된 이를 꾸짖고 후예를 일절로 나무라는 것이나 만약 외국인으로서 본다할 것 같으면 우리 다 같이 추모를 모르고 건봉虔奉을 저버린 불초 후인이라 자손 타인 분별할 바 있으랴.

<중략> 동일은행은 조선인의 은행이라 여기에 규를 행하고 례를 용할 이다 조선인임에야 은행이 차라리 조선인의 은행이 아니더라면 싶다.

이충무공의 묘산을 보존하는 책임은 조선인의 공동으로 부하負荷할 것이라 은행에만 추탁推托할 수 없으나 은행이라고 이 책임권에 제외할 수 없는 것이

『동아일보』1931년 5월 15일자 기사

며 보존해 놓은 뒤라도 후래를 도모하여 사손은 물론이거니와 이씨 종문에도 맡길 수는 없는 일이니 마땅히 전조선적으로 공수公守하여야 할 것이 나 한 사람이라도 책임으로 알지 아니하고는 정신의 융결融結이 있을 수 없다.

『동아일보』1931년 5월 14일자 「민족적 수치, 채무에 시달린 충무공 묘소」 제 하의 사설과 5월 15일자 정인보의 「이충무공 묘산경매」란 제하의 글이 발표된 이후 사회의 반향이 들끓었다. 동아일보사로 많은 편지가 도달하고 성금이 도 달하기 시작했다.

1931년 5월 17일자 신문에 한 독자는 정인보의 논설에 동조하여,

금번 이충무공의 묘소 위토를 경매한다는 동일은행의 채무, 그것을 다만 이충무공의 13대 종손인 이종옥 씨 일 개인의 채무로만 생각할 수는 없는

일이다. 우리 2천만이 다 같이 져야 할 채무이다. <중략> 우리는 속히 뜻있고 힘 있는 사람을 모아 존령尊靈을 추모하고 민족 전체의 치욕을 면하자.

라고 했다. 또 다른 독자는 "도저히 묵관黙觀할 수 없는 일이다. 지급히 모금하자"라고 하며 채무를 빨리 청산 한 후 13도 대표들이 모여 차후의 대책을 논의할 것을 제의하기도 했다.

동아일보에 이러한 보도가 나가자 갑자기 불같은 민족의식이 되살아나면서 전국적으로 동아일보에 성금이 답지하기 시작하였다.

이충무공의 위토가 문제가 된다하여 성금이 모이기 시작한 지 30일 만인 1931년 6월 17일에는 전국 각지에서 동아일보에 보내온 성금이 1만원을 돌파하였다. 이 대부분은 십전 2십전 등 작은 액수가 모인 것으로 짚신을 삼아 팔아 보낸 것, 점심 한 끼를 굶고 그 쌀을 팔아 보낸 것, 날품팔이를 하는 노동자가 하루 일당 또는 하루 한 끼를 굶고 모은 성금이었다.

재미동포들은 동아일보의 보도를 보고 일화 131원 44선을 모아 센프란시스코에 있는 신한민보를 통하여 동아일보에 보내오기도 했다.[214]

『동아일보』 1931년 5월 22일자에는 최우석 화백이 그린 이충무공의 초상화와 「이충무공과 우리」라는 제하의 사설을 싣고 있다.

혹은 노인들이 정성된 글과 아울러 돈을 보내는 것이나 혹은 어린 아이들이 한 푼 두 푼 모은 벙어리(저금통)를 보내는 것이나 혹은 공장의 구차한

---

214 『동아일보』 1932년 1월 17일자.

직공들이 그 피땀으로 번 돈을 보내는 것이나 모두 그 민족적 은인에 대한 열렬한 흠모가 어떻게 조선 사람의 피가 흐르는 곳에는 아니 흐르는 데가 없는 것을 보이는 산 증거가 아니냐.

<중략> 이번을 기회로 우리 민족적 영웅이요 은인이요 모범인 충무공 이순신의 무덤과 유적과 유물을 영원히 보존하도록, 또 그의 전기와 문집을 한문과 순조선문을 간행하여 널리 반포하도록 하는 무슨 사업을 이루어야 할 것이오 또 반드시 이루어질 것을 믿는 바이다. 이번 일이 다만 일시적

『동아일보』 1931년 6월 17일자 성금 선지 기사

으로 공의 묘소와 위토의 경매를 면하는 일이어서는 아니 된다. 이를 기회로 이순신의 무덤과 유적을 보존하는 일은 그의 종손에게서 떼어서 전 민족적인 어느 기관이 맡도록 하여야 할 것이다.

이충무공의 위토 저당권을 해제하고 이어 충무공의 유물을 사회에서 보관 관리하자는 주장이 나오게 되었다.

후에 동아일보 사장으로 취임하는 고영환은 '충무공의 유물을 배관하고' 라는 글에서 당시 이충무공의 종가에서 보관하고 있는 유물의 보관 상태가 허술하기 짝이 없다는 사실을 지적했다. 이어 「위인의 유물을 사회에서 보관하자」는 제하의 글에서,[215] "충무공의 묘산과 제위토를 동일은행에서 경매하게 된다는 기사가 신문지상에 발표되자마자 국내외에 있는 백의인의 빈부노소를 막론하고 각계각층으로부터 혈성금이 연일 들어오게 된 금일에 이르러 이것을 기회로 유물을 사회에서 보관하자"는 의견을 발표하였다.

동아일보가 민족적 자긍심을 불러일으키는 유산을 민족적 사업으로 보존해야 한다는 주장은 한 해 전부터 있었다.

동아일보가 처음 충무공의 위토 문제를 거론 할 때 이미 충무공의 유적 유물을 민족적 사업으로 발전시키고자 하는 의도가 있었던 것이다. 송진우는 이번을 계기로 하여 민족적 자긍과 대단합을 이끌어내어 민족혼을 되살리는 방향으로 나아가려는 계획이었던 것이다. 즉 보존회를 발족하고자 하는 의도가 이

---

215 高永煥, 「위인의 유물은 사회에서 보관하자」, 『동아일보』, 1931년 7월 10일자 '압수 사설.'

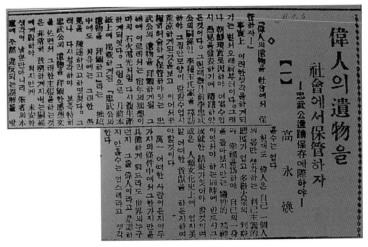

『동아일보』1931년 7월 5일자 기사

때 서있었던 것으로 보인다.

그간 동아일보는 3회의 정간을 겪고, 조선일보 2회, 중외일보는 1회의 정간의 쓴 맛을 보았다. 또한 1920년대에는 한 달에 10회 이상의 압수가 있기 예사였다.[216] 또한 동아일보는 3차의 정간을 받았기 때문에[217] 이후 잘못되면 발행금지가 될지 모르기 때문에 여간 조심스러운 일이 아니었다.

---

216 무명거사, 「조선신문계의 縱橫談」, 『東光』 제28호, 1931.

217 제1차 정간은 사설 '3종의 神器' 사건으로, 1920년 9월부터 1921년 2월까지 약 6개월간
    당시 총독 齊藤實, 경무국장 丸山.
    당시 사장 박영효, 편집국장 장덕수.
    제2차 정간은 '露西亞서 온 祝辭' 게재사건으로, 1927년 3월부터 4월까지 40일간.
    당시 총독 齊藤實, 경무국장 三矢.
    당시 사장겸 주필 송진우.
    제3차는 '襪주년 기념축사' 게재사건으로 1930년 4월부터 9월까지.
    당시 총독 宇垣, 경무국장 森岡.
    당시 사장 송진우, 편집국장 이광수.
    (「동아일보 정간 진상」, 『삼천리』, 1936년 10월호)

제3차 정간의 사유는 1930년 4월 16일 미국의 '네이션'지 주필 빌라즈 씨가 보내온 '창간 10주년 기념 축사'를 게재한 것이 불온하다는 이유로 삭제되고 정간 처분을 받게 되었다. 경무국장 모리오카森岡는 동아일보가 이 축사에서 불온하다하여 삭제를 명령한 부분을 없애지 않은 채 호외를 발행하여 당국의 행정 처분에 반항하였다는 것이다.[218] 축사의 요지는 다음과 같은 내용을 담고 있다.

조선의 현 상황에 동아일보의 사명이 매우 중대함을 우리는 알고 있다. 귀지가 곤경에 처해 있는 것은 귀지가 청렴하고 비이기적이며 공정하고 결백해, 사명을 위해서는 모든 것을 희생하겠다는 결심이 있기 때문이다. 만약 귀지가 이러한 정책으로 일관한다면 조선 민족과 그 사명을 위해 가장 힘 있는 봉사를 할 수 있을 것이라고 생각한다.[219]

동아일보가 그동안 추구해온 방향이 외국 수간지로부터 지지를 받고 있다는 사실의 내용을 게재한다는 것은 곧 일제의 방침과는 상반되는 것이었다.
1930년 4월 1일 동아일보 창간 10주년 기념호 사설은 다음과 같은 내용을 담고 있다.

모든 변화를 관류하는 기본원리는 생존과 자유를 확보하려는 사회운동과 민중운동이라고 본다. 민중운동과 사회운동이 거의 평행으로 나아가면서 마침내 민족을 단위로 하는 사회운동으로 향하려 하는 것이 지난 10년간

---

218 鄭晋錫, 『日帝下 韓國言論 鬪爭史』, 正音社, 1975.
219 동아일보사, 『민족과 더불어 80년』, 2000.

세계의 동향이다.

이 동안 조선 사회는 경제의 위축과 정치범의 속출과 사상계의 격류로 인해 일찍이 볼 수 없던 대혼란과 큰 공포를 이뤘다. 한편으로는 교육열의 향상과 민족의식의 훈련은 안팎으로 민족적 대단결의 기운을 촉진하고 있다.

여기에서 동아일보가 추구하고자 하는 방향에서 '민족의식의 훈련으로 민족적 대단결'로 나아가고자 하는 방향을 읽을 수 있다. 이러한 동아일보의 추구하고자 하는 바를 외국 주간지가 지지하여 축사로서 보내온 내용을 기사로 게재하자 당황한 조선총독부는 정간의 철퇴를 내린 것이다.

동아일보에 정간의 철퇴가 내려지자, 중외일보는 "2년이 못 되는 동안에 민간 3대지에 모두 발행정지 처분을 내렸다는 것은 문화정치를 내세우는 총독부 당국의 주장과는 완전히 모순되는 것"이라고 공박하는 사설을 실었다가 이 사설마저 압수당했다.[220]

1930년 4월에 3차 무기정간을 당했던 동아일보는 그 해 9월에야 겨우 속간을 보게 되었다. 그 해 겨울 고하 송진우는 「조선의 노래」의 제정을 계획하였다. 비록 국가를 제정할 길은 없으나 민족의 노래로 민중이 다 함께 부를 수 있는 노래를 제정하여 민족정신을 고취시키고자 하였던 것이다.

1931년 벽두 동아일보는 신춘문예에 '조선의 노래' 라는 제목으로 창가 시조 한시를 공모한다는 공고를 냈다.

공모 작품 중에서 창가 부문 가작들을 모아 심사위원인 이은상이 재구성한

---

220 鄭晋錫, 『日帝下 韓國言論 鬪爭史』, 正音社, 1975.

가사가 1931년 1월 21일 지면을 통해 선보였다.

백두산 뻗어내려 반도 삼천리 / 무궁화 이 동산에 역사 반만년 / 대대로 예
사는 우리 이천만 / 복되도다 그 이름 조선이로세 // 삼천리 아름다운 이 내
강산에 / 억만년 살아갈 조선의 자손 / 길러온 재주와 힘을 모두세 / 우리의
앞길은 탄탄하도다 // 보아라 이 강산에 밤이 새나니 / 이천만 너도나도 함
께 나가세 / 광명한 아침 날이 솟아오르면 / 기쁨에 북받쳐 노래하리라.[221]

이듬해 현제명이 여기에 곡을 붙여 발표함으로서 국가 없는 민중에게 국민
가로서 널리 퍼졌다.

동아일보가 충무공 위토 경매 사건에 매달리는 데에는 그전부터 추구해오던
민족의식의 계몽과 민족 대단결의 연장선이라 할 수 있다. 1931년 충무공의 위
토가 경매를 당하게 되었다는 동아일보의 기사는 전국에 소문이 퍼져 민심이
들끓게 되었다. 이를 선도한 것은 물론 동아일보였다. 당시 동아일보는 민심의
반향을 읽고 이를 기화로 자주혼을 북돋으려 시도하였다.

충무공의 성금 모금은 1931년 11월에 가면 2만 원을 돌파하게 되는데 당시
한국인들의 경제사정을 고려할 때 엄청난 일로서 이는 신문의 위력이 아니고
는 불가능한 일이었다. 신문이 이같이 민중에게 주는 영향이 큰 까닭은 신문이
합법적으로 조선인의 주장을 조금이라도 대변하는 유일한 것이기 때문이다.
즉 유일한 정치적, 경제적, 문화적 지도기관이오 순전히 한국인의 손으로 경영

---

221 『민족과 더불어 80년』, 동아일보사, 2000.

하는 유일한 사업기관이었기 때문이다. 당시 일제로서는 이를 저지하려는 간책을 쓰고자 했으나 합법적으로 헌금을 모으고 있는 데에는 정면으로는 어쩔 수가 없었던 것이다. 동아일보는 일제와 정면으로 부딪히는 것을 피하고 교묘히 민심에 호소하여 충무공의 위토 등을 보존하는 사업을 하되 내적으로는 민족혼을 불러 일으켰던 것이다.[222]

1931년 5월 26일

5월 26일 밤에 평남 용강군 해운면 용정리 신덕산에 있는 신덕사神德寺 불상을 도난당했다.[223]

1931년 5월

고구려시대 불상 발견

1931년 5월에 강서고분벽화를 모사하기 위해 평양에 간 오바 쓰네키치小場恒吉가 평양 남문통의 고물상 '낙랑호樂浪號'에 진열해 있는 물건 중에서 고고학상

---

222 이상, 『위기의 문화재』, 2010.
223 『東亞日報』 1931년 6월 11일자.

아주 중요한 고구려시대의 불상 3점을 발견했다. 평양의 '낙랑'이란 상호를 가진 골동상점은 낙랑 유물을 전문으로 취급하였던 평양의 대표적 골동상점이다. 『동아일보』1931년 5월 15일자에는 다음과 같은 기사가 있다.

고구려시대 불상 3개 발견
강서고분의 벽화를 모사하기 위해 평양에 와 있던 소장 모가 부내 남문통 고물상 낙랑호에 진열되어 있는 고물 중 3개의 불상을 발견하고 자세히 조사한 결과 고구려시대의 불상인 것이 확실한 듯하다 이것이 과연 고구려시대 유물이라 하면 고고학상으로 보아도 매우 귀한 물건이라 한다.

필적 모조 사기범 검거

필적을 모조 사기詐欺한 범인을 검거했다.

경성시내 옥인동 송수룡, 서대문 김경환과 그의 아우 김영환 등이 공모하여 1930년 9월부터 김경환은 박영효, 김가진, 김옥균, 이완용, 이등박문, 이윤용 등의 필적을 교묘히 모방하여 팔아왔다. 이들은 비단 헝겊과 종이 등에다가 수백 매를 써가지고, 명사들의 인장을 위조하여 찍은 후 친필과 같이 만들어서 여러 가지 약품을 사용하여 수십 년 묵은 것과 같이 꾸며가지고 시내 각 관청, 은행, 학교 등으로 돌아다니며 팔았다고 한다. 또 이들은 자기 할머니가 일찍이 궁중 내인으로 있을 때에 여러 명사의 필적을 받은 것이라고 사칭한 후 한 장에 20

원 내지 80원씩 팔았는데, 그 피해액이 수천원에 달했다.[224]

1931년 6월 2일

원각사 금당 초석 발견

1931년 6월 2일 오후 파고다공원 뒤편의 한 택지에서 도쿄토지건물회사 경성지점 기사 나카지마 요시오中島義雄가 인부를 지휘하여 기초공사를 하다가 지하 3척 지점에서 엄청나게 큰 초석을 발굴하였다. 돌의 크기는 가로 3척, 세로 5척. 두께 3척이나 되었다. 이 돌은 바로 원각사 금당 초석이었다고 추정하고 있다.[225]

『매일신보』 1931년 6월 4일자에는 다음과 같은 기사가 있다.

파고다공원(탑동공원) 뒷문 밖 빈터에다 조선물산장려회관을 공사 중인데 그 공사를 맡은 동경토지건물회사에서 기초공사를 하다가 2일에 길이 5척 두께 3척의 초석 한 개를 발견하고 총

224 『每日申報』 1931년 5월 19일자.
225 서울특별시 시사편찬위원회, 『국역 경성부사』 제1권, 2012. p.227.

독부에 보고를 했는데 총독부에서 3일에 조사를 한 결과 이 초석은 464년 전 이곳에 건축하였던 대원각사 금당의 초석으로 판명되었다.

1931년 6월 7일

춘천고등보통학교 교유 나가오카 다케오永岡丈雄는 6월 7일부터 8일까지 인부 수명을 동원하여 춘천읍에서 북으로 15리가량 되는 춘천군 신북면 천전리에서 무단으로 고분을 발굴하여 석검, 도기파편 석부 2개, 관옥 7개 등을 발견했다.[226]

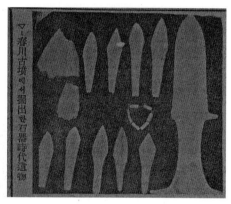

출토 유물(『매일신보』 1931년 6월 13일자)

1931년 6월 9일

1931년 6월에 총독부 학무국 종교과에서 심의한 조선고적명소천연물보존령과 보물보존령으로 규정된 것은 다음과 같다.[227]

---

226 『每日申報』 1931년 6월 11일자.
227 『東亞日報』 1931년 6월 일자, 6월 10일자.

건물

◇ 경상남도(9)

진주객관, 구관찰청정문, 촉석루, 창녕군 객관, 同 신라진흥왕척경비비각, 밀양 령남루, 同 릉파각, 피류암, 울산 가학루

◇ 황해도(7)

해주 왕봉각, 화성비각, 옹진군 석면 진해관, 황주 월파루, 同 기자유허비각, 황주군 삼전면 삼성영당, 연백군 연안면 대첩비각

◇ 평안남도(9)

평양 대동문, 련광정, 부벽루, 을밀대, 보통문, 룡강 고비각, 안주 백상루, 성천 동명관, 同 강선루

◇ 평안북도(5)

의주 통군정, 의주 남문, 녕변 남문, 강계 인봉루, 강계 북문

◇ 강원도(6)

춘천 소양정, 평창군 진부면 선원보각, 同 사긱, 강릉 경포대, 강릉 객사, 삼척 죽서루

◇ 함경남도(11)

함흥군 하기천면 진흥왕비각, 함흥군 교리대성전, 동 제월루, 同 명륜당, 영흥군 홍인면 쌍악정, 북청 남문, 안변군 가학루, 삼수 동문, 갑산 남문, 리원군 서면 효녕대군비각, 홍원 주익면 함관령비각, 장진 간검루

◇ 함경북도(5)

남문, 同 골루, 同 원항동비각, 부녕군 하무소면 대원군비각, 종성 수강루

탑, 비, 기타

◇경기도

경성 원각사십층탑, 同 비, 보신각종, 경복궁내 월광사지원랑선사대보선광
탑비, 봉촌사지진경대사보월릉공탑비, 보제사지대경대사현국탑비, 태자
사랑공대사백월상우탑비, 고달사지원종대사혜진탑비, 개태사지찬부, 경
원녀진자비, 장의사지당간지주, 북한산신라진흥왕순수비, 중초사지당간
지주, 同 삼층석탑, 월경암종진각국사비, 현오국사비, 강화종각종, 강화하
첩면오층탑, 파주이체석불, 선죽교, 연복사종, 개성첨성대, 개성령통사지
대각국사비, 오층석탑, 동삼층석탑, 서삼층석탑, 개성현화사비, 현화사지
칠층석탑, 광주청태종공덕비, 광주구읍오층, 삼층석탑, 려주고달사지원종
대사혜진탑, 同 승탑, 同 구부, 同 석불좌, 同 하리삼층탑, 同 창리삼층탑

◇충청북도

청주용두사지철당간, 괴산신풍리경니이체불상, 동미륵당리석불, 오층석
탑, 제천사자빈신사지사층탑, 충주철불, 동 탑정리칠층탑, 同 정토사지법
경대사자등탑비, 同 억정사지대지국사비

◇ 충청남도

논산개태사지삼체불, 부여평백제탑, 남석불상, 류인궤기공비, 석탑, 보광
사중창비, 서천봉남리삼층탑, 보녕성주사지오층탑, 중앙삼층탑, 서삼층탑,
청양읍삼층석탑, 삼체석불상, 同 정산서정리구층탑, 서산보원사지법인국
사보승탑 同 탑비, 同 철불상, 오층석탑, 석탑, 당간지주, 同 안국사지삼체
석불, 석탑, 천안봉선홍경사비, 同 천흥사지당간지주

◇ 전라북도

익산군미륵사지, 당간지주, 석탑, 고도리쌍석불상, 석불리석불상, 왕궁리오층석탑, 남원
만복사지석불상, 오층석탑, 석좌, 당간지주, 이왕석상, 룡담사지석불상, 칠층석탑, 석등

◇ 전라북도

나주북문외삼층석탑, 나주동문외석당간, 서문내석등, 담양개선사지석등, 광주읍서오층석탑, 지문외석불상, 동오층석탑, 읍내철불상

◇ 경상북도

경주신라성덕왕신종, 읍내석불상, 석수, 첨성대, 석빙고, 신라무열왕릉비, 이수급귀부, 서악리삼층석탑, 마애석불, 망수지당간지주, 남산리삼층석탑, 무장사지석탑, 同 사미타전비 리수급구부, 고선사지삼층석탑, 굴불사지석각불상, 나원리오층석탑, 정혜사지십삼층석탑, 흥덕왕릉석수, 안동군신세동칠층벽탑, 동부동오층벽탑, 옥리동삼층석탑, 이송천동석불상, 조탑동오층벽탑, 상주군복룡리석불상, 화달리삼층석탑, 지사리전탑, 증촌리석불, 同 석각불상, 예천개심사지오층석탑, 동사지삼층석탑, 석불상, 영주군영주리석불상, 숙수사지당간지주, 사향정리당간지주, 석교리삼체석불상, 봉화서동리삼층석탑, 문경내화리심층석탑, 고령군쾌향팔동삼층석탑, 고령지산동당간지주, 청도송서동삼층석탑

◇ 경상남도

창녕읍내신라진흥왕척경비, 창녕술정리동삼층석탑, 교동석불상, 송현동석각불상, 하동신흥리수중석각, 합천선약사지원경왕사비, 월광사지삼층석탑, 함안대산리삼체석불상, 산청단곡사지동동구석각, 동삼층석탑, 서삼층석탑, 양산통도사국장생석표, 남해량아리석각, 부산진자성대

◇ 황해도

해주광조사진철대사보월승공탑비, 백세청풍비, 석빙고, 타라니석당, 봉산신탑리삼층석탑

◇ 평안남도

평양성벽석각, 기자정, 정차장전칠층석탑, 종각, 용강군점선현기산비, 성천군자복사지오층석탑, 처인리삼층석탑, 대동군악랑토성지

◇ 평안북도

용천타라니석당, 읍내이체석불, 쌍수석, 서문외석당간

◇ 강원도

철원풍천원석등, 춘천영선당리칠층석탑, 전평리당간지주, 우두리석불상, 홍천희망리삼층석탑, 同 당간지주, 원주거돈사지원공원공국사승묘탑비, 흥법사지삼층석탑, 평창회동리오층석탑, 강릉수문리당간지주, 석불, 대창리석불, 당간지주, 굴산사지석불토좌, 석탑, 당간지주, 신복사지석불, 삼층석탑, 영랑비초석, 양양서림사지석불, 삼층석탑, 회양현리삼층석탑, 안풍사지오층석탑, 장연사지삼층석탑

◇ 함경남도

함흥군 황초령신라진흥왕순수비, 북청안진자석각, 이원진흥왕순수비

◇ 함경북도

백두산정계비

1931년에 등록한 것을 보면, 1924년에 등록한 것과 별 차이가 없으나 건축에서 추가되었다.

1931년 6월 10일

불상 절취범 검거

부여군 외산면 임익호라는 자는 충남 홍성의 모 사찰에서 훔친 불상을 6월 10일 군산부 김 모가 운영하는 고물상점에 가져와 팔려다가 지나가던 형사에게 적발되었다.[228]

1931년 6월 13일

이충무공의 위토 저당권 설정을 해제

1931년 6월 8일에 '이충무공유저보존위원회'에서는 다음과 같은 4개항을 결의하였다.

一. 충무공 위토 채무보상에 관하여 보상위원 윤현태, 김병로를 선정

一. 현충사를 중건하기로 결정하다.

一. 현충사 중건에 관하여 위원 유억겸, 정인보 양 씨를 아산에 파견하여 실지조사를 하기로 결정하다.

---

228 『每日申報』 1931년 6월 16일자.

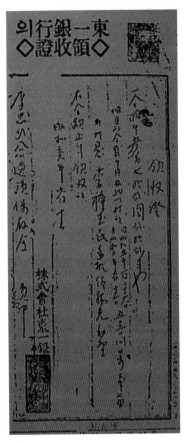

지불 영수증

一. 본회의 사무집행에 관한 일체의 경비는 위원이 각자 부담하기로 결정하다.[229]

이 같은 결정에 따라 조사위원 정인보, 유억겸, 위원 송진우 촉탁 백관수 등 네 사람은 1931년 6월 13일에 아산으로 내려갔다. 같은 날 유적보존회 채금보상위원 김병로와 윤현태는 각지에서 동아일보와 유적보존회에 답지한 모금액을 들고 채권자인 동일은행으로 찾아가 이충무공의 위토 저당권설정을 해제하였다. 동일은행과의 관계는 이것으로 청산되었으며, 지불한 금액은 모두 2천 3백 72원 22전이다.

---

229 『東亞日報』1931년 6월 10일자.

1931년 6월

도굴자들 검거

동래 연산리 동민 수 명이 여러 차례에 걸쳐 고분을 도굴한 사실이, 주민끼리의 사소한 말다툼으로 경찰에 고발하면서 죄상이 밝혀졌다.『매일신보』1931년 6월 9일자에는 다음과 같은 기사가 있다.

동래 연산리에서 고도검류古刀劍類 발굴
동민이 고분을 발굴하고
경남 동래군 동래읍 연산리에는 연대를 확실히 알 수 없는 고분이 많이 있는데 동리 사람들은 이것을 일정한 이름도 없어 그저 능이라고 하여 왔다. 여하튼 신라시대의 고분인 것만은 사실인 듯하니 연대로 보아도 천년 이전의 것으로 볼 수 있다. 지금으로부터 약 8,9년 전에 동리 사람들이 이 고분을 몇 기를 발굴한 결과 무수한 고기古器 등이 발견되었는데 요사이 그 동리 사람들의 생활이 극빈하여 혹은 전과 같은 보물이 나오지 않을까 하여 지난 4일부터 최모와 정모 외 수명이 동리민이 합력하여 전기 무명 릉 및 몇 개소를 발굴하여 본 결과 이외의 부패한 패검佩劍 5병, 장검, 궁, 갑주 기타 고기가 무수히 발굴되었는데 무지한 그들은 고물상들에게 불과 기십 전씩에 팔아버리는 동시에 또다시 발굴을 시작하다가 사소한 일로 동리 사람들과 말다툼이 생겨 동래경찰서에 고발하여 동 경찰서에서는 매각하고 남은 고물을 전부 압수하고 고물발굴취체령 위반으로 이들을 검거하고 이미 매각한 행방을 조사 중인데 만약 대규모로 부근 일대를 발굴한다면 실로 무진장의 보물이 장치되어 있으리라고 추측된다는데 발견된 고물 전부가 천년 이상을 경과한 것만은 사실이라 한다.

1931년 7월 3일

안심사 불경언해판 발견

한글 창제 이후 가장 먼저 불경을 한글로 번역하고, 번역한 글을 오래 동안 보존하기 위하여 불경과 불경서류를 목판에 인각하여 대개 사찰에 보관하였다. 그러나 한글을 '언문' 혹은 '내서'라 하여 사대부에서 그리 존숭 받지 못하였다. 또한 불교가 점점 쇠퇴하면서 다량 다종으로 인각하였던 한글 불경판은 보관하였던 사찰의 퇴폐와 함께 점점 산망 유실되었다. 그래서 일제강점기에 오면 낙질이 많은 『월인천강지곡』 몇 권 외에는 찾아보기가 어려웠다.

이 같이 귀한 불경언해판이 1931년에 전북 완주군 운수면 안심사에서 다량으로 발견되었다.

불경 언해는 세조11년(1465) 간경도감에서 불경언해사업의 하나로 『원각경언해』등 여러 불경을 간행하였다. 이때 간행본은 15세기 한글 자료로 대단히 중요한 자료이다. 그런데 시간이 지나면서 이 목판이 망실되어 계속 사용하기 힘들게 되었다. 그래서 선조8년(1575)에 전라도 안심사에 간경도감을 설치하고 세조 때 판각한 목판을 그대로 옮겨 판각을 하였다. 형식과 내용면에서 완전히 일치하기 때문에, 말하자면 세조 때의 간경도감판의 복각인 것이다. 한글 연구자료 측면에서 보면 16세기에 새긴 것이지만 15세기의 자료로 다루어지는 중요한 것이다.

이 같이 중요한 중보가 인각될 정도의 안심사였으니 간경도감이 설치될 당시의 안심사는 사세가 상당하였다고 할 수 있다. 간경도감 설치 이후 판전을 건축하여 불경언해판을 보관한 점으로 보아 이후 일부 증축이 있었을 것으로 보인다. 1758년에 건립한 '안심사사적비'에 의하면, "30여 채의 전각과 12개의 암자가 있었다"고 하니 거찰이었다 할 수 있다.

그간에 어떤 일이 있었는지 알 수 없으나 1880년경에 판전이 없어지자 목판을 불당 마루 밑에 넣어 두었다고 한다. 이런 점으로 보아 1880년경에는 안심사의 건물들이 많이 사라진 것으로 추정된다.

안심사 불경언해판이 세상에 공개된 것은 만해 한용운에 의해서다.

만해는 1931년 7월 2일 오후 9시에 시울역에서 출발하여 7월 3일 아침 9시 반에 연산역에 도착했다. 여기에서 자동차로 안심사에 도착한 것은 12시 만경이었다. 당시만 하여도 완주 안심사는 퇴락하여 누구 하나 찾아주는 사람이 없는 작은 절이었다.

만해가 찾았을 때는 "모든 풍상을 지나면서 무가보無價寶인 한글 경판을 감추어 두고 솟아 있는 2층 법당은 마침 오는 사람을 기다리고 있는 듯하였다"고 하며, 다른 전각에 대한 언급도 없이 주지 한 명만이 기거했다는 것으로 보아 많은 전각이나 암자들은 대부분 사라진 것으로 추정된다. 만해가 본 안심사의 첫 인상은 '만목황량 폐허잔사滿目荒凉 廢墟殘寺'이었다. 폐허고사로 절에 재산이 없어서 주지 한 명이 스스로 농사를 지어 생활을 근근이 유지하는 상태였다.

만해가 절에 도착하였을 때에도 마당에서 주지 혼자 보리타작을 하고 있었다.

만해는 주지와 인사를 나누고 오후에 바로 경판 조사에 들어갔다. 다음은 만해의 조사기다.

나는 점심을 마친 후 그 경판을 배관 하였다. 경판은 한글 경판뿐이 아니라 다른 경판도 있어서 되는대로 섞여 질서 없이 적치되었는데 그 경판은 약 50년 전까지 판전에 봉안 하였다가 판전이 없어진 뒤로 법당불단 뒤 마루 밑 땅바닥에 쌓아 두었던 것인데 최근에 비로소 마루 위로 이안한 것이다. 곧 3, 4인의 도움을 받아 한글 경판의 정리를 시작하였는데 모든 경판 약 2천판이 뒤섞여 있는 중에서 종류와 순서를 찾아 정리하기에는 여간 곤란이 아니었다. 그러나 나는 나의 손이 경판에 접촉될 때마다 강반强과의 감개와 기쁜 마음으로 움직이게 되었으며 동시에 1판 2판 순서를 찾아 정리할 때에 만일 낙질이 되었으면 어찌하나 하는 염려로 마음은 긴장에 긴장을 거듭하였다.

이 정리는 그 이튿날 저녁에야 마칠 수 있었다. 정리한 결과는 다음과 같다.

『원각경』577판(2판 결)

『금강경』48판(2판 결)

『은중경』11판(1판 결)

『천자』9판

『류합』11판(2판 반결)

합계 658판 2,792쪽, 각각 2~3판의 산일이 있지만 거의 완비한 것이라 할 수 있다. 산일된 것은 판전이 없어진 후 마루 밑에 그대로 쌓아두어 맨 아래 흙과 닿은 부분은 부패하여 손상이 간 것이다.

만해는 7월 5일 아침에 안심사를 나서면서 주지에게 경판의 수호를 재삼 부탁하고 서울로 올라왔다.

안심사 소장 불경언해 목판을 발견한 만해는 『불교』 1931년 6월호(통권 87호)에 「국보적 한글경판의 발견 경로」란 제목으로 처음 발표했다. 거의 같은 내용으로 1935년 7월에 발간한 『삼천리』 7권 3호에도 「국보 잠긴 안심사」란 제목으로 발표하였다.

만해의 안심사 탐방은 1931년 7월 3일부터 7월 5일까지였는데 만해의 「국보적 한글경판의 발견 경로」는 『불교』지 1931년 6월호에 실린 것으로, 시기가 맞지 않음에 의문이 간다. 그러나 1931년 『불교』지는 짝수 월에만 발행했다. 당시 만해는 불교사의 사장으로 있으면서 6월 말경에 불경언해 목판의 소재를 전해 들었다. 불경언해판 발견은 워낙 큰 발견인지라 6월호에 꼭 게재할 마음으로 곧 바로 안심사로 떠나려 했으나 피치 못할 사정이 있어 며칠 늦어지면서 7월로 넘어갔다. 「국보적 한글 경판의 발견 경로」를 게재하기 위해 『불교』지 6월호의 발행을 7월로 미루었지만 짝수호로 그대로 사용하지 않았나 생각된다.

만해는 당시 안심사의 상태로는 도저히 경판을 수호할 만한 처지가 못 된다는 것을 알고, 대략 세 가지의 수호 방법을 강구하였다.

1. 안심사에 그것을 수호할 만한 정도의 보조를 할 일
2. 그것을 수호할 만한 다른 사찰에 이안할 일
3. 경성에 판각을 신축 혹은 매치買置하여 이안할 일

이 중에서 만해가 생각한 것은 제3안을 염두에 두었다. 1931년 7월 9일 동아

일보 기자의 질문에도 "우리는 이 귀중한 보물을 사정이 허락하는 대로 서울에 전각을 짓고 옮기어 보관할 필요가 있다고 생각합니다. 다만 한글로 된 경판으로는 최고 완비한 것이므로 불교 측은 물론 한글 연구가에 큰 자료가 되겠는 이 국보를 그대로 두었어야 되겠습니까" 하는 것으로 보아 경판을 서울로 옮겨 보관할 생각이었던 것으로 보인다.

안심사의 경판은 만해가 중심이 되어 1932년 3월에 인출 계획하여 서울로 모두 옮겨 그 해 12월에 조선불교사에서 인출하였다. 인출은『원각경』전부 10책,『금강경』전부 2책,『은중경』전부 1책,『천자』전부 1책,『류합』전부 1책이다. 이것이 바로 안심사판 불경언해 보관본이 되는 셈이다.

만해는 불경언해 목판을 서울에 전각을 건립하여 보관하고자 하였으나, 뜻대로 되지 않았음인지 인출 후 목판은 다시 안심사에 보관하였다.

안심사의 한글 불경판이 널리 알려진 것은 만해 한용운에 의한 것이지만, 이 것의 소장처는 1920년경에 한상운에 의해 발견되었다. 원각, 금강, 은중의 한글 역본은 전부터 있는 것이지만 그 경판이 어디에 있는지를 몰랐었는데 한상운이 고서적을 탐색하기 위하여 각 사찰을 다니다가 안심사에서 한글 경판을 발견하였다. 하지만 당시는 상세한 조사는 하지 못하고 돌아왔다.

그로부터 10여 년이 지난 1931년 6월 말경에 한상운이 만해에게 안심사 소장의 한글 경판을 발설하였다.

만해는 그 말을 듣고 "이튿날 곧 떠나려 하였으나 불교사의 부득이한 사정으로 수일을 지체하게 되었는데 지체하는 동안에 거의 신경의 변태작용을 일으킬 만치 마음이 긴장 초조하였다"고 한다.

당시 한국의 사정은 귀한 것이 나타났다고 하면 총독부나 일본 상인들에 의해 수거되던 때였다. 이것을 혹 일본인들이 먼저 발견할 시에는 어떤 변수가 생길지 모르는 일이다. 그리하여 가까운 지우에게도 말하지 않았다. 떠날 때 같이 있는 사원과 모 부장의 물음에도 그 소장처만은 말하지 않았다고 한다.

불행하게도 안심사는 한국전쟁 당시에 완전히 소실되고 말았다. 불경언해 목판도 이 때 소실되고 말았다. 안심사의 사적에는 "공비들이 불질렀다"고 하는데, 그것도 의문이다. 사실 한국전쟁 당시에 많은 사찰이 피해를 입었지만, 그 중에는 국군 등이 빨치산이나 북한군의 소굴로 될까하여 불 지른 것이 많이 있다.

안심사가 위치한 대둔산은 당시 빨치산의 주요 거점으로 빨치산의 출몰이 빈번한 곳이다. 결국 빨치산 토벌을 이유로 경찰과 자위대에 의해 안심사는 모든 건물이 불타게 되었으며 조선시대 각종 경판도 불에 타 없어진 것이다.[230]

현재 안심사의 건물은 모두 한국 전쟁 이후의 건물들이며 옛 거찰의 모습은 전혀 찾아 볼 수가 없다. 옛 사역으로 짐작할 수 있는 산간의 공간, 부재를 일부 잃어버린 부도들, 석축으로 사용했음직한 곳곳에 모아둔 많은 돌들만이 옛 안심사를 짐작케 하고 있다.[231]

230 대한불교조계종 총무원,『한국전쟁과 불교문화재(전북편)』, 2005.
231 이상,『위기의 문화재』, 2010.

1931년 7월 12일

1931년 7월 15일자 문경경찰서장이 조선총독에게 보낸 '매장물 발견 보고'[232]에 의하면, 1931년 7월 12일 문경 완장리의 김재룡이란 사람이 경북 문경군 가은면 완장리 산록 밭에서 밭을 고르는 작업을 하던 중 금동석가여래입상 6체와 금동대좌 2개를 발견하여 이튿날 신고를 했다.

1931년 7월 13일

함경남북도 고적조사

고적조사위원 후지타 료사쿠藤田亮策, 고적조사촉탁 가야모토 가메지로榧本龜次郎가 1931년 7월 13일부터 8월 6일까지 함경남북도 방면에 출장하여 성곽성지 조사, 송평동 발굴 조사, 회령 석기시대 유물 등을 조사했다. 그 일정은 다음과 같다.[233]

7월 13일. 경성 발

7월 14일. 함경남도 성곽성 조사

7월 15일. 함경북도 청진 도착

7월 16일. 송평동 발굴 개시

8월 2일. 송평동 조사 종료, 유물 반출

---

232 『국립중앙박물관 소장 조선총독부박물관 공문서』, 목록번호 : 97-발견10.
233 『昭和5~7년도 복명서』『국립중앙박물관 소장 조선총독부박물관 공문서』, 목록번호 : 96-140.

8월 3일. 웅기 부근 조사 송평동 발굴지 실측

8월 4일. 웅기 발 종성 토삼봉 경과 회령 도착

8월 5일. 회령 석기시대 유물 조사하고 회령 발

8월 6일. 경성 도착

경북 문경군 가은면 완장리 무명산 밑에서 김재용이란 자가 7월 12일 밭을 갈다가 3촌 가량의 금불 5구와 종 1개를 발견하고 문경경찰서에 신고하였다. 이곳에는 옛날 '두름절'이라 하는 사찰이 있었다고 한다.[234]

1931년 7월 25일

평양 오야리 제21호분 발굴

평양 오야리 제21호분은 오야리 제19호분의 서북편에 있는 고분으로 일찍이 봉분이 깎이어져 고분으로 생각지 못했는데 1931년 7월 23일 평남 오야리에서 수도공사를 하다가 우연히 목관이 발견되었다. 그리고 그 이튿날 다시 또 1기가 발견되었다는 보고가 총독부에 올라왔다.

이로 인하여 본부에서 노모리野守와 간도神田를 현장에 파견하게 되었다. 노

---

234 『每日申報』 1931년 7월 18일자.

모리 등은 24일 경성을 출발 25일 아침에 평양에 도착 바로 현장에 이르러 조사를 개시하여 29일까지 완료했다.

이번에 발견된 오야리 제21호 목곽분에서는 영평십사년재명칠배永平十四年在銘漆杯, 칠배잔결漆杯殘缺 6개분, 칠반잔결漆盤殘缺, 은제지륜 1개, 유리제이당琉璃製耳璫 1개, 화문경 1개, 도옹잔결를 비롯한 도기류 6개분 등이 출토되었다.[235]

1931년 7월 26일

현충사 기공식 장면
(『동아일보』 1931년 7월 28일자)

현충사 기공식

이충무공 현충사 기공식이 1931년 7월 26일 아산 석암리 충무공의 고택지에서 거행되었다. 이 기공식에는 충무공의 자손들을 비롯하여 각계의 인사들이 운집하였다. 보존회의 백관수의 식사와 도편수 박인겸의 분향이 있은 다

---

235 野守健 외, 「平安南道大同郡大同江面梧野里古墳調査報告(附錄)」, 『昭和5年度古蹟調査報告書』, 朝鮮總督府, 1935; 梅原末治, 「漢代漆器紀年銘文集錄」, 『東方學報』京都 第5冊, 東方文化院京都研究所, 1934.

음 보존회 위원 유진태가 가래장을 잡고 백관수 이종옥 등이 줄을 다리어 개토를
한 후 유진태의 축사와 만세 삼창으로 식을 마쳤다.[236]

1931년 7월

울산군 사지(寺址) 답사

오바 쓰네키치小場恒吉는 1931년 7월
에 울산 일대의 사지寺址 즉 울산 망해
사지望海寺址, 영축사지靈鷲寺址, 청송사
지靑松寺址를 답사하고 연혁, 현상 등을
조사했다.[237]

청송사지(靑松寺址) 삼층석탑

236 『東亞日報』 1931년 7월 28일자.
237 「울산군 사지(寺址) 답사 보고」, 『국립중앙박물관 소장 조선총독부박물관 공문서』, 목록
   번호 : 96-431.

1931년 8월 13일

불상, 불경 절취범

신의주공립고등보통학교의 지리역사 교유 오오츠카大塚道圓는 경성부내 소학교의 교원으로 있다가 1927년에 도쿄일본대학에 입학하여 1930년 3월에 졸업한 후 신의주고등공립학교의 지리역사 교유로 근무했다.

이 자는 1931년 8월 10일 지리역사 조사차 묘향산에 들어가서 때마침 보현사 분규 사건의 진상조사로 출장 중인 평북도학무과 요코야마橫山의 소개로 대웅전을 11일과 12일 양일간 구경하고는 13일에 아미타불상, 비로자라불상, 화엄경 1질 중 8권과 월봉당화상과 심상훈화상을 절취하였다.

이 사건으로 오오츠카에 대해 6개월 징역 2년간 집행유예에 판결 언도되었다.[238]

1931년 8월 28일

제35회 고적조사위원회

1931년 8월 28일에 개최된 제35회 고적조사위원회의 의안은 '고적 및 유물 등록 건', '고적·유물 등록 제200호 중흥산성 쌍사석등을 경성부 경복궁 총독

---

238 『每日申報』1931년 11월 15일자; 『每日申報』1932년 4월 17일자, 4월 24일자.

부박물관 내에 취기取寄(반입)하여 보존하는 건', '경주 및 대동군 소재 고분의 발굴조사를 조선고적연구회에 허가하는 건', 그 외에 '1931년도 고적조사계획' 및 '1930년도 고적조사 사무보고' 등이다. 그 내용은 대략 다음과 같다.[239]

의안1 '고적 및 유물 등록의 건'은 서악리귀부를 비롯한 26건은 원안대로 결정되었다.

의안2 '고적·유물 등록 제200호 중흥산성 쌍사석등을 경성부 경복궁 총독부박물관 내에 반입하여 보존하는 건'은 원안대로 결정되었다.

의안3 '고적발굴에 관한 건'은 경북 경주읍 황남리 고분, 서악리고분, 평남 대동군 석암리 제201호분 및 정백리고분은 발굴 기간은 1931년 9월부터 11월까지로 하고 발굴 담임자는 후지타 료사쿠藤田亮策로 했다.

의안4 '1930년도 고적조사 사무보고'

1930년도 고적조사계획의 일반조사에서 경기도 조사 지역이 감소되었으며, 특별조사에서는 개성, 안동, 경주 문묘 및 서원 건축 조사가 제외되었다. 반면 임시조사에는 창녕 도굴 고분 조사, 개성 남대문 및 문묘 조사, 부여 부량사無量寺 조사 등이 추가되었다.

고적 보존시설에서 낙랑 목곽 고분 외 8개소의 수리가 이루어졌고, 고건축 보조 수리에 금강산 장안사 대웅전이 포함되었다. 또한 밀양 영남루 외 3건의 고건축 수리가 이루어졌다.

의안5 '1931년도 고적조사 계획'

올해는 경비가 더욱 줄어들어 적극적인 조사가 불가능하다. 따라서 주로 등

---

239 「제35회 고적조사위원회」, 『국립중앙박물관 소장 총독부박물관 공문서』, 목록번호 : 96-280.

록, 보존을 위한 조사를 시행할 예정이다.

고적조사는 전년도에 이어 웅기 송평동 패총, 강서 벽화 모사, 창녕 고분의 발굴조사, 전라도의 사지, 탑, 등, 비를 조사하고, 신라, 가야 고분의 분포도를 작성하여 등록할 계획이다. 또한 하며, 경기도 및 강원도 등록 고적의 현 상태를 시찰할 예정이다.

고적 유물의 보존 시설계획은 광양 중흥산성 내 석탑, 석등, 담양 개선사開仙寺 석등, 낙랑고분, 강서고분 등이 포함되었다. 또한 평안도, 황해도의 등록 고분 중 약 10개소에 철조책 및 표찰標札을 설비할 계획이다. 고적 및 옛 신사·절社寺의 보존 공사로 무량사無量寺 대웅전大雄殿, 성불사成佛寺 대웅전의 수리를 진행할 것이다.

또『조선고적도보』제12책과『경주 금령총 보고서』를 출판할 계획이다.

제35회 고적조사위원회와 관련하여『매일신보』1931년 8월 30일자에는 다음과 같은 기사가 있다.

조선고적연구회 성립, 민간사업으로 하여 경비는 연 1만원

조선고적조사위원회는 금정전 위원장 이하 10여 위원 출석 하에 지난 28일 총독부 내에서 개최 되었는데 다음 사항을 의결했다.

一, 고적급유물 등록의 건

一, 중흥산성쌍사자석등 보호의 건

一, 경주, 평양 양지의 고적조사를 고적연구회에 허가할 건

조사회는 이로써 산회하였으나 제3항에 나타난 연구회가 즉일로 다음과 같이 성립되었다.

조선고적은 우금于今 총독부에서 조사하여 왔으나 다시 일층 연구를 독실篤實히

하기 위하여 조사회 이외에 민간사업으로 경비 연 1만원 예산 하에 고적연구회를 설립하게 되었다. 역원은 정무총감을 이사장으로 추대하고, 우시지마牛島 학무국장, 교토대 하마다濱田 교수, 도쿄대 구로이타黑板 교수, 경성대 오다小田 교수가 이사가 되어 경주, 평양 양지의 고적을 연구키로 되었는데 연구비는 이와사키岩崎 남작으로부터 1만원을 얻게 되었으며 후지타 료사쿠藤田亮策 씨를 발굴 담임으로 정하였는데 발굴 개시는 9월부터 좌기 제소에 착수하기로 되었다.

경주 황남리고분, 경주 서악리고분, 평양 대동군 석암리201호분, 평양 대동군 정백리고분

이에 관하여 이 종교과장은 다음과 같이 말한다.

경주의 신라고물이며 평양의 낙랑유품은 참으로 연구할 만한 것이 많다. 그러나 작금 예산관계는 당국으로서 유유悠悠히 연구할 수가 없었고 또 외국을 보더라도 이러한 고적은 민간사업으로 되는 것이 많음에 착하여 독실한 연구는 치리리 민간 측으로 하여금 경영케 하는 것이 좋을 듯 믿는 까닭이다. 이후로는 가히 볼만한 성적을 나티낼 줄로 믿는나.

1931년 8월 29일

평안북도 창성군 창성면 용운사龍雲寺와 평안북도 창성군 용문사龍門寺를 폐지하다.[240]

240 『朝鮮總督府官報』1931년 8월 29일자.

1931년 8월 31일

평안북도 삭주군 삭주면 심원사深源寺가 폐지되다.[241]

1931년 8월

조선고적연구회 성립

1931년 조선총독부의 전반적인 재정긴축정책으로 인해 박물관의 진열, 고적조사, 보존수리, 등록 지정 등의 모두가 정체상태에 빠지게 되었다. 이런 경비상의 어려움으로 인하여 발굴조사를 하지 못하는 어려움을 타개하기 위하여 일찍부터 조선고적조사 사업에 관여해온 구로이타 가쓰미黑板勝美는 이러한 타개책으로 새로이 공사公私의 단체와 유지들로부터 자금을 얻어 고적조사를 계속할 뜻을 세운다. 그리하여 일본 이와사키남작가岩崎男爵家의 조사비 원조를 받아 1931년 8월에 총독부박물관의 외곽 단체로「조선고적연구회」를 조직하기에 이른다.

'조선고적연구회의 회칙'은 다음과 같은 11조로 이루어졌다.

제1조 본회는 조선고적연구회라 칭한다.
제2조 본회는 평양 및 경주를 중심으로 고적을 연구하여 조선 문화의 발

---

241 『朝鮮總督府官報』 1931년 8월 31일자.

양을 도모하는 것을 목적으로 한다.

제3조 본회의 사무소는 조선총독부박물관 내에 둔다.

제4조 본회의 경비는 본회의 사업을 찬조하는 유지의 기부금으로 그것을 지탱한다.

제5조 본회의 사업연도는 정부회계년도에 의한다.

제6조 본회의 사업계획은 그것에 동반하는 예산과 함께 매 연도 개시 전 평의원회의 결의를 얻어 그것을 정하고 시업실시 결과는 결산과 함께 연도 경과 후 2개월 이내에 그것을 평의원회에 보고해야 한다.

제7조 본회는 아래와 같이 직원을 둔다. 이사 5명, 감사 2명, 평의원 약간 명, 간사 2명, 이사 중 1명을 이사장으로 하고 조선총독부 정무총감직에 있는 자를 추대한다.

이사장 이외 이사, 감사 및 평의원, 간사는 이사장이 촉탁한다.

제8조 이사장은 회무를 총리하고 본회를 대표한다. 이사장의 사고 시는 이사장의 지명으로 이사가 직무를 대리한다.

이사는 이사장을 보좌하고 회무 수행의 책임을 진다.

감사는 본회의 회계 및 재정 상태를 감사한다.

간사는 이사장의 명을 받아 사무를 처리한다.

제9조 평의원회는 이사 및 평의원으로 회를 조직하고 본회에 관한 중요한 사항을 결의한다. 평의원회는 필요한 경우에 이사장이 소집한다.

제10조 본회의 사업 시행에 의해 모집한 유물은 법령에 의해 국고에 귀속하는 것을 제외하고는 평의원회의 결정에 의해 이를 처분한다.

제11조 본회의 사업 시행에 관해 필요한 세부규칙은 평의원회의 결정을

거쳐 이사장이 정한다.

제10조에 나타난 내용을 보면 그들의 편의에 의해 발굴 유물에 대해서는 평
의원회에서 얼마든지 처분할 수 있는 권한을 부여함으로서 국외 반출의 여지
를 두고 있다. 이런 예는 실제 조선고적연구회의 이름으로 동경제실박물관에
유물을 기증한 예로서도 볼 수 있다.

1931년부터의 자금보조를 보면,[242]

1931년	이와사키 고야타岩崎小彌太	7천엔
1932년	호소카와 모리다츠細川護立	6천엔
1932년	일본학술진흥회	1만5천엔
	궁내성	5천엔
1934년	일본학술진흥회	1만2천
	궁내성	5천엔
	이왕가 하사금	5천엔
1935년	일본학술진흥회	8천엔
	궁내성	5천엔
	이왕가 하사금	5천엔

이렇게 새로 얻은 자금에 의해 조사 사업을 계속하여 재차 활발하게 유적 발
굴을 하였다.

먼저 평양에 평양부립보승회의 진열관으로 평양박물관을 신축하여 평양연

---

242 藤田亮策, 『朝鮮學論考』, 藤田先生記念事業會刊, 1963, p.84.

구소를 두고, 경주분관에 신라문화의 조사를 목표로 경주연구소를 두었으며, 부여에 부여보승회의 진열관을 개조하여 부여분관을 두어 이곳에서 백제의 고분, 성지, 사지 등을 연구하는 부여연구소를 두었다.

이 연구회는 처음 조선총독부 정무총감이 이사장이었다가 후에 학무국장이 대신하였고, 구로이타 가쓰미黑板勝美, 오다 쇼고小田省吾, 아유카이 후사노신鮎貝房之進 등이 이사로 활동하였으며, 각 조선고적연구회의 연구소주임研究所主任에는 경주연구소에 아리미츠 교이치有光敎一, 사이토 다다시齊藤忠, 오사카 긴타로大坂金太郎를, 평양연구소에 고이즈미 아키오小泉顯夫, 오바 쓰네키치小場恒吉를, 부여연구소에 후지사와 가즈오藤澤一夫 등 전문가를 배치하여 현지에 거주케 하고 조사, 정리를 현지에서 직접할 수 있도록 조직했다.[243]

"근년 재정상의 관계상 국비만으로 조사사업을 계속하기가 곤란하여 소화6년도(1931)에 고적연구회를 설치하여 조선총독의 허가를 받아 기부금을 받아 그 사업을 수행 소화6년 9월에 그 사업을 개시한 이래 다대多大의 효과를 얻을 수 있었다"[244]라고 하는데 이처럼 자금을 새로 얻은 관계상 자연히 이에 상응하는 성과를 희망하여 그 조사대상은 부장 유물이 풍부한 경주와 평양 고분군의 발굴에 주력했다.

1931년에는 조선고적연구회가 성립되고 새로이 평양연구소를 설치하여 동 9월에 그 연속적 발굴작업을 개시하였다. 이 고적연구회는 정무총감이나 학무국장이 이사장을 맡고 있는 총독부 산하의 외곽단체이기는 하지만 이미 총독

---

243 藤田亮策,「朝鮮 古文化財の保存」,『朝鮮學報 第1輯』, 1951, p.257-258.
244 『昭和8年度 古蹟調査 槪報』'樂浪古墳', 朝鮮古蹟硏究會, 1934, pp.2-3.

부의 예산 지출이 어렵고, 일본학술진흥회의 자금지원으로 발굴조사가 이루어졌기 때문에 일본학계의 주도 하에 이루어졌다.[245] 이때서부터 조선고적연구회의 사업으로 조사보고의 재현은 말하자면 일본인 연구자들의 제2기의 활동이라 볼 것이다.[246]

1931년 11월 『청구학총靑丘學叢』 제6호에 게재된 「조선고적연구회의 창립과 그 사업」에 대한 내용에 다음과 같이 그네들의 만행을 스스로 폭로하고 있다.

고의로 고분을 발굴하고 석탑·석비 등을 운반하여 일본 기타 지역에 팔아먹는 일이 날로 심하다. 일례를 든다면 1924년 이후 1926년까지 불과 2년 사이에 평양 부근의 낙랑고분이 도굴당한 것이 500~600기, 1927년 여름에는 남쪽 지방에서도 가장 완전하고 중요시되고 있던 양산梁山의 고분이 1기도 남지 않고 도굴되었다. 또 가야의 유적, 창녕의 고분은 1930년 여름 한두 달 사이에 완전히 파괴되고 말았다. 개성과 강화도를 중심으로 하는 고려시대의 능묘陵墓는 고려자기 채집으로 밑바닥까지 파괴되어서 참봉수호인參奉守護人을 두어 보호되어 왔던 능묘도 빈터만 남게 된 형편으로 참독慘毒을 전선全鮮에 흘리고 있다. …… 고분을 파괴하여 그 유물을 대낮에 사고파는 현상은 세계가 넓다하더라도 조선에서 밖에는 볼 수 없는 일이다.

---

245 『樂浪 王光墓』序에,
　　"조선고적연구회의 낙랑유적의 조사는 소화6년 이래 四星霜에 걸쳐 일본학술진흥회의 보조금으로 다시 완전한 조사와 자유로운 연구를 수행하여 오늘날 한 대 문화연구의 기초를 이루기에 이르렀다"고 하고 있다.
246 濱田耕作, 『考古學研究』, 座石寶刊行會, 1939, p.307.

해인사 대장경을 경성대에서 인쇄하다

해인사에 있는 대장경판에서 일체경음의경─切經音意經 100권을 경성제국대학 문학부에서 인쇄하기로 되어 총독부 학무국 촉탁 가토 간가쿠加藤灌覺가 출장하여 인쇄해 왔는데 그 인쇄가 종료 제본되어 예약한 곳 100곳에 배본하기 시작하였다.

이 일체경음의경판 100권 25책은 중국의 대학과 도서관에 8부가 가고 나머지는 일본 각 대학, 사찰, 도서관과 조선에 약간 배분되었는데 가격은 80원이다.[247]

1931년 9월 2일

불상 발견

1931년 9월 11일부 경북 영덕경찰서장이 조선총독에게 보낸 '매장물 발견에 관한 건'[248]에 의하면, 1931년 9월 2일 금곡동 소재 유금사 주지 권도홍이 사원 내 후정에서 땅을 고르는 작업을 하던 중에 청동제불상 1구, 불구 1구를 발견했다.

이 발견 유물은 『박물관진열품도감』 제4집에 올라 있다.

247 『東亞日報』 1931년 8월 25일자.
248 『국립중앙박물관 소장 총독부박물관 공문서』, 목록번호 : 97-발견11.

발견 유물

1931년 9월 4일

괴산 두타산에서 금불상을 발견

충북 괴산군 증평면 연탄리 뒷산 두타산에서 9월 4일 동네 유재덕이란 사람이 나무를 하려갔다가 장마에 산이 붕괴한 곳에서 금부처와 바라를 발견하여 증평주재소에 신고했다. 주재소에서는 본서로 현물을 보내어 검사한 결과 전체가 14금으로 높이는 2척4촌, 넓이는 1척6촌, 무게는 16관, 바라는 넓이 1척5분, 길이 2촌4분이라 한다.[249]

---

249 『東亞日報』 1931년 9월 10일자.

1931년 9월 17일

도쿄제실박물관 고토 슈이치(後藤守一) 일행의 한국 여행

1931년에도 제실박물관 사무관 야시마 세이쇼矢島正昭, 감사관 고토 슈이치後藤守一, 감사관보 기타하라 오스케北原大輔는 유적을 견학하기 위하여 9월 16일부터 15일간 조선에 출장했다.

이들은 여행을 마치고 박물관으로 돌아간 후 「실지감사급출장實地鑑査及出張」이란 제목 하의 일종의 복명서를 남겼는데, 이 복명서에 따라 그들의 일정을 보면 대략 다음과 같다.

1932년 9월 16일 도쿄를 출발하여 9월 17일 경남 동래에 도착하고, 9월 18일 김해에서 가야 유적, 김해패총 등을 견학하고 동래로 돌아왔다.

9월 19일에는 육로로 범어사, 통도사 등을 보고 불국시에 이르렀다. 석굴암을 배관한 후 불국사에서 숙박했다.

9월 20일 불국사를 보고 경주분관을 견학 후 다시 부근 사적을 모로가諸鹿의 안내를 받아 답사를 했다. 경주에 묵으면서 밤에 고토와 모로가 및 도쿄대의 후지시마藤島 교수 등과 함께 김씨 등 4씨 시조의 제사에 참렬參列했다.

9월 21일에 열차로 부여에 들어가 왕릉, 백제탑을 보고, 다음날 22일 부여박물관을 견학한 후, 자동차로 공주에 들어가 가루베 지온輕部慈恩의 안내로 부근의 고분을 보고, 또 계룡산요지를 찾아가 계룡산물의 파편을 채집했다. 밤에 후지타 료사쿠藤田亮策 등의 환영을 받으며 경성에 들어갔다.

9월 23일과 24일에는 조선총독부박물관을 찾아가 그 소장품을 견학하고, 9월 25일에는 오전 이왕가박물관을 견학하고, 오후에 후지도리, 기타하라 2인은 분원요지를 찾고, 고토는 아악부에서 악기를 배관했다.

9월 26일에는 경성을 출발하여 개성에 도착하여 야시마 마사유키와 기타하라 오스케는 개성의 고려시대 유적을 찾고, 신축 중의 개성박물관을 방문하여 김 부윤의 안내를 받아 고려자기를 관람했다. 고토 슈이치는 공민왕릉을 찾았다. 밤에 평양에 도착했다.

9월 27일에 평양박물관을 견학하고 개인의 소장품을 보고 하시도 요시키橋都芳樹의 안내로 평양성을 답사했다.

9월 28일 아침에는 낙랑고적 발굴을 견학하고 돌아와 다시 강서의 고분벽화를 보았다. <중략> 9월 29일에는 평양을 출발하여 만주 봉천으로 향했다.[250]

이 내용을 보면 보면 1931년 9월 22일에 계룡산요지를 찾아가 계룡산물의 파편을 채집했다는 기록이 보인다. 그리고 『제실박물관연보(昭和7年 1月~12月)』[251]를 보면 '본관채집'으로 기록하고 있는 동제불형입상銅製佛形立像(長6.5糎)1점이 있다.

위 내용에는 이 불상을 채집했다는 기록이 보이지 않지만, 가루베는 "1931년 9월 22일 도쿄제실박물관 고토 슈이치後藤守一 및 야시마 세이쇼矢島正昭, 기타하라 오스케北原大輔 씨 일행을 안내하여 송산리고분지대에 이르러 제5호분 서방

250 「實地鑑査及出張」, 『帝室博物館年譜(昭和6年 1月~12月)』, 帝室博物館, 1932.
251 帝室博物館, 『帝室博物館年譜(昭和7年 1月~12月)』, 1933.

약 15m 근처에서 일행이 동조석가상입상(약 7cm) 1구를 우연히 습득"[252]했다고 한다. 따라서 보고서에는 1931년 9월 22일 가루베의 안내로 백제고분을 견학했다고 하는데, 가루베의 기술을 보면 이들 일행의 보고서 일정과 가루베의 기록이 정확히 맞아떨어질 뿐만 아니라 당시 지표 조사를 겸했던 것이다. 이러한 것으로 미루어 볼 때 박물관원의 한국 출장 시에 현장에서 상당수의 유물을 불법으로 채집하여 갔던 것으로 추정된다.

1931년 9월 18일

평양 석암리 제201호분 발굴 조사

1931년 9월의 고분발굴은 석암리201호분과 도굴분 2기(석암리 제260호분과 남정리 제116호분)가 선정되었다.

석암리 제201호분은 1925년 가을에 도쿄제국대학 문학부의 조사에서 '남분'이란 가칭 하의 왕우묘와 함께 발굴에 착수하였으나 작업을 절반 정도 하다가 중지했던 고분이다. 당시(1925)는 구로이타의 감독 하에 다사와田澤, 고이즈미小泉가 일을 맡게 되었다. 1925년 9월 30일 외형 실측을 하고, 10월 1일에 발굴을 개시했다. 봉토에는 와편 토기편이 혼재하였고, 작업을 진행하는 동안 은제지환, 칠기단편, 금동대금구金銅帶金具, 동세잔결銅洗殘缺 등이 관에 이르기 전에 봉토 속

---

252 輕部慈恩,「公州に於ける百濟古墳」,『考古學雜誌』 제26권 제4호, 1936년 4월, p.20.

발굴 전의 201호분(『樂浪彩篋塚』에 게재)

석암리 201호분 목곽 3개 병렬 상태

에서 발견되어 이미 도굴된 것이 판명되었다. 10월 3일에도 칠기편과 토기편이 나왔다. 10월 2일부터 왕우묘 발굴에 들어갔는데 2개의 고분을 동시에 병행할 수 없어 석암리 제201호분은 10월 6일부터 일시 중지하기로 했던 것이다.

석암리 제201호분은 1925년에 이어 이번의 재차 발굴은 고이즈미 아키오小泉顯夫, 사와 슌이치澤俊一가 담당했다. 1931년 9월 18일에 다시 발굴을 시작하여 9월 22일에 고분의 목곽까지 도달하는 동안에 도굴분이라는 것을 확인되었으며 내부는 무참히 도굴되어 유물은 약탈 파괴되어 있었다.[253] 내부에서 시원사년명칠배始元四年銘漆杯, 거섭삼년명칠반居攝三年銘漆盤, 소협小篋, 편호扁壺, 운문칠이배雲文漆耳杯, 칠갑漆匣, 흑색호편黑色壺片 등을 발견하고 10월 17일에 발굴을 종료했다.[254]

253 小泉顯夫, 「古墳發掘漫談」, 『朝鮮』, 朝鮮總督府, 1932년 6월, p.90.
254 小泉顯夫, 「古墳發掘漫談」, 『朝鮮』, 朝鮮總督府, 1932년 6월.

1931년에 재차 발굴한 거섭삼년
명칠반 등의 일부 유물은 도쿄제실
박물관으로 가져갔다. 도쿄국립박
물관 소장 유물번호 28893~28901
로 나타나 있다.[255]

1925년에 발굴한 유물은 어떻게
되었는지 알 수 없다.

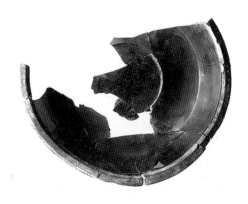

거섭삼년명칠반

평양 석암리 제260호분 조사

석암리의 260호분은 고이즈미 아키오小泉顯夫와 사와 슌이치澤俊—가 담당했
다. 1931년 9월 18일에 시작하여 10월 16일에 작업을 마쳤으나 내부는 도굴 파
괴되어 있었다. 이곳에서 칠기류 일부를 발견했다.[256]

朝鮮古蹟研究會,「石巖里の二古墳」,『樂浪彩篋塚』, 1934.

濱田耕作,『考古學研究』座右寶刊行會, 1939, p.309.

梅原末治,「漢代漆器紀年銘文集錄」,『東方學報』제5집, 1934.

梅原末治는 始元四年銘漆杯, 居攝三年銘漆盤을 東京帝室博物館 所藏으로 기록하고 있다.

255 梅原末治,「漢代漆器紀年銘文集錄」,『東方學報』京都 第5冊, 東方文化院京都研究所,
1934. p.214.

『제실박물관연보(1932년 1월~12월)』(제실박물관, 1933) 및 『도쿄박물관도판목록』,『도
쿄박물관소장품목록』에는 모두 "구입"으로 기록하고 있다.

256 樋本龜次郞,「王根墓 調査報告」,『美術資料』第四輯, 國立博物館, 1961년 12월; 梅原末
治,「漢代漆器紀年銘文集錄」,『東方學報』京都 第5冊, 東方文化院京都研究所, 1934.

1931년 9월 21일

9월 21일 금강산 표훈사 구내 신림암이라는 여승당에서 금불 3개를 분실하였다.[257]

1931년 9월 27일

경주 황남리 제83호분, 제82호분 발굴 조사

1930년경에는 경주읍의 발전으로 인가의 신축이 늘어나면서 이 틈을 타 도굴자들이 횡행하여 '조선고적연구회'에서 1931년 그 초년사업으로 황남리고분을 선택 황남리 82호분, 83호분을 긴급히 조사를 했다.

황남리 제83호분은 1931년의 고적조사사업으로 9월 27일부터 10월 19일까지 약 3주간에 걸쳐 발굴조사가 이루어졌다. 현지의 지도는 후지타 료사쿠藤田亮策가 맡았다고는 하지만 후지타藤田는 당시 조선총독부박물관 주임(관장역) 및 경성제국대학(서울대학교 전신)의 강의를 맡고 있었기 때문에 현장지도가 어려웠다. 따라서 이 조사는 대학 4년을 갓 졸업한 아리미츠 교이치有光敎一가 전담하였으며, 출토품 정리도 아리미츠 교이치有光敎一와 이우성에 의해 이루어 졌다. 이는 아리미츠 교이치로 보면 1931년 교토대학京都大學 사학과를 졸업하고 조선고적연구회 조직에 따른 경주고적 담당자로 한국에 건너와 그로서는 처음

257 『每日申報』 1931년 9월 28일자.

제83호분 발굴 장면

의 발굴이었다. 당시 한국인으로서는 이우성이 조수로 고용되었는데 이우성은 보통학교(소학교)를 졸업하고 일본어를 어느 정도 할 수 있었기 때문에 발굴현장에서 통역을 맡아 아리미츠의 의도를 작업원들에게 전달하는 역할을 하였다.

황남리 제83호분 역시 도굴분으로 유물을 약탈하기 위해 뚫은 도굴공盜掘孔이 있었으며 환두태도環頭太刀, 유리옥琉璃玉, 경식頸飾, 토기류 80여 점 등이 출토되었다. 당시『매일신보』1931년 10월 13일자에는 다음과 같은 기사가 있다.

경주 황남리에 있는 고분 발굴조사는 현재 계속 중인데 수일 전에는 흙을 파내고 있는 중인데 고분은 터가 두 곳인데 한 곳은 고분이 오래된 것이라 한다. 수일 전 중도 귀성한 등전 박물관장도 이곳에 도착하여 유광 주임과 같이 발굴에 종사하고 있는데 4, 5일 중에 관이 묻혀 있는 곳까지 발굴을

『매일신보』 1931년 10월 13일자 사진

하면 다수한 유물이 발굴될 것이라 한다(사진은 발굴광경).

황남리 제82호 고분의 발굴은 제83호 고분과 같이 시작을 하였으나 제83호
분 발굴이 종료된 10월 후반부터 11월 까지 본격적인 발굴이 이루어졌다. 발굴
자는 후지타藤田亮策, 우메하라梅原末治, 아리미츠有光敎一, 그 외 모로가諸鹿央雄,
최순봉, 이우성의 도움으로 행해졌다.

황남리 제82호분에는 도굴꾼들이 유물을 약탈하기 위해 뚫은 도굴공盜掘孔
이 있었으며 천정에서 도굴공을 뚫어 하단에 약 1평 정도를 파 중심부로 침입
한 흔적이 있었으며 도굴꾼들이 사용한 것으로 생각되는 등燈이 발견되기도 했
다.[258] 그러나 도굴꾼들이 중심부에 이르지 못했음인지 이곳에서 상당한 유물
을 발견하였는데, 82호분에서는 유해遺骸에서 금제세환식이식金製細環式耳飾, 경

---

258 有光敎一, 「慶州 皇南里 第82號墳 第83號墳 調査報告」, 『昭和6年度 古蹟調査報告』第1
   册, 朝鮮總督府, 1935, p.3.

황남리 제82호분

황남리 제82호분 유물출토 상태

식頸飾, 은제대금구銀製帶金口의 장신구가 착장着裝된 상태로 나타났다. 그 외 옥
류, 고배, 환저호丸底壺, 개부호蓋付壺, 토기, 그 외 철제환두태도, 斧頭등의 무기

『매일신보』1931년 11월 10일자

류, 마구류 등이 출토되었다.[259]

『매일신보』1931년 11월 10일자에는 다음과 같은 기사가 있다.

경주 황남리고분에서 귀금속 속속 발견

경주황남리 고분 발굴은 제1회는 기대한 바에 실패를 당하였으나 금번 제
2회의 발굴은 지난달부터 매일 계속하여 파들어 가는 중인바 내부가 3기
로 되어 있다는데 벌써 금속 등의 목도리가 3, 4개나 나오기 시작하여 금
번은 상당히 좋은 연구 자료의 보배가 나올 것 같다.

이 같은 경주 고분의 발굴을 계기로 대구에서는 이번에 출토되는 일부의 유

259 有光敎一, 「慶州 皇南里 第82號墳 第83號墳 調査報告」, 『昭和6年度 古蹟調査報告 第
1冊』, 朝鮮總督府, 1935; 有光敎一, 「私の 朝鮮考古學」, 『朝鮮學事始め』, 靑丘文化社,
1997; 有光敎一, 「新羅金製耳飾最近の出土例に就いて」, 『考古學』 제7권 제7호, 1936년
6월; 『每日申報』1931년 11월 10일자, 1931년 11월 13일자.

물을 활용하여 대구박물관 신설을 희망했었는데, 『매일신보』 1931년 9월 11일
자에는 다음과 같은 기사가 있다.

경주박물관 대구분관 개설, 일반부민 희망

반도의 고대문화를 빛내는 신라고도인 경주에 남은 고총 발굴은 오랫동안
현안이든바 오는 10일부터 제1착수로 총독부박물관장 등전량책 씨의 손
으로 발굴에 착수하기로 되었다는 바 대구에서는 금반 발굴의 기회로 하
여 대구에도 박물관분관을 설치할 의향으로 공회당 1실을 이번 발굴에 필
요 없는 분을 양수하여 현
대구민간에 가진 것 등을
빌려 진열하여 경주까지
갈 여가 없는 여행객에 신
라문화의 대요를 알르킬
터이라 한다.

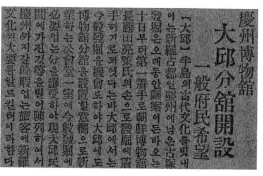

『매일신보』 1931년 9월 11일자 기사

고적의 경주에서 진귀품 또 발견, 황남리서 제2회의 발굴, 15일 일반에 열람
경주군 읍외 황남리에서 전부터 파오던 두 번째의 고총에는 중심점까지
파들어가서 본 모양을 가지고 있는 구리로 만든 관과 도금으로 만든 귀이
게와 순금으로 지은 목주, 유리옥과 허리띠, 금은반지 등 찬연한 귀중품이
나와 15일 일반에 관람케 하였다하며 토기 등은 많이 나왔으나 하나도 완
전한 것이 없다 한다(『동아일보』 1931년 11월 24일자).

1931년 10월 3일

《조선활자인쇄자료전관》

　　1931년 10월 3일 경성대학 부속도서관에서 《조선활자인쇄자료전관_{朝鮮活字}_{印刷資料展觀}》이 개최되었다. 개인이 출품한 주요 목록은 다음과 같다.[260]

서목	찬자	소장자	비고
山谷詩集註	黃庭堅 저	鮎貝房之進	고려 木活字
釋苑詞林	義天 集	鮎貝房之進	고려 木活字
圓敎六卽義	天台大師 述	神尾式春	고려 木活字
釋迦如來成道記	道誠 註	神尾式春	조선 木活字
釋氏要覽	道誠 集	崔南善	조선 木活字
飜譯名義集	法雲 編	今西龍	조선 木活字
大方廣圓覺脩多羅了義		小倉進平	조선 木活字
天台四敎義集解	從義 集解	崔南善	조선 木活字
海東諸國記	申叔舟 撰	朝鮮史編修會	조선 木活字
大明一統志	李賢 等	稻葉岩吉	조선 木活字
三韻通考		小倉進平	銅活字 甲寅
唐太宗李衛公問對直解	劉寅 解	小田省吾	銅活 實錄字

이하 경성대 소장 제외

---

260 「《朝鮮活字印刷資料展觀》」, 『靑丘學叢』 제4호, 1931.

『매일신보』1931년 10월 2일자에는 다음과 같은 기사가 있다.

조선활자 인쇄자료전, 3, 4 양일간 성대도서관 주최로
경성제국대학 부속도서관에서는 금일부터 제8회 전국제대도서관협의회를
개최하게 되었는데 이것을 기회로 반도의 문화를 선전하고자 지난번에 조
선활자 인쇄자료전람회를 준비 중이던 바 모든 준비가 끝나게 되어 동 대학
법문학부 강의실에서 개최할 터인바 이러한 전람회는 조선에서 처음 보는
것이라 하며 출품물의 내용은 동활銅活, 철활鐵活, 목활木活 등의 실물과 활자
조판活字組版 및 용구를 진열하고 또 인쇄한 서적류를 각 시대별 자체별字體
別로 하여 진열할 터인바 그 중에 진기한 것은 석씨요람釋氏要覽, 해동제국기
海東諸國記, 남명천화상송증도가南明泉和尙頌證道歌, 대명일통지大明—統誌, 산곡시
집주山谷時集注, 번역명의집飜譯名義集, 원각경약초圓覺經略鈔 등이라 한다.

1931년 10월 5일

남정리 제116호분(채협총) 출토 유물

남정리 제116호분은 원래 1923, 1924년에 도굴꾼들이 이 고분을 도굴하던
중 지하수가 너무 심하게 올라와 유물을 꺼내지 못하고 중지한 고분이다.[261] 이

261 大正14년 봄에 남정리 일대의 도굴 상태를 살피기 위해 巡察中에 本 古墳을 目擊하는

채협총 기사(『경성일보』 1931년 11월 23일자)

무덤의 앞 칸 서쪽 절반 부분의 벽면에는 벽화가 있었다고 하는데 땅속에 물이 차있었기 때문에 옛 모습을 구체적으로는 알 수 없으나 기마병의 벽화가 그려져 있었던 모습이 알려진 바 있다.[262]

채화칠협

1931년 가을에 조선고적연구회사업의 일환으로 고이즈미 아키오小泉顯夫와 사와 슌이치澤俊一에 의해 발굴이 진행되었다. 고분의 발굴 작업은 10월 5일에 시작하여 11월 26일에 그 작업을 종료했다. 총

데 당시 溝壁이 붕괴되어 副葬品이 모두 掠奪된 것으로 判斷했었다.
(『樂浪彩篋塚』, 朝鮮古蹟硏究會, 1934)
262 『고고민속논문집』, 북한 사회과학출판사, 1971.
八田에 의하면, 前室의 서, 남, 북 3면의 木壁에 흑, 주, 청, 록, 황의 5색을 사용한 아름다운 벽화가 있었다고 하며, 서쪽 벽에는 말, 인물이 그려져 있었다고 한다(八田蒼明, 『樂浪과 傳說의 平壤』, 平壤硏究所, 1934, p.172).

독 사이토 마코토齋藤實는 발굴 상황을 직접 시찰하기도 했다. 발굴 이전에 남정리 제116호로 번호를 부여하여 고적대장에 등록을 하였는데[263] 발굴 결과 출토유물로 채화칠협彩畵漆篋,[264] 백동경白銅鏡, 칠채목마漆彩木馬 등 180여 점의 유물이 출토되는데 채화칠협이 나왔다고 해서 일명 '채협총' 이라 했다.[265]

채협총의 유물은 조선인의 반발을 의식했음인지 일부는 남기고 상당수는 일본으로 가져갔다. 채협총 발굴유물 일부는 도쿄국립박물관 소장목록에 유물번호 28905, 28920~28925로 기록되어 있다(이를 구입으로 기록하고 있다).

이 고분과 관련하여 다음과 같은 기사가 있다.

고구려시대의 대고분을 대동군 대동강면에서 발견

고고학상 중대 자료

총독부박물관 축탁 소친, 택 등 씨는 지난 9월부터 대동군 대동면 석암리 일대에 있는 고분 조사로 출장하여 이레 고분 시굴을 하고 있던 중 지난 21일 동면 남정리 부근에서 한 큰 고분의 천정을 발견하고 인부 수십 명을 시켜 개굴한바 의외의 길이 8미터 넓이 5미터의 고분이 발견되었다.

그런데 그 고분의 내부는 극히 정교 미려하고 붉은 단청 칠한 관 한 개가

---

263 濱田耕作, 『考古學研究』, 1939, p.318.
264 '孝婦', '渠孝子', 대껍질을 정교하게 깎아서 내외 이중으로 엮은 것인데 주, 적, 초록, 적 갈색 등의 채색으로 남녀노소 90 여의 입상과 좌상을 그렸으며 인물 옆에 '湯女', 등의 朱書가 있다. 현재 북한 국립중앙력사박물관에 소장되어 있다(『문화유산』 no.1, 조선인민공화국과학원, 1958).
265 榧本龜次郎, 「王根墓 調査報告」, 『美術資料』第四輯, 國立博物館, 1961년 12월.

목마

금동채문칠호

있고 관 안에는 5개의 모가 있고 모든 장식을 보아서 고구려시대의 왕공 가의 무덤인 듯 하다하며 그 부근 인민의 전설에 의하면 확실히 고구려 시대의 왕공가의 무덤이라 한다. 그런데 수백년래로 발굴한 고분 중에 규 모가 제일 크고 정교한데 고고학상의 큰 자료가 된다고 한다(『동아일보』 1931년 10월 24일자).

낙랑고분에서 현출現出한 칠상자漆箱子

본부 고이즈미小泉, 사와澤 양 촉탁이 지도 발굴한 평양부외 남정리 낙랑 대 고분은 기보한 바와 같이 주도朱塗의 관 1개, 칠도漆塗의 관 2개를 발견한 외 종종 진품이 현출하여 31일은 길이 약 1척5촌, 폭 약 5촌, 깊이 약 1척 가량의 칠도상漆塗箱이 나타나고 또 관 같은 것도 현출하는데 천하진품 주도朱塗의 관은 2일 이마니시今西 성대교수, 후지타藤田 박물관장 양씨가 평양에 온 후 열기로 한바 그 주도관 중에 무엇이 있는가 비상히 기대된다(『매일신보』1931년 11월 3일자).

11월 1일경의 모습
(『매일신보』 1931년 11월 3일자)

정교한 제품 38점 찬연한 2천 년 전 문화

무덤 속에는 단청까지 새로워, 고분 발굴의 대수확

평양부외 남정리에서 총독부박물관 촉탁 고이즈미小泉, 사와澤 양씨의 손으로 지난달 21일부터 고구려시대의 고분을 발굴 중이라 함은 기보한 바이고, 근래 보기 드문 귀중한 재료가 다수 수집, 이 고분은 내부에 아직도 선명한 붉은 단청을 하였고 전실, 후실에서 관 3개가 발견되었나. 1일까지 발굴한 유물은 38점으로 여러 가지 장신구와 목마, 바가지, 수저, 바구니 등이 발견되었는데 바구니에서는 거의 원형 그대로 있는 밤栗이 발견되었다. 이외 위패인 듯한 폭 2촌 5분, 길이 8촌의 나무 조각도 발견되었다. 또 청룡과 백호 등을 그린 조각도 발견되었는데 이것은 궤의 파편인 듯하다. 1일까지 발견된 유물은 모두 2천 년 전 과거 조선의 문화를 웅변으로 말하는 것이다.

2개의 침판은 이마니시今西 성대교수가 평양에 오기를 기다려 금명간 개관하리라 한다.

발견된 유물은 모두가 지극히 정교한 것으로 실로 공전의 대 수확이라 하겠는데 이 고분은 이직까지 누구의 손에 도굴되지 않았던 말하자면 2천만에 후세인에게 그 시대의 문화를 자랑하게 된 것이다(『동아일보』1931년 11월 4일자).

고문화 상징의 신품神品 40여 점 발굴

발굴 중인 남정리 고분에서는 3일 또다시 청룡, 백호를 그린 사신경 1개, 밥상인듯 한 것이 2개, 화장구 등 기타 4,5점이 발굴되었다. 전실은 대개 4일까지 발굴이 종료될 터로 이번 발굴은 실로 공전의 대 수확을 얻어 고고학자로 하여금 과거 조선의 빛나는 문화에 놀래케 하는 바 있다.

발굴된 유물 40여 점은 발굴이 종료 되는대로 부립박물관에 2, 3일간 진열하여 일반에게 관람케 한 후 경성 총독부박물관으로 가져가리라 한다(『동아일보』1931년 11월 6일자).

104점의 기구器具 발견, 비관秘棺의 중량은 4백관

2천년이 지나도 목재와 염색도 불변

8일까지 104점의 유물을 발굴한 남정리 고분의 최종발굴인 3개의 대관은 8일 오전 11시부터 땅위로 끌어올리기 시작했다. 길이가 8척, 포 4척, 높이 5척의 현대인은 상상도 못미칠 비관秘棺은 인부의 손으로 두껑을 열었다. 시체를 담았던 관속에는 약 3촌 가량의 흙이 쌓여 있을 뿐이다. 그것을 헤쳐 보면 무엇이나 있을 듯 못견디게 궁금하나 전문가인 총독부박물관 고이즈미小泉 지휘관은 그대로 다시금 두껑을 덮고 흙 안의 비밀은 다음날

물로 씻어서 캐어보기로 하였다.

이로써 세계최고의 관이 현대인의 고고학상에 훌륭한 연구재료를 새로이 제공하게 된 것이다(『동아일보』 1931년 11월 10일자).

3관은 금명간 개관

황색 찬란한 요대

무덤벽에 벽화도 있는 듯

부외 남정리 2천 년 전 고구려시대 고분의 발굴은 대체로 5일까지 종료되었다. 관 3개는 6, 7일경에 개관케 될 터인데 고분 전실의 내벽에는 벽화가 있는 듯하여 발굴이 종료되는 대로 벽을 씻어 보리라 한다. 그리고 5일에는 다시 금색 찬란한 황금대 1개와 기타 수점이 발굴되었다. 관을 끌어낸 후에도 또 다시 부장품이 발견될 것이 기대된다(『동아일보』 1931년 11월 11일자).

두개골 등도 발견

관저에는 응지凝脂까지, 부장품도 많이 발견될 듯, 평양고적 발굴 속보

남정리 고분에 남아 있는 관 2개는 16일에 마저 끌어올려 두껑을 열었다. 검은 칠을 한 관에서는 동곳, 고전 50매, 목화木靴 1족 등이 발견되었다. 그리고 붉은 칠을 한 관에서는 두개골, 치가 달린 상악골上顎骨 등이 발견되었다.

현재까지 발견된 유물은 백 수십 점에 달하는데 총독부박물관으로 올라가기 전에 우선 정리하여 오는 20일경 평양부립박물관에서 일반에게 1일간

공개할 예정이다. 그리고 고분과 관을 보관하는 문제 아직 적당한 후보지도 택하지 못하였고 때도 겨울이기 때문에 우선 남정리 현장에 안치하여 두었다가 명년 봄에 5백여 원의 사비로 적당한 장소에 이전하여 2천년전 옛 사람의 무덤을 영원히 보존하리라 한다(『동아일보』1931년 11월 20일자).

낙랑시대의 고분 발굴. 평양 남정리 고분에서는 낙랑시대 문화의 진품이 속속 발굴 중인데 지난 8일에는 하야시林 학무국장이 평양에 와 후지하라藤原 지사, 아베阿部 부윤 기타와 같이 현장으로 가서 이를 시찰하고 이어서 3개의 관 중에 최초로 발견한 관을 고이즈미小泉 촉탁의 지휘로 열게 되었는데 그 중에는 관冠과 같은 물건이 들어있을 뿐 아무것도 없으니 나머지 2개 속에서 과연 어떤 것이 나올까 하고 많은 기대를 갖고 발굴 중이다(사진은 첫 번째로 발굴한 관)(『매일신보』1931년 11월 11일자).

1931년 10월 20일

개성 만월대 부근 밭에서 용두조각 기와를 발견

10월 20일 만월대 부근의 밭에서 사과 저장창고를 짓기 위해 땅을 파던 중 지면 5척 가량 밑에서 기와편과 함께 용두조각을 한 홍황색의 기와를 발견했다. 만월대 앞에 있는 경작지들은 원래 국유지였으나 7, 8년 전에 민간에게 불하하여 만월대를 제외한 주변은 모두 일본인들이 경작을 하게 되었다. 용두 유물이 발견된 곳도 역시 일본인 모가 사과경작을 하고 있는 밭이다.[266]

1931년 10월 26일

아유카이 후사노신 소장품 박물관에 양도하다

1931년 10월 26일자로 아유카이 후사노신鮎貝房之進의 수집품 262점을 조선총독부박물관에 양도하다.[267]

나가기리 이사오中吉功는 『조선회고록朝鮮回顧錄』에서, "아유카이 후사노신鮎貝房之進은 소화5, 6년으로 생각되는데 옹이 오랜 세월 수집한 고려청자의 우수

---

266 『每日申報』1931년 10월 31일자.
267 朝鮮總督府博物館,「鮎貝房之進蒐集品につきて」,『博物館報』제4호, 1933년 3월.

품을 총독부박물관에 양도, 후일 개성박물관에 이관 동박물관의 도자기의 주요 진열품의 태반이 아유카이鮎貝 옹의 구장품이다"[268]라고 하고 있다.

1922년 오야 도쿠죠大屋德城가 한국을 여행할 때 아유카이의 집을 방문한 기록을 보면, 그는 서울의 웅장한 저택에 엄청나게 많은 서화, 골동, 고서적을 비장하고 있었다고 한다. 오야는 여행기에, "아유카이 후사노신鮎貝房之進을 방문했다. 고서를 한번 구경하기를 청하였다. 씨는 경성에서 웅장한 저택을 구입하여 고기물古器物 수집가로 유명하다. 서적으로 건문3년판建文三年板의 수릉엄경首楞嚴經 1부 5책을 보았다(1922년 3월 28일 일기)"[269]라고 하고 있다.

아유카이 소장 고려판 대장경
(阿毗曇毗婆沙論 卷第二十七之三十)
(『매일신보』 1915년 3월 26일자 사진)

1922년 당시만 하여도 경성 욱정의 거택에는 청일전쟁 이후부터 수집한 유물들은 박물관을 이룰 정도로 방대했다고 한다. 그러나 1922년에 화재를 당하여 대부분을 잃어버렸다.[270] 그 후에도 다시 수백 점의 도자기와 고고학적 자료를 수집하였다.

그의 수집품 중 상당수는 1926년에 미쓰이三井물산주식회사에

268 中吉功,『朝鮮回顧錄』, 國書刊行會, 1985, p.60.
269 大屋德城,『鮮支巡禮行』, 東放獻刊行會, 1930, p.14.
270 藤田亮策,「鮎貝さんの面影」,『書物同好會會報』 제17호, 1942년 9월.

돌아갔다. 이것은 1930년에 다시 미쓰이三井물산주식회사 사장으로부터 조선총독부박물관에 기증되었는데, 이를 등재한 것은 "소화6년(1931) 10월 26일 기증"이라 하고 박물관 수입번호受入番號 12415~12583로 등재하고 있어 기증 완료가 된 것은 바로 이 날인 것으로 보인다.

이는 주로 신라, 고려 및 조선시대의 도자기 등으로 대부분 개성박물관에 출진하여 개성박물관 진열품의 중심을 점했다. 그러나 상당수는 도쿄로 반출되어 조선총독부박물관 발행의 1933년 3월『박물관보』에서는 "경주 출토의 금동사리합金銅舍利盒과 傳 경상북도 출토의 동령銅鈴은 도쿄의 미쓰이가三井家에 남아 있어 연구가로서는 유감이다"라고 하고 있다.[271]

현재 국부 제113호로 지정되어 있는 '화청자양류문통형병畵靑磁楊柳文筒形甁'은 12세기경에 만든 철회청자병으로 긴 통모양

아유카이 구장
'청자철화버드나무무늬병(국보 제113호)'

의 병 앞뒤에 버드나무 한 그루씩을 붉은 흙으로 그려 넣은 병이다. 이것은 아유카이가 소장하고 있던 것으로 이번에 조선총독부 박물관으로 들어와 박물관 수입번호受入番號 12419로 등재된 것이다.

그가 수집하였던 경주 사천왕사지에서 채집한 '사천왕사지녹유신장전'은

271 朝鮮總督府博物館,「鮎貝房之進蒐集品につきて」,『博物館報』제4호, 1933년 3월.

아유카이 구장
사천왕사지녹유신장전(고적도보 5)

1915년 물산공진회에 전시하기도 하였다. 이것은 사천왕사지에서 출토된 최초의 '녹유신장전'으로 당시로서는 놀라운 발견이었다.

아유카이가 출품한 '사천왕사지 녹유신장전'에 대해 이나다 슌스이 滔田春水는 『고고학잡지』 1915년 11월호[272]와 『불교진흥회월보』 1915년 9월호에 소개를 하고 있다.[273]

이것은 박물관 수입번호受入番號 12495(1931년 10월 26일 기증)로 등재하고 있다.

아유카이는 1884년 도쿄외국어학교를 일본 문부성 장학생으로 입학하여 1890년에 졸업한 수재이기도 하다. 그는 1894년 청일전쟁 바로 직전에 한국에 건너왔다. 아유카이의 한국행을 권유한 사람은 고쿠분 쇼타로國分象太郎(공사관 통역), 오키 야스노스케大木安之助(영사관 서기), 오토모 우타지大友歌次(재판소 판사) 등으로 동경외국어학교 동기생들이다. 이들은 모두 일본의 한국 통치에 기반을 구축하는데 힘쓴 자들로 후에 모두 고위 관리로 나아가게 된다. 아유카이의 한국에서의 인맥은 바로 이들로부터 시작된다.

1895년 3월에는 한국정부와의 합의하에 서울 중부에 일본어 교습을 목적으

---

272 稻田春水, 「朝鮮共進會美術館의 一瞥」, 『考古學雜誌』 第6卷 3號, 考古學會, 1915년 11월, pp.66-67.
273 滔田春水, 「朝鮮에 於한 佛敎的 藝術의 硏究」, 『佛敎振興會月報』 1권 3호, 1915년 9월.

로 한 을미의숙이라는 사립학교를 설립하여 교육사업을 시작하였다.[274] 동양
협회 식민전문학교분교 강사로 경성(서울)에 초등교육학교 9개교를 창설하고
1896년부터는 주로 사업을 하였다.[275] 1898년에는 당국 각광감독各鑛監督 이용
익과 친교를 이용하여 평양에서 무연탄 독점판매권을 체결하여 막대한 부를
형성했다.[276] 이후 여러 사업에 손을 대었다. 이러한 부의 축적은 그의 한국 고
미술품 수집의 밑거름이 되었다.

아유카이는 당시 한국 재주의 일본인 중에서는 한국문화재에 대해 가장 박식
하였으며, 한국문화재의 가치를 가장 먼저 깨닫고 수집에 나선 자이다. 일찍부터
개성 등지에서 도굴되어 서울로 올라오는 고려자기를 사들이는 것은 물론이고
일본인 수집가들에게 감식까지 해주는 당대 최고의 감식가로도 유명하다. 서화,
도자기, 동기, 칠기 등에 당당한 식자들도 아유카이 앞에서는 작아진다고 한다.

당시 공사로 한국에 와있던 하야시 곤스케林權助와는 아주 가까운 사이로 하
야시가 고려사기 수집에 입문하도록 조언을 하기도 하였다. 하야시 소장 고려

---

274 稻葉繼雄, 『舊韓末 <日語學校>の 硏究』, 九州大學出版部, 1997.
275 朝鮮新聞社 編纂, 『朝鮮人事興信錄』, 朝鮮新聞社, 1922; 朝鮮公論社 編纂, 『在朝鮮內
      地人紳士名鑑』, 朝鮮公論社, 1917.
276 이에 관한 것은 1898년 6월 16일부 加藤 辨理公使가 兪 外相署理에게 보낸 '平壤 無烟
      炭總販契約書에 대한 公認 要請'에, "이번에 귀국의 各鑛 감독 李容翊과 우리나라 사
      람 鮎貝房之進 사이에 別紙와 같이 平壤産의 무연탄 독점 판매의 건을 계약 체결하였
      으므로 이에 대해 귀국 정부의 공인을 얻기 바란다고 신청해 왔기에 이에 그 계약서 2
      통을 송부합니다" 라는 내용이 보이고 있다.
      또 1899년 3월 16일자에 加藤 公使가 靑木 外務大臣에게 보낸 '機密第14號 平壤 無烟
      炭 獨占 販賣權의 件'에, "우리나라 사람 鮎貝房之進이라는 자가 작년에 당국 各鑛 監
      督 李容翊과 別紙 사본과 같은 계약을 맺고 平壤에서 산출되는 무연탄의 독점 판매권
      을 얻어 그 후 계속 판매에 종사하고 있습니다" 라는 내용에서 충분히 짐작할 수 있다
      (출처 : 국사편찬위원회 한국사데이터베이스 http://db.history.go.kr).

자기가『조선고적도보』에 여러 점이 수록된 것은 바로 이런 아유카이의 부추김 때문이다. 또한 이토 히로부미가 도한하자 고려청자를 소개하여 이토가 고려

『조선고적도보』에 실린 아유카이의 구장
'청자기린유개향로'(현재 국보 제65호)
2012년 국립중앙박물관에서 개최된 고려청자전에 전시되었다.

자기에 눈독을 드리게 한 것도 아유카이의 역할이 컸다고 할 수 있다. 이같이 아유카이는 한국에 건너온 이후 일본 관리나 수장가들을 중심으로 고려청자와 한국 고서적 수집에 많은 조언을 함으로서 한국의 문화재를 일본으로 반출시키는 주역을 하였다.

그의 수집은 가장 이른 시기에 시작되었기 때문에 가장 우수한 것을 손쉽게 수집할 수 있었다, 종류를 가리지 않았다.

아유카이는 이왕가박물관과 조선총독부박물관에 오랫동안 관여하여 매입 물품에 대한 감정을 도맡았다. 이왕가박물관 창립 후 경주의 모로가 히데오諸鹿央雄의 애장품 일부가 이왕가박물관으로 들어오는데도 아유카이가 관계했으며,[277] 1915년 기념공진회를 개최할 때도 그 미술관에는 아유카이의 진장품이 많이 출품되었다.

데라우치寺內와도 친분이 있어 데라우치 총독 시에 그가 소장하고 있던 고려

---

277 藤田亮策,「鮎貝さんの面影」,『書物同好會會報』제17호, 1942년 9월.

청자와 불교관계 미술품을 조선총독부에 상당량을 양도하였는데 당시 가격으로 5만 5천원이라고 한다.[278] 1915년 시정기념공진회를 계기로 조선총독부박물관을 설립한 이래 진열품 충당을 위해, 당시로서는 우수품을 가장 많이 가진 아유카이의 수집품을 구입한 것으로 데라우치의 지시에 따른 것이다.

1942년에는 조선문화공로상을 수상하였는데,『매일신보』1942년 11월 3일자에는 다음과 같은 기사를 싣고 있다.

조선문화의 은인 점패방지진 씨 공로

조선문화공로상수상자 중 반세기 동안을 조선문화염원 탐구에 바친 숨은 공로자 아유카이씨(77세)는 가난한 사족의 가정에 태어나 명치27년에 조선에 건너온 이래 55년 동안 조선역사와 어문학의 현대적 고찰을 처음으로 착수한 분에다 현재도 부내 욱정 3정목 8번지 자택의 수만 권의 고서 속에서 문화탐구의 길을 8순가까운 노인답지 않게 정열을 가지고 꾸준하게 가고 있다. 내가 조선에 온 깃은 동경서 당시 외국어학교에서 조선어를 배우게 된 것이 인연이 되었다. 나는 관리노릇을 하려고 조선에 온 것도 아니고 오직 조선의 빛나는 문화를 조금이라도 알아보고자 하는 학구적 욕심에서 온 것이었다. 내가 처음 조선에 온 것은 명치27년인데 이때 나는 수많은 조선 사람들과 가깝게 지냈다. 지금은 고인이 되었지만 어윤중, 유길준, 정만조와 같은 분들과 나는 경성에다

을미의숙이란 외국어학교를 설립하여 도도하게 물결쳐 들어오는 외래문

---

278 「施政30年記念讀物 老拓士が贈る生きた半島裏面史(46)」, 大阪每日新聞, 1940년 10월 12일자.

화를 조선인에게 알리켜 잠자던 당시 민중의 계몽에 힘쓰려 하였다. 그러나 이 학교는 여러 가지 사정으로 설립한지 2년만에 흐지부지하여 버렸다. 교육사업에서 손을 뗀 나는 실업방면에 종사하는 한편 신라의 찬란한 문화를 비롯하여 당시 신라인 고유정신의 혼들과 아울러

이제껏 세상에 밝혀지지 않은 조선의 것을 밝히려 힘써 왔다. 그동안 연구하고 조사한 것은 변변치 않으나 '잡고'라는 책 이름으로 일반에 공포하였지만 이것은 전부 연구의 소재에 불과한 것으로 앞으로 조선청년의 연구가 기대될 뿐이다.

아유카이는 해방 직전까지 엄청난 양을 수집하였다. 해방 이후 그의 소장품들이 어떤 경로로 산일되었는지 명확하지 않으나 대부분은 한국에 남았을 것으로 추정된다.

그의 비대한 소장품 중에서 서화 골동의 상당수는 해방이 되자 만주국 명예영사를 역임했던 박석윤에게 맡기고 철수를 하였다. 그런데 박석윤은 골동에 그다지 취미가 없었는지 모두 처분해 버렸다. 박석윤은 서화 골동을 잘 몰라 김종성을 통하여 물어가며 처분을 하였는데, 송대의 '거연만악도횡폭巨然萬嶽圖 橫幅'은 철도경찰대장 백형권에게, '해청산수화海淸山水畵' 2폭은 조영하에게 나머지 중국화는 대부분 손재형에게, 단원의 '36궁춘화도36宮春花圖'는 배정국에게, 나머지 도자기류의 골동은 장석구에게 넘겼다고[279] 한다.

해방 후 당국에서는 아유카이가 수장하고 있던 고서적, 잡지 등 1,068점을 접수하기도 하였다.

---

279 李英燮,「내가 걸어온 文化財界 30年」,『月刊文化財』, 1975년 4월.

장충단 박문사로 옮겨가는 흥화문(興化門)

흥화문興化門은 경희궁慶熙宮(元名 慶德宮, 속칭 새문안대궐) 정문이다. 광해8년 (1616)에 경덕궁을 창건할 때에 건립한 것이다. 그 문액門額의 흥화문興化門 3자는 이신李伸의 글씨이다. 경희궁에 일본인거류민단학교가 들어서면서 옛 위엄은 사라지고 수난의 길로 들어서게 된다. 이 문의 위치는 원래 동향이었다가 1915년 8월에 서대문 통로를 개수할 때에 남쪽으로 이전했다.[280] 이전한 후 이 문은 경성중학교 통용문으로 사용되다가, 1931년에 와서는 헐리어 이토 히로부미의 사당격인 박문사로 옮겨지게 되었다. 당시 신문에는 다음과 같은 기사가 있다.[281]

흥화문(『조선고적도보』)

---

280 門內漢, 「京城 八大門과 五大宮門의 由來」, 『별건곤』 제23호, 1929년 9월.
281 岡田貢, 『京城の沿革と史蹟』, 京城府廳, 1941.

장충단 보제사菩提寺로 옮겨가는 흥화문

이조 5백년의 역사를 말하는 것과 같이 부내 서대문정 2정목 2번지 경성
중학교의 통용문으로 개폐하는 흥화문을 이번에는 장충단 공원 안에 새로

헐리는 흥화문(『매일신보』 1931년 10월 14일자)

이 건설하는 이등박문 공의 보제
사의 정문으로 사용하고자 옮기
게 되었다. 이는 경희궁의 정문
으로 이조 흥망성쇠를 말하는 것
과 같은 한성에 있어서 가장 오
래된 건물이라 한다(『매일신보』
1931년 10월 14일자).

흥화문은 금번 장충단공원 안에 새로 생기는 이등공 보제사의 정문으로 옮
겨가려 한다. 기울러진 시국의 덧없는 풍상을 겪어가며 그동안 서대문정
경성중학교 정문으로 사용되어 왔다. 그러나 장충단으로 이전을 결정한 흥
화문은 방금 이전준비를 진행중이다(『동아일보』 1931년 10월 14일자).

새문안 흥화문은 반 넘어져 헐어졌다. 서울 장안을 굳게 지키던 서쪽 성벽
의 서대문이 헐어진 지 이미 이십 수년 그 길목에 홀로 서있어서 오직 경성
중학의 뒤 통용문 노릇을 하던 경희궁 정문마저 오늘에 헐리우니 서대문
길거리가 늦어진 가을과 한가지로 한층 더 쓸쓸하여 진다. 이조 5백년의 한
말을 말하는 흥화문의 이름도 이로써 우리 기억에서 멀어지려니 이 문의
가는 곳이 어디? 장충단 한 모퉁이에로(『동아일보』 1931년 10월 30일자).

헐리는 흥화문(『동아일보』 1931년 10월 30일자)

이 문이 과연 헐릴 만큼 보존 가치가 없는 것이었을까? 흥화문이 헐리기 4개월 전이 1931년 6월 6일에는 총독부 학무국에서 입안한 조선고적명소천연기념물보존령 및 보물보존령의 안이 6일 심의실에서 심의를 마치고 법제국에 회부하여 심의를 구하기로 했는데, 『동아일보』 1931년 6월 9일자 기사에는 다음과 같은 내용이 있다.

종교과에서 초안 완료, 고적과 보물보존령
오랜 역사를 가진 조선 문화의 자랑거리인 고대건물과 불상 같은 조각품과 탑, 부도, 도자기, 석비 같은 귀중한 고적명소와 기념물 같은 보물이 수없이 남아 있으나 산일에 방임하여 세월의 흐름과 더불어 연멸堙滅하여가는 상황임으로 총독부 학무국 종교과에서 이 산일을 방지하기 위하여 적당한 법령을 세우리라 함은 누차 보도한 바이어니와 그간 종교과장 이창근 씨가 이 법령을 초안하여 심의실에 넘기어 심의케 하였던 것이 수일 전에 종료되었으므로 일간 법제국에 넘길 터인데 법제국의 심의가 마치는 대로 조선고적명소천연기념물보존령과 보물보존령의 두 가지의 이름으로 제령으로 발표될 터이라 한다.

『동아일보』 1931년 6월 9일자에는 이상의 기사와 함께 총독부 학무국 종교과에서 심의한 조선고적명소천연물보존령과 보물보존령으로 규정된 고적 및 유물을 나열하고 있다. '보존회에 포함된 고건축과 보물 기타' 에서 '고대건물' 로는 경성부에는 37개소를 지정하고 있는데 그 속에 흥화문이 포함되어 있다. 그럼에도 불구하고 4개월 후에 이를 헐어 박문사로 옮겼다는 것은, 한국 고건축물 보존과는 상관없이 박문사로 옮기려는 힘이 작용하지 않았나 하는 의혹이 남는다.

박문사로 옮겨진 흥화문은 박문사의 정문으로 사용되었다. 광복이후 박문사가 폐사되고 그곳에 영빈관이 들어섰다가 영빈관 자리는 나중에 신라호텔이 들어서면서 정문으로 남아 있었다. 1988년 서울올림픽을 앞두고 건축학자들의 건의로 드디어 본집인 경희궁으로 돌아왔으나 이미 그 자리는 다른 빌딩이 들어서 있어 서쪽으로 200m 옮겨 자리할 수밖에 없었다.

1931년 11월 1일

개성박물관 개관

개성박물관은 1930년 개성군 송도면에 부제가 실시되어 개성부로 승격된 것을 기념하기 위하여 초대 부윤으로 부임한 김병태 부윤의 주선과 개성시민의

落成된開城博物館〔記事参照〕

『매일신보』 1931년 11월 1일자

협조로 1931년 11월 1일 그 창설을 보게 되었다.

1930년 초에는 일본의 미쓰이三井물산에서 고려시대 유물을 진열할 수 있는 박물관을 하나 건축하여 기부하고 싶다는 의사를 송도면 당국에 해옴으로 해서 1930년 4월에 모든 계획을 구체화하기기 시작했다.[282]

이 계획은 순조롭게 진행되어 1931년 5월에는 이미 계획한 기금이 다 모금되었다. 『매일신보』 1931년 5월 7일자에는 기부자의 명단을 밝히고 있는데 다음과 같다.

개성박물관 건설 기금 만액滿額, 총 2만 8천원을 부내 독지가 기부

개성부 부제실시기념 박물관의 건설에 관하여 그 건설비 중 2만 8천원은 독지가의 기부금으로 충당할 계획 하에 착착 진행 중이라 함은 이미 누차 보도한 바와 같거니와 근일 그 예정 금액의 모집이 종료되어 드디어 기념

---

282 『中外日報』 1930년 4월 4일자.

관 건설 기금의 완비를 얻게 되었다. 얼마 전 부 당국이 총독부에 의뢰하였던 설계서도 불원 송부를 보게 될 터이므로 금년 10월 1일 부제실시기념일까지는 어쨌든 준공을 보게 할 터이며 동일 개관식을 거행할 작정이라는 바 금반과 같은 세계적 불황에 처하여 다액의 금전을 소수의 독지가 수중으로부터 무난히 기부신입을 보게 된 것은 물론 그 사업의 성질이 기념이라는 그곳에 치중된 것이 아님도 아니나 대체로기부자 제씨가 공공사업을 위하여 불소한 사재를 용투勇投한 그 점에 관하여는 개성관민 전체가 한가지로 감사의 뜻을 표하는 바이라 하며 독지가 제씨의 방명을 열거하면 다음과 같다.

미쓰이三#물산회사 1만원, 김정호 1천5백원, 김원배 1천 5백원, 손봉조 1천원, 공성학 1천원, 최선익 1천원, 임한선 1천원, 이희영 1천원, 임한조 1천원, 임상우 1천원, 한명석 1천원, 유한모 1천원, 송승억 1천원, 식산은행지점 1천원, 진병건 5백원, 박상유 5백원, 이조일 5백원, 마현규 5백원, 최익모 5백원, 고한영 5백원, 박동규 5백원

미쓰이三#물산의 1만 원의 건설비 기부를 필두로 하여 그 외 민간유지의 기부금 1만 4천원과 그 외 부족한 액수는 송도면비로 지급하여 3만 7천 5백원으로 약 100평의 목조건물이 건립되고 따로 2, 3의 소건축으로 이루어 졌다. 드디어 1931년 11월 1일에 개관식이 행해졌다.『매일신보』1931년 10월 31일자에는 다음과 같은 기사가 있다.

개성박물관 개관식 11월 1일에 거행

개성부제실시를 기념하기 위하여 개성박물관을 건설한다함은 여러번 기보한바이다. 금년 3월부터 총공비 2만 2천원으로 건축하여 지난 10월 15일에 공사를 준공하였는데, 본관의 내부수식과 진열장 기타에 대한 총설비가 1만2천원으로 도합 3만 4천원이 들었다고 한다. 미쓰이三井 물산주식회사의 1만원을 비롯하여 당지 특지가들의 기부금으로서 건설하게 되었다. 총독부박물관장 후지타藤田는 오가와小川, 노모리野守 사무원을 데리고 수일 전에 당지에 도착하여 부민 중에서 출품을 지원하는 사람의 가정을 방문히여 출품할 만한 물품을 선택한 후 지난 28일부터 부민으로부터 출품한 고려자기 100여 점과 총독부에 비장하였던 고기와 고물 3백여 점과 미쓰이회사로부터 기부한 고려자기 수십 점을 신축 준공된 박물관에 진열하는 중인데 오는 31일까지에는 그 진열이 끝나리라 한다. 개성부에서는 오는 11월 1일 오후 1시부터 개관식을 거행할 예정이다.

진열품은 경성의 아유카이 후사노신鮎貝房之進의 컬렉션을 미쓰이三井물산이 양수讓受하여 총독부박물관에 기증하였는데, 이것의 대부분을 기탁 출품하였다. 일부는 민간유지의 기증품, 기탁품 등을 진열하여 놓았다. 내용은 불상, 불구, 일용잡구의 동·철기, 경, 서화, 와당, 석등, 석탑, 석관, 석불 등이 있으나 도자기류가 다수를 이루고 있었고 그 중에는 청자류가 가장 많고 우수품이었다.[283] 이후 활발하게 진열품 수집에 박차를 가했다.

---

283 高裕燮,「開城博物館을 말함」,『고유섭전집 4』;『每日申報』1931년 10월 31일자, 1931년

1931년 11월 21일

평양 남정리 고분에서 발견한 고물 중에 중요한 것으로만 11월 21일 평양부립박물관에서 일반에 공개하다.[284]

1931년 11월

경주 객관 동경관 수선공사

1931년 3월 4일부로 경상북도지사가 조선총독에게 보낸 '관유건물東京館 수리에 관한 건'[285]에 의하면 "근래 부후腐朽가 심하여 이대로 방치하면 금후 수년이 경과하면 폐멸廢滅" 될 것이라는 현상을 보고함과 아울러 국비로 수리를 해줄 것을 요청하고 있다.

이에 따라 11월에 경주 동경관東京館을 경주고적보존회서 수선공사에 착수했다.[286]

경주 동경관

11월 1일자.
284 『每日申報』1931년 11월 24일자.
285 『국립중앙박물관 소장 조선총독부박물관 공문서』, 목록번호 : 96-096.
286 『朝鮮日報』1931년 11월 7일자.

1931년 12월 1일

낙랑고분 발굴품 총독부박물관에 도착

평양고적연구회에서 발굴 중이던 낙랑고분의 발굴품은 운반이 곤란한 석관과 그 외 큰 물건을 제외하고 전부 총독부박물관에 도착하였다.[287]

1931년 12월 11일

김인문묘비 발견

1931년 12월 11일 아리미츠 교이치有光教—와 이우성이 서악서원의 개축공사 중 누문의 기초공사 중에 나타난 김인문묘비金仁問墓碑를 발견했나.

1931년 12월 11일 아리미츠는 경주고적연구회 조수 이성우의 안내로 서악 방면의 고적견학 도중 서악서원에 도착했을 때, 서악서원의 누문 아래에 다수의 사람들이 모여 있었다. 무슨 일인가 하고 궁금하여 가까이 가서 보니 하나의 평평한 돌의 표면의 토사土砂를 털고 문자를 뛰엄뛰엄 읽고 있는 것이었다. 그 돌은 개축 중인 서악서원의 누하樓下 기초공사를 하면서 수일 전에 누문의 서우西隅 지표 아래 5촌쯤의 위치에 면을 아래로 하여 놓여 있던 것을 발견하고

---

287 『每日申報』1931년 12월 2일자.

파낸 것이라고 한다. 문자가 있기 때문에 다소 부근 사람의 관심을 얻어 공사 중의 파괴를 면하였다고 한다. 12월 18일에는 모로가 히데오에 의해 경주박물관으로 옮겼다. 처음 아리미츠에 의하여 '문흥대왕文興大王' 등의 문자가 해독되어 태종무열왕의 비가 아닐까 하고 추정되기도 했다.[288]

『매일신보』1931년 12월 22일자에는 다음과 같은 기사가 있다.

신라조의 무열왕릉비 서악서원 누문 부근에서 발견, 귀중한 파편의 정체

경주에서는 신라시대 고적유물 중 동양 제일의 칭稱이 있는 석굴암석불 및 성덕대왕신종과 병칭竝稱하는 무열왕릉은 귀부와 이수가 있을 뿐 비신이 없어서 본부 당국에서 왕년에 고적조사위원이 부근을 발굴 조사한바 있고 비신 찾기에 고심을 해오던 바, 11일 고적연구회의 아리미츠有光 문학사가 서악리 방면의 고적을 시찰하던 중 목하 개축 종사 중의 서악서원 누문 부근에서 고비편을 발견하고 다음날 박물관 모로가諸鹿 촉탁과 출장 취조한바 선년 발견된 사천왕사비와 흡사한 구양순체의 문자와 석질이 경주부 발견의 고비 즉 화강석질인 점 등으로 고비로 의심할 여지가 없고, 비문 중에 '조문흥대왕祖文興大王' 혹은 '고종대황高宗大皇' 운운 등의 기사가 있고 또 연호에 2자 결손 아래에 '원년元年'이라 함은 당의 용삭龍朔 또는 건봉乾封 원년인 듯한 점으로 보아 문제의 무열왕비라 하여 경주서에 신고한바 18일 현품은 보관의 안전을 기하기 위해 경주박물관에 반입하고 본부에 보고한바 모로가 촉탁은 좌와 같이 말한다. 종래 무열왕릉비에 대하여 전설

---

288 藤田亮策, 「慶州金仁問墓碑の發見」, 『청구학총』 제7호, 1932.

에는 임진역(임진왜란)에 능의 동방 수정數町에 있는 지중池中에 투입投込했
다고 전하며 또 석유碩儒 홍이계洪耳溪는 신라 태종릉비의 문文 중 원주에 있
는 반절비半折碑의 예를 인引하여 일본인이 가져갔다 하였다. <하략>

1931년 12월 20일

원원사지석탑 복원 완료

  원원사지는 경주시 월성군 외동읍 모화리 봉서산鳳棲山에 있다. 원원사는 신
라 때 호국사찰로 창건되어 법등
을 이어왔다.[289] 1592년(선조25
년)에는 임진왜란이 일어나자 이
절의 승들이 싸움에 나가 여러 차
례 전공을 세웠으며 임란 중 사찰
이 소실되었다. 그 후 중수 사실
이 『동경잡기』에 나타나고,[290] 『가

최근 모습

---

289 『三國遺事』에,
    신라 서울 동남쪽 20여 리 되는 곳에 원원사(遠源寺)라는 절이 있는데 세상에는 다음과
    같이 전한다. 이 절은 안혜 등 4대덕이 김유신, 김의원, 김술종 등과 함께 발원하여 세
    운 것이며, 4대덕의 유골이 모두 절의 동쪽 봉우리에 묻혔으므로 사영산(四靈山) 조사
    암이라고 부른다. 안사(安師) 등는 김유신과 더불어 원원사를 세운 사람이다.
290 『동경잡기』

람고伽藍考』에는, "재주동80리在州東八十里" 라고 기록하고 있으며, 『대영지大嶺志』, 『범우고梵宇攷』 등에서도 폐사와 관련한 명확한 문구가 보이지 않는다. 그런데 1934년 경주고적보존회慶州古蹟保存會에서 간행한 『신라구도 경주고적안내新羅舊都 慶州古蹟案內』에는, "신라 제30세 문무왕13년(673)에 창건된 이래 본사는 비교적 오랫동안 법등을 전해 오다가 조선 철종 때 폐사가 되었다"고 한다.

1931년에는 원원사지에서 400m 떨어진 곳에서 석불을 발견한 바 있으며,[291] 현재 사지에는 강당지, 금당지, 양탑, 석등 등이 남아 있다. 본 사지의 3층석탑은 그 외형이 우아할 뿐 아니라 가장 큰 특징은 상기단上基壇의 각 3구三區로 나누고 각 구에 1체식一體式 방향을 따라 십이지상을 조각하였고 제1층 탑신 사면에 각기 방향을 따라 사천왕상이 조각되어 있다. 금당지의 남정南庭에 동서로 나란히 유존하였던 양 탑이 처음 도괴된 원인은 가경기사년嘉慶己巳年(1809) 울산 재주在住의 이 씨 모가 금당지 앞에 분묘를 만들고 탑은 분묘에 해롭다는 미신을 믿고 동서의 저지低地로 파괴전락破壞轉落시켜 겨우 그 일부만 산복山腹에 유존하기에 이르렀다.[292]

원원사 : 부의 동쪽 봉서산 기슭에 있다. 어느 해에 창건하였는지는 알 수 없으나 숭정(崇禎) 경오년(1630)에 중수하였다. 병신년(1656)에 불에 탄 것을 곧 중수하였다.

291 『매일신보』1931년 2월 18일자에는 다음과 같은 기사가 있다.

석불발견 경주 외동면에서. 경주군 외동면 모화리 이춘갑은 수명의 동네사람들과 2월 2일 성조산에 나무하러 갔다가 산계곡 중(원원사지 서남 약1리)에서 여러 개의 파괴된 석불상이 있는 것을 발견하고 일동이 외동주재소에 운반하여 신고하고 동소에 보관 중인데 이 발견한 석불은 12개로 파손되었는데 접합을 해본즉 완전한 인왕상인데 높이 약 2척5촌, 폭 2척의 석회암으로 되었는데 소유자, 관리자, 전설 등은 전혀 없는 것으로, 경주박물관의 대판금태랑의 감정에 의하면 이 석불상은 조선시대 작이라 한다.

292 能勢丑三, 「遠願寺の塔と十二支神像に就いて」, 『朝鮮』, 朝鮮總督府, 1931년 10월.

1916, 1917년경에 조사한 『조선보물고적조사자료』에는 "4면에 불상이 조각된 도괴된 석탑 및 석담 등이 잔존, 경주읍의 동남 7리 모화리의 계곡 속 산록에 있다"라고 도괴된 상태로 기록되어 있으며 사람들의 이목을 끌지는 못했다.

그 후 1921년 겨울에 불국사 여관 주인 스기야마 도자후로 杉山藤三郎가 수렵을 하다가 우연히 조각이 된 탑재를 발견하여 세상에 소개를 했다. 그 후 도쿄미술학교 조교수 오바 쓰네키치小場恒吉가 사찰을 조사하여 그 조각의 뛰어남을 인식

복원 전의 서삼층석탑(국립박물관 소장 유리건판)

하면서 점차 학계에 알려지게 되었다. 다시 얼마가 지난 후 1926년 가을 십이지방위신十二支方位神에 특별한 흥미를 갖고 연구에 종사하던 교토제국대학 공학부 조교수 노세 우시조能勢丑三의 조사가 있었고, 이래 노세는 여름과 겨울의 방학을 이용하여 당지에 와서 전후 9회에 걸쳐 조사를 하였다. 이러한 중에 노세는 자비로 매몰된 탑재를 발굴 색출하기에 이르러 완전한 수에 가까웠다. 후에 경주고적보존회에서 동사지를 조사할 예정으로 그 유물보존을 고려할 때 동씨의 연구를 전폭적으로 지원하는 한편 동씨의 의견을 들어 원원사탑의 복원공사에 착수했다.[293]

1929년 경주고적보존회의 사업으로 사지의 유적 유물의 보호 감독을 위해 조사지대를 포함한 1천 평의 경지를 매입하고 1930년 여름에 노세能勢丑三가 탑

293 大坂六村, 『趣味의 慶州』, 慶州古蹟保存會, 1939, pp.163-164.

원원사지 동탑제1탑심 발굴 상황

의 추정복원도推定復元圖를 제작하고 복원작업에 착수하였다.[294] 이와 관련하여 다음과 같은 기사가 있다.

원원사의 석탑 정리보존에 착수

경주의 고적은 현재 세상에 소개된 것 외에, 경주 일대에는 아직도 송도 대지 않은 예술적 가치가 있는 고적이 많으나 교통이 불편하여 그대로 방치되어 있음을 유감으로 생각하여 경주고적보존회에서는 드디어 이의 기본조사에 착수하였다.

그 제1 착수로 원워사의 석탑의 정리 보존을 하기로 되었는데, 남산에는 거석을 이용한 환조, 선조, 반육조 등의 숨은 일품이 있고, 남산의 석불은 높이가 1장5척이나 되어 그 수법이 석굴암석불 이상이라 하여, 보존회에서는 세상에 발표하기도 하였는데 원원사의 탑의 보존공사에 대하여 노세能勢씨도 이에 참가할 터이며 15일 밤에 래구 즉시 경주로 향하였는데 연구의 결과를 비상히 기대중이다(『매일신보』1930년 9월 18일자).

---

294 能勢丑三,「遠願寺の塔と十二支神像に就いて」,『朝鮮』, 朝鮮總督府, 1931년 10월; 藤島亥治郎,「韓文化探訪の追想」,『朝鮮學事始め』, 靑丘文化社, 1997.

동양 제일의 원원사 동서탑

일본학자가 조사를 한 후에 명춘 3월까지 개축

고적의 경주에 없어진 원원사라고 하면 고고학자의 다투어 조사와 연구를 게을리하지 못하게 하던 고적 중의 유수한 자인데 이에 대하여 교토제대 노세 교수가 얼마 전부터 경주에 출장하여 조사 연구를 한 결과 동서에 있는 두 탑의 복원도를 완성하여 경북도에 보내어 경북도에서는 다시 총독부에 보내어 고적상 여러 가지로 강구한 후에 지금 그 자리에 묻혀 있는 두 탑을 파내어 명년 3월말까지 세워서 원지에 보관과 아울러 보관하기로 되리라는데 그 두 탑은 반육각半肉刻의 양각으로 새긴 탑으로서 신라 발흥기에 세운 것인바 유명한 불국사의 다보탑이 신라 난숙기에 세운데 비하여 연대에 있어서 가장 오래인 위에 미술적 가치에 있어서도 우월하여 실로 동양 제일의 탑이라 할 수 있다고 한다(『동아일보』1930년 12월 11일자).

원원사지석탑 복원 완료 기사(『매일신보』1931년 12월 24일자)

원원사지 동서 양 탑의 복원은 1931년 12월 20일에 그 완공을 보게 되었다. 그러나 재건할 때 사리장치가 없었던 사실을 보면 도괴된 이후에 도굴범들의 악행이 있었던 것으로 추정된다.

1931년 12월 23일

전라남도 순천군 쌍암면 선암사 산내 말사 독락당獨樂堂을 폐지하다.[295]

같은 해

부산고고회가 기증한 부산 동삼동패총

1931년에 부산을 중심으로 고고학에 관련한 연구와 취미 보급을 목적으로 결성한 부산고고회의 회원 명부를 보면 30여 명이 결성되어 있다. 박문당이라는 골동상점을 운영하는 요시다 신이치吉田新一 외에는 모두 일반인들로 구성되어 있다. 1908년 탁지부 부산세관에 부임하여 1921년부터 전주전매국에 근무한 오오타니 요시타로大曲美太郎, 1927년 동래보통학교 후에 진해여자고등학교에 근무한 오이카와 다미지로及川民次郎, 1912년 3월 조선공립소학교 훈도에 임명되어 한국에 건너온 나미마츠 시게로並松茂, 부산을 중심으로 식림 및 농장을 경영한 다케시타 요시

---

295 『朝鮮總督府官報』 1931년 12월 23일자.

타카竹下佳隆 등이 있었다. 이들은 동호인회 성격의 와전이나 도자기 전람회를 수시로 가졌던 점으로[296] 보아 당시 부산 일대를 중심으로 한 수집가들로 보인다.

부산고고회에서는 수시로 부산 일대의 유물을 수집하고 일대의 유적을 발굴하기도 했다. 1931년에는 동래고등보통학교 교유 오이카와 다미지로及川民次郎가 동삼동 패총 발굴하고, 1934년에는 오오타니 요시타로大曲美太郎가 경남 동래군 낙동강안 대포 패총을 발굴 조사했다.[297] 이 중에서 1931년에 발굴한 부산 동삼동 패총에서 발굴한 일부의 유물을 교토대학에 기증했다.[298]

1940년에 부산부에서 간행한 『부산의 산업』에 나타난 1927년에 결성한 부산 고미술상조합에 18명이 가담되어 있다.

1931년 경성미술구락부의 주주들을 살펴보면, 총 64명인데 이 중에는 한국인 3명 즉 李屋禧燮(이희섭 : 문명상회), 李村淳璜(이순황 : 한남서림), 吳鳳彬(오봉빈 : 조선 미술관 운영) 등이 포함되어 있다. 1930년대에 오면 고미술품을 찾는 한국인이 수가 증가함에 따라 한국인의 골동상들이 자연히 늘어나는 현상이라 할 수 있다.

---

296 高須賀虎夫, 『朝鮮陶磁』, 釜山考古會, 1932.
    부산고고회에서는 창립 5년의 기념사업으로 금년 가을 부산에서 조선교육총회 및 경남 교육총회가 개최되는 계기로 교육총회장의 1실을 빌어 향토관계의 고고전람회를 개최 하기도 했다(『매일신보』 1936년 7월 26일자).
297 早乙女雅博, 「新羅の考古學調査 100年の研究」, 『朝鮮史研究會論文集』 39, 朝鮮史研究 會, 2001년 10월, p.77.
298 早乙女雅博, 「新羅の考古學調査 100年の研究」, 『朝鮮史研究會論文集』 39, 朝鮮史研究 會, 2001년 10월, p.77.

도쿄박물관의 1931년도 수입품을 보면 에나미 요시타로江浪芳太郎로부터 기증받은 다음과 같은 낙랑유적지 발굴품이 보인다.

鐵製斧頭	낙랑유적 발굴	歷史部第11區 4176	『年譜(1931)』[149]	기증. 江浪芳太郎
鐵製斧頭	낙랑유적 발굴	歷史部第11區 4177	『年譜(1931)』	기증. 江浪芳太郎
鐵金具殘缺 2개	낙랑유적 발굴	歷史部第11區 4178	『年譜(1931)』	기증. 江浪芳太郎
鐵製槍身 2본	낙랑유적 발굴	歷史部第11區 4179, 4180	『年譜(1931)』	기증. 江浪芳太郎
瓦器殘片	낙랑유적 발굴	歷史部第11區 4181	『年譜(1931)』	기증. 江浪芳太郎
黑漆螺鈿筥	조선시대	美術工藝部第3區 內452, 圖版29	『年譜(1931)』	구입

299　帝室博物館, 『帝室博物館年譜(昭和6年 1月~12月)』, 1932.

우리 문화재 수난일지

1932년 1월 14일

고흥군 구 객사 전소

　고흥군 구 객사는 객사에는 1913년 2월14일 일본인 소학교인 "흥양공립심상소학교"가 설치되어 사용하여 오다가 1932년 1월 14일 새벽에 큰 화재가 있어 소방관들이 출두하였으나 전소되고 말았다.[300]

1932년 1월 26일

『동아일보』 1932년 2월 7일자 기사

　경남 산청군 신동군 모례리 정취암靜趣庵에는 1월 26일 강도 2명이 침입하여 절을 지키고 있던 강강업을 무수히 구타하고 금불을 강탈하여 도주하였다.

---

300 『東亞日報』 1932년 1월 16일자.

1932년 2월

경남 통영 한산도에 충무공의 유적인 제승당 중건기성회가 창립되다.[301]

1932년 3월 2일

문경군 산북면 내화리3층석탑(보물 51호) 도굴

경북 문경군 내화리의 사지는 본래 신라시대
에 창건한 화장사花庄寺라는 절이 있었는데 오래
전에 모두 불탔으며 불상 등은 사불산의 대승
사로 옮겨가고[302] 현재는 석탑 1기만 남아 있다.
석탑 주변의 유구는 완전히 없어져 사역을 짐작
하기 어려우나 탑의 구조는 단층기단에 3층으
로 이루어진 탑신부의 옥신석과 옥개석은 각각
한 돌로 이루어져 있으며 상륜부는 결실되었다.

복원 후의 모습

1924년 『고적급유물등록대장초록(1924년 4월 현재)』에 등록번호 제111호 등

---

301 『東亞日報』1932년 2월 24일자.
302 『大乘寺記』에 "址在慶尚北道聞慶面化庄里. 按化庄卽華藏之轉變也 寺廢己久而爐殿仍
　　爲朴氏之墓齋."

록되어 있으며 파손에 대한 기록이 없다.[303] 1931년 6월에는 총독부 학무국 종교과에서 심의한 조선고적 명소 천연물보존령과 보물보존령으로 재등록되었다.

1932년 3월 초에 보물을 노리는 불법자들이 야음에 탑을 도괴하고 달아났다. 탑 내에서 어떤 것을 훔쳐 갔는지 알 수 없으나, 다음날 아침에 인근 주민이 탑 속에 매장되었던 순금제보살입상, 금동제8각사리합, 은제사리병을 발견하고 신고를 하여 유물은 총독부박물관에 보관하였다.[304]

석탑 도괴 상태

303 『古蹟及遺物登錄臺帳抄錄』, 朝鮮總督府, 1924, p.94.
304 「韓國塔婆硏究資料」, 『考古美術資料 第20輯』, 考古美術同人會刊, 1969, pp.714-715.

1932년 3월 15일자 문경경찰서에서 조선총독에게 보낸 '매장물 발견 보고'[305]에 따르면, 1932년 3월 2일 날 문경군 산북면 내화리 152번지 설경옥이란 자가 금불 1체, 기타 2개를 발견하여 1932년 3월 7일자로 신고를 한 것으로 나타나 있으며, 발견 장소는 산북면 내화리 소재 밭으로 석탑이 있는 곳으로부터 약 2칸 떨어진 곳이라고 한다.

1933년 2월 24일부터 3월 9일까지 고원 최세현崔世賢, 촉탁 사와 슌이치澤俊一는 경상북도의 고적 및 유물을 시찰한 후 1933년 3월 24일에 복명서를 제출하였다. 이 복명서에는 경상북도 소재 등록 유물의 소재지, 특징, 상태 등이 기재된 조사서와 사진이 실려 있으며, 조사 중 발견한 미등록 유물의 개요와 사진도 첨부되어 있다. 그 중에서 등록 제111호 문경 내화리 삼층석탑에 대해서,

1932년 3월 초에 어떤 자가 밤에 몰래 도괴하고 갔는데, 내화리 152번지 설경옥이 이튿날 아침에 그곳에서 이 탑에 매장하였던 도금제보살입상 1, 금동제8각사리합1, 은제사리병 1이 산린한 것을 발견하고 동년 3월 6일부로 매장물을 신고하여 현재 본부박물관에 이를 보관했다. 사진에서 보이는 것과 같이 기단 상부가 산란하고 간석, 탑신이 도괴, 산일이 우려 지급한 수축이 요망된다.[306]

305 「昭和7년도 발견 매장물 문서철」, 『국립중앙박물관 소장 조선총독부박물관 공문서』 목록번호 : 97-발견11.
306 「경상북도 고적유물 보존상황 조사」, 『국립중앙박물관 소장 조선총독부박물관 문서』 목록번호 : 96-279.

라고 복명을 하고 있다.

그런데 당시 보고서에서 "산일의 염려가 있으므로 지급 수축을 요하는 것임"이라고 했으나 바로 재건을 하지 못한 채 조선총독부고시 제430호(1934년 8월 27일)에 의해 보물(제69호)로 지정하였다. 1937년에도 역시 도괴된 상태로 그대로 둔 채 『조선보물고적천연기념물보존요목』(1937)에 그대로 재등록하고 있다.

해방 후에도 바로 재건하지 못한 채 국보 제69호로 등록하고 있는데, 1957년에 발간한 『국보도록』에는 온전한 사진을 싣지 못하고 파괴되어 있는 사진을 싣고 있다. 이 사진을 보면 1932년 불법자들에 의한 파괴 후에도 수차의 인위적인 탐색을 당했음인지 탑신과 옥개석이 사방으로 흩어져 있고 부재가 완전하지 않다.

탑은 국보로 지정하고도 한참이 지난 1960년 8월에 경주박물관 진홍섭 관장의 감독 하에 재건이 되었는데 3층탑신은 근처에 새로 지은 재실의 주춧돌로 사용되었던 것을 수습하기도 했다.

『매일신보』 1932년 4월 23일자 기사

1932년 3월 16일

석탑을 파괴하고 불상을 도적

1932년 3월 16일 달성군 수성면 봉덕동 고산골에 있는 석탑이 파괴되고 그 속에 보장한 불상 4구, 엽주 50개, 장신구 25개를 도난당한 사건이 발생했다. 대구경찰서에서는 범인을 잡으려 사방으로 수색 중 대구 남성정 서 모의 소행인 것을 파악하고 대구서에서 체포하였다. 훔친 장품은 대구 거주의 일본인 모변호사에게 팔려고 협상을 하던 중이었다고 자백했다.[307]

『중앙일보』1932년 4월 25일자에는 다음과 같은 기사가 있다.

3천 년 전 보물을 파계승이 절취
3월 이래 경북 도내에서 불상을
도난당한 절이 5, 6처나 되므로
이에 대한 범인을 검거하려고 활
동하던 중 또 다시 달성군 수성
면 봉덕동 고산골에 있는 고산사
지高山寺址에 세워 있는 석탑을 넘
어뜨린 후 그 안에 들어 있는 지
금으로부터 3천년되는 불상 4개

『중앙일보』1932년 4월 25일자 기사

와 엽주 50여 개, 지환 25개를 도적하여 간 사실을 대구서에서 탐지하고 범
안을 체포하려고 이마가와今川 사법주임과 형사대는 연일 철야 활동한 결
과 이것은 이곳 지리를 잘 아는 자의 소위로 인정하는 동사同寺 관계자의
가게를 일일이 수사한 결과 지난 20일 오후 5시 경에 파계승(서영세, 55세)
의 소위로 판명되어 동일 저녁에 대구서 형사대는 전기 가옥을 포위하고서
곤히 잠든 것을 무난히 체포하여 방금 엄중 취조 중이라는데, 그는 대담스

---

307 『每日申報』1932년 4월 9일자, 4월 23일자.

사진 : 大邱 高山洞의 高刹遺塔과 山谷의 春色(『매일신보』 1913년 4월 9일자)

러이 절취하여 부내 일본 변호사에게 의하여 시가가 얼마나 되는지 감정하
여 달라고 위탁하여 둔 것을 압수하여 동서에 보관하여 두었다고 한다.

당시 범인은 탑 내에서 불상 4개와 엽주 50여 개, 지환 25개를 절취 했다고
하며, "모변호사에게 팔기로 예약"한 유물을 대구서에서는 이를 압수하여 보관
중이라고 하고 있으나 이것이 후에 어떻게 되었는지 알려진 것이 없다. 도굴로
인해 파괴 도괴된 탑은 그대로 오랫동안 버려져 있었다.

현재 대구시민들의 산행코스로 잘 알려진 대구시 봉덕동의 고산골은 자연 풍
치가 뛰어나 많은 사람들이 찾는 곳이기도 하다. 이곳에는 옛날 고산사라는 절이
있었다고 전하나[308] 오래 전에 폐사가 되고 그 터와 3층석탑 1기만 남아 있었다.

---

308 신라말에 어느 임금이 왕자가 없음을 근심하다가 꿈에 이곳 고선사를 건립하고 기도한 뒤
　　두 왕자를 낳았고, 그 공덕으로 석가여래의 진신보탑을 세운 것이 바로 이 탑이었는데 임
　　진왜란 때 고산사는 왜병들에 의해 불타고 이 탑을 헐고 보물을 훔쳐가려는 순간 갑자기
　　벼락이 떨어져 왜병은 즉사하고 탑의 일부가 파손되었다고 한다. 고산사는 폐사되고 탑은

『매일신보』1913년 4월 23일자에는 '대구 고산동高山洞의 고찰유탑高刹遺塔과 산곡山谷의 춘색春色' 이란 제목하의 사진 1매를 싣고 있다. 신문에 사진으로 실릴 정도라면 이곳의 풍치가 매우 뛰어났던 것으로 짐작된다. 탑 주변에는 축대로 사용했음직한 석재들이 늘비하게 보이고 있어 이 일대가 사지로 추정되고 있다. 탑은 기단부가 매몰되어 있고 상륜부는 결실된 상태이나 나머지는 온전한 상태로 나타나 있다.

이 탑은『조선보물고적조사자료』의 달성군 수성면 봉덕동의 탑 조에 "고 12척 3중의 석탑 1기가 봉덕동 계곡 중에 있다" 라고 하고 있어, 1917년 이전까지는 1913년 매일신보에 게재된 사진의 모습대로 보존된 것으로 볼 수 있다.

그러나 임자 없이 산곡에 홀로 버티고 있던 이 탑도 당시 전국을 횡행하던 불법자의 손을 결국 벗어나지 못하고 말았던 것이다.

법장사 내의 고산골 석탑

현재 이곳(대구시 남구 봉덕동 148)에는 1961년에 법장사라는 사찰을 건립하고 매몰되었던 3층석탑도 경내로 옮겼다.

대구대학교 박물관에서 법장사 내에 있는 3층석탑의 복원과 그 주변에 대한 발굴조사를 실시했다. 원래 탑지를 찾기 위해 석탑하부를 발굴조사 하였으나 탑지는 확

도괴된 채 동북 양편이 거석 축대로 된 사지만 남아 있던 것을 1961년 법장사가 건립되고 이 탑도 복원 하였으나 완전 복원하지는 못했다(1977년에 간행한『문화유적총람』).

인되지 않고 원형 적심 유구가 몇 기 확인되었다.[309] 3층석탑(대구광역시 문화 재자료 제5호)은 복원을 하였으나 완전 복원하지는 못했다. 기단부는 파괴되어 기단부 일체 그 형태를 알 수 없으며, 옥개석은 각층마다 완전하지 못하며 3층 을 이루는 탑신을 쌓았다.

1932년 3월 24일

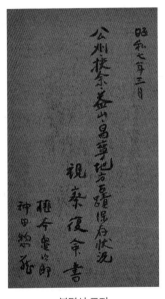

복명서 표지

공주, 부여, 익산, 창녕 지방 고적 보존 상황

가야모토 가메지로栞本龜次郎, 간다 소죠神田惣 藏는 1932년 3월 24일부터 31일까지 공주, 부여, 익산, 창녕 지방에 있는 고적의 보존 상황을 시 찰하고 등록된 고적유물뿐만 아니라 미등록 고 적유물과 경찰이나 학교 등에서 보관 중인 참고 자료에 대한 것도 병행하여 조사를 하고 1932년 4월 1일자로 복명했다.[310]

맨 먼저 공주에서 유물을 시찰하고 그 개략槪

309 佛敎文化財硏究所, 『韓國寺址總攬 下』, 2010.
310 「공주, 부여, 익산, 창녕 지방 고적 보존상황 시찰 복명서」, 『국립중앙박물관 소장 조선 충독부박물관 공문서』, 목록번호 : 96-431.

略을 기술하고 있는데, 현재 공주에서 고적 유물로 등록된 것을 조사한 것을 보면 다음과 같다.

공주에서의 시찰 개략槪略

현재 공주에서 고적 유물로 등록된 것은 좌의 3건과 공주 읍내에서 미등록이지만 주의할 만한 석조불상을 조사했는데 대략 요약하면 다음과 같다.

유물명	등록번호	원소재지	현소재지(1932년)	현상
석조 1개	196		읍내 보통학교의 庭	읍내 보통학교 교정의 한 모퉁이에 결손부의 보족석재와 함께 방치한 상태
석조 1개	197	읍내 욱정 302	현재 공주군청 庭	
당간지주 1개	198		읍내 욱정 303	민가의 정내(庭內)에 방치, 주변에는 삽초가 무성
석조비로사나여래좌상 1구	미등록	서혈사지	공주군청 정내(庭內)	군청소재 사진(1932년 3월) 본부 후지타(藤田)고적조사위원, 고이즈미(小泉) 촉탁의 조사할 시에는 서혈사에 存했다.

유물명	등록번호	원소재지	현소재지(1932년)	현상
석조석가 여래좌상 2구	미등록	서혈사지	공주군청 정내(庭內)	군청소재사진(1932년 3월) 본부 후지타(藤田)고적조사위원, 고이즈미(小泉) 촉탁의 조사할 시에는 서혈사에 存했다.
여래좌상	미등로	서혈사지	공주군청 정내(庭內)	 본부 후지타(藤田)고적조사위원, 고이즈미(小泉) 촉탁의 조사할 시에는 서혈사에 存했다.

유물명	등록번호	원소재지	현소재지(1932년)	현상
석조석가 여래좌상 1구	미등록	서혈사	읍내 금남사(錦南寺) 내	금남사 내 사진(1932년 3월) 제작수법, 양식 등으로 보아 서혈사불상군에 속하는 것
석조여래형입상 1구	미등록	공주 제민천반 (濟民川畔)	공주군청내	 공주군청내(1932년 3월) 이전에 제민천 畔에서 옮김

유물명	등록번호	원소재지	현소재지(1932년)	현상
석조주형광배 1기	미등록	공주 濟民川畔	공주군청내	 공주군청내(1932년 3월) 이전에 제민천 畔에서 옮김

그 외 공주읍 북방 주외면 금성리의 구릉 정상 부근에서 약간의 고분 외관 조사하고, 공주경찰서에 보관하고 있는 본년 3월 7일 공주군 반포면 성강리에서 이병길 외 5명이 고려고분을 도굴하여 압수한 유물을 조사했다.

등록번호 196호 석조(현재 보물 제148호)는 원래 대통사지에 있던 것으로 알려지고 있는데 1910년대 초에 일본헌병들이 말 급수통으로 사용하기 위해 당시 공주 본정 헌병분대로 옮겨 갔으며, 후에 보통학교 교정의 한 모퉁이에 오래동안 버려져 있다가 1940년에 공주박물관으로 옮겼다.[311]

『매일신보』 1930년 7월 28일자 기사에 의하면 1930년 7월 25일 공주군청으로 "서혈사에 있는 석불을 동처同處로 옮겨 보존케 하고"라는 기사가 보이고

---

311 輕部慈恩, 『百濟美術』, 寶雲舍, 1946, p.105.

서혈사지 비로사나불좌상(輕部慈恩이
『고고학잡지』 제19권 제5호에 제11도로 게재)

서혈사지 석가여래좌상(輕部慈恩이
『고고학잡지』 제19권 제5호에 제10도로 게재)

있으므로 군청에 옮겨진 서혈사석불상은 1930년 7월에 옮겨졌음을 알 수 있다.

서혈사지西穴寺址에 대한 조사는 1928년 가루베 지온輕部慈恩의 수차에 걸친 답사에 의해 다수의 문자와文字瓦와 당초와唐草瓦가 발견되어 서혈사임이 확인 된다.[312]

가루베가 조사할 당시에는 사지의 대부분이 개간되어 경작지로 변했으며, 사지는 3단으로 이루어져 있었다. 최상단인 3단에는 비교적 개간이 덜되어 초 석과 와편이 산재했으며 석불 3구가 잔존했는데, 서혈사지 석가상 2구는 제3 단 좌측에, 서혈사지 비로자나불 1구는 우측에 잔존했다고 하면서 사진을 게재 하고 있다.[313] 사진은 1928년 이전에 촬영한 것으로 추정된다. 그리고 가루베는 서혈사에서 발견된 석불상이 3구로 나타나 있는데, 가야모토의 복명서에는 금

---

312 輕部慈恩, 「百濟の舊都熊津に於ける西穴寺及び南穴寺址(一)」, 『考古學雜誌』 제19권
   제4호, 1929년 4월.

313 輕部慈恩, 「百濟の舊都熊津に於ける西穴寺及び南穴寺址(二)」, 『考古學雜誌』 제19권
   제5호, 1929년 5월.

서혈사지 석불좌상(공주박물과 소재의 최근 모습)

남사錦南寺 내에 있는 석가여래상 1구를 사진과 함께 소개하면서 왜 원소재지를 "西穴寺址"로 표시하고 있는지 의문이다.

가야모토 가메지로楣本龜次郞의 복명서에는 공주군청으로 옮겨진 제민천제방의 불상과 광배가 원 제민천제방에 소재할 당시의 사진을 게재하고 있는데, '고

제민천반의 불상과 광배(小泉顯夫 촬영)

이즈미小泉 촉탁 촬영'이라고 표
시하고 있어 그 시기가 정확히
언제인지는 알 수 없으나 공주군
청으로 옮기기 전의 소재지를 밝
히는 귀중한 자료라 할 수 있다.

제민천반의 불상(小泉顯夫 촬영)

　공주군청으로 옮기기 전인 제
민천 둑에 소재할 당시에 대한
가루베 지온의 기록에는 "석불
광배의 발견된 장소는 현재 공주의 남방 금성보통학교의 동방 약1정의 장소에
해당하는 제민천의 동측 제방 위에 잡연雜然하여 반은 매몰되어 있었다. 광배
고 1.38m(지상에 노출된 부분), 폭 1.33m, 석불은 상반신이 광배의 우측에 있
어 지상에 노출된 부분은 고 93cm, 폭 65cm" 하반신은 43cm라고 기술하고 있
으며, "현재 제민천반을 축하고 있는 세방의 일부를 발굴하기는 곤란하지만 만
약 발굴을 하면 대좌 불수 등을 발견할 수 있을 것으로 생각된다"고 하고 있다.
제민천에 방치되어 있는 불상입상과 광배의 사진을 그의 논문에 제1도로 게제
하고 있다. 그의 논문에서 "최근 조선 삼국시대의 유물로 가장 유력한 유물이
웅진 지역 즉 공주에서 발견되었다" 라고 하는 점과, 사진을 보면 불상과 광배
주변에 작은 잡석들이 많이 쌓여 있어 고이즈미小泉가 촬영한 것(주변의 잡석
이 정리되어 있다)보다 더 이른 시기에 찍은 것이 아닌가 생각된다.

『매일신보』1930년 7월 28일자 기사를 보면 다음과 같다.

백제시대의 석불소상
공주군청 구내에 보존

충남 공주 제민천 제
방高女校前에 고립하여
있는 불상을 지난 25
일 공주군청 구내로

百濟時代의
石佛塑像
公州郡廳構內에保存

【公州】忠南公州濟民川堤防
高女校前에 孤立하야잇는佛像
을지난二十五日 公州郡廳構內로
옴겨保存케하고 公州西穴寺에잇
는石佛同處로옴겨保存케한
一般의考古學의資料로撮影케
高다기는 一濟川堤防에잇
는佛像은今으로
約一千五
百年前百濟時代에
造成한것인대 同處에
매몰된것을 當地金甲淳氏가建立하야今
日까지保存하야오든것이라는대氏의承諾
을어더서옴기게된것
이라한다

옮겨 보존케 하고 공주 서혈사에 있는 석불도 동처同處로 옮겨 보존케 하고 일반의 고고학 자료로 열람케 한다는데 제민천제방에 있는 불상(고가 1장 1척 폭이 6척)은 지금부터 약 1500년 전 백제시대에 조성한 것인데 동처에 매몰되어 있는 것을 당지 김갑순 씨가 건립하여 금일까지 보존하여 오던 것이라는데 씨의 승락을 얻어서 옮기게 된 것이라 한다.

이 기사를 보면 제민천 제방에 있던 불상을 1930년 7월 25일 군청으로 옮기고, 서혈사에 있던 석불도 군청으로 옮긴다는 기사이다. 이 시기에 공주 일대의 유물들을 상당수 공주군청으로 옮겼음을 짐작할 수 있다.

제민천반의 불상과 광배(『고고학잡지』 제20권 제3호)

그로부터 1년 6개월 후에 후에 가야모토 가메지로榧本龜次郎 등이 공주일대의 유물 보존상태에 대한 조사가 있었다. 그런데 여기에서 유의할 것이 있다. 위 신문기사에 의하면 제민천

금학동 제민천에서 옮겨온 광배와 석불

(공주박물관 야외전시과에 있는 최근 모습, 석불은 정체를 알 수 없는 불두가 올려놓고 있다)

제방에 있던 불상을 공주군청으로 옮겼다고 하는데, 그 소재에 대해 의문이다. 가야모토는 공주군청에 소재하는 불상 등에 대해 열거하고 있으나 높이가 3.3m나 되는 제민천 제방의 대형불상에 대해서는 언급이 없다. 뿐만 아니라 공주의 유물에 대해 와편 하나까지도 꿰뚫고 있는 가루베의 기록에도 전혀 언급이 없다.

촉탁 가야모토 가메지로榧本龜次郎와 고 최영희崔詠흥는 1938년 2월에도 공주에 와서 지정 보물의 현상 시찰하고 새롭게 지정할 물건에 대한 자료를 수집했는데, 이때의 복명서에도 1932년에 공주군청에 소재하였던 유물들은 나타나 있으나 높이 3.3m의 제방천 불상에 대한 언급이 없다.

군청으로 옮겨졌던 유물들은 현재 공주국립박물관에 있다.[314]

---

314 공주보승회의 설립에 대한 협의는 처음 1924년에 나와 1925년 6월에 공주보승회가 성립되었다. 하지만 진열관과 유물이 없는 상태라 거의 유명무실했다. 1934년에는 공주

부여에서는 등록고적유물 5건과 미등록의 고적유물로 주의할 5건을 조사했는데 요약하면 대략 다음과 같다.

유물명	등록번호	원소재지	현소재지(1932년)	現狀
평백제탑	42		부여면 동남리	재작년 시찰할 때 목보존시설을 함
석불상	44		부여면 동남리	
유인원기공비	45		부여면 관북리 부소산	
석조	46	부여면 구아리	부여진열관 정원	전년 말 진열관 정원으로 옮김
석조	47	부여면 구아리	부여진열관 정원	전년 말 진열관 정원으로 옮김
문묘	미등록			문묘 내에는 묘당 등이 존하고 문묘 부근에는 초석, 연화대석 등이 민가의 석담, 정원석 등으로 사용되고 있었다.
석조5층탑 1기	미등록		진열관 정내	
석조3층탑 1기	미등록		진열관 정내	
석조여래좌상	미등록		금성산	대정7년도 고적조사보고에 비로사나불이라 하고 고려경의 것이라 하고 있다.

고적보존회가 발족하여 공주 일대에서 발굴한 유물을 모아 전시하고, 1940년 재단법인 공주사적현창회를 조직하여 새로운 출발을 함과 동시에 박물관 설치에 이르게 된다. 1940년 4월에 충청관찰사의 집무관청이던 선화당을 이전하여 공주사적현창회에서 경영함으로서 완전한 박물관의 모습을 갖추게 되었다. 이때 공주군청에 있던 유물들을 이곳으로 옮겨 진열, 이것이 오늘날 국립공주박물관의 전신이다.

유물명	등록번호	원소재지	현소재지(1932년)	現狀
석조여래입상 1구	미등록		금성산	 고이즈미 촉탁 촬영

그 외 부여 능산리의 벽화고분 조사하고, 부여진열관에 있는 개인 소장품 중에 주의할 만한 것으로 유명금동삼존불 1구, 동조여래입상 1구, 금동여래입상 1구 등을 조사했다.

익산에서는 금마면 서고부리에 존하는 미륵사지를 시찰하고 등록 유물 당간지주(등록번호 69)와 석탑(등록번호 70)의 현상을 조사했다.

창녕에서 조사한 등록유물과 미등록유물은 대략 다음과 같다.

유물명	등록번호	현소재지(1932년)	현상
신라진흥왕탁경비	115		비각의 문이 훼손
석조3층탑	156	창녕 술정리	석탑은 기단의 파괴가 심함, 민가의 정(庭)에 접해있고 잡물이 퇴적, 보호시설을 가할 것을 요망
석조석가여래좌상	157	창녕 송현동	
석조지장보살입상	158	창녕 교동	

유물명	등록번호	현소재지(1932년)	현상
석빙고	미등록		현재 입구가 파손되어 조금 완전한 형이 남아 있다. 석빙고 가까이에 "崇禎紀元後再壬戌 二月初一日始四月初十日畢"이라 새긴 비로 재건연대를 알 수 있다.
연화양각대석 1개	미등록		읍의 북방 탁경비의 아래를 통하는 도로의 면에 있는 석담으로 사용
연화양각잔결 1개	미등록		현재 면사무소의 정원 안에 있다.

그 외 1931년 7월 20일 교동 한 사지에서 발견하여 창녕경찰서에 보관하고 있는 김동관형동기金銅管形銅器, 동제품잔결銅製品殘缺의 일군 및 평와平瓦와 낙동 강연안에서 발견한 대옹大甕을 조사했다. 또 읍내 보통학교에 보관하고 있는 불 상전佛像塼 1개, 연화문전蓮花文塼 1개, 봉문와鳳文瓦 1개, 귀면와鬼面瓦 1개, 녹유 천조전綠釉千鳥塼 1개를 조사했다.

1932년 3월 28일

경주 용장사지(茸長寺址)석조불상(보물 제187호)의 수난

용장사지 석조불상은 1923년 봄에 넘어져 그 해 가을에 복구를 했다.

그 후 1932년에 와서 재차 파괴되어 그 해 12월에 복구했다. 1932년 3월 30 일로 경주분관에서 학무국장에게 보고한 '내남면 용장사지 석불도괴에 관한

건'[315]에 의하면, 3월 28일 내남면 용장사지 석불이 도괴되어 다음날 29일 관원 최순봉이 출장하여 조사한 바 어떤 자의 소위로 1층대석에서 상부 전부가 도괴되어 있었다. 즉시 경찰서에 의뢰하여 도괴된 원인 등을 조사 의뢰 조치함을 보고한다는 내용을 담고 있다.

당시 전국적으로 탑이나 고분을 도굴한 예가 성행했던 것에 비추어 본다면, 이 모두가 보물을 도취盜取하기 위해 저질은 불법자들의 소행으로 보여 진다.

수차에 걸친 수난의 역사를 가지고 있다.

석불좌상

1932년 4월 21일

불상 전문절도단 검거

1932년 3월 13일 고령 해인사포교소 불상 도난을 비롯하여 성주군 월항면 정석사와 달성군 옥포면 용연사 불상 도난 등 금년도에만도 4, 5회의 불상 도난사건이 발생했다. 경북 내의 경찰들은 사건 수사를 하던 중 21일 대구에 있

315 『국립중앙박물관 소장 조선총독부박물관 공문서』 목록번호 : 96-159.

는 모 일본인 고물상에서 출처미상의 불상이 있는 것을 발견하고 가택수사를
하여 불상 5체를 압수하고 범인들을 체포했다. 범인 달성군 조대원과 경주 유
이관 등은 대구의 모 일본인 골동상과 결탁하고 사찰 보물을 절취하기로 한 절
도단으로 공모자도 상당히 많은 것 같다고 한다.[316]

1932년 4월 23일

도쿄제실박물관 특별전람회에 낙랑 유물 출품

1932년 4월 23일부터 14일간 도쿄제실박물관(도쿄국립박물관) 표경관에서
'한 및 한 이전 중국 문화에 관한 특별전람회가 개최하게 되어, 조선총독부박물
관에서는 1916년 세키노 일행이 발굴한 대동강면 제9호분에서 출토된 황금제
대구를 비롯한 8점의 유물을 출품 전시한다.

이는 1932년 3월 28일자로 도쿄제실박물관장이 조선총독부 학무국장에게
출품을 요구해옴에 따른 것이다.[317]

---

316 『每日申報』 1932년 4월 25일자.
317 「도쿄제실박물관 특별전람회 박물관 진열품 출품」, 『국립중앙박물관 소장 총독부박물
　　관 공문서』, 목록번호 : 97-진열12.

1932년 4월 26일

광주 증심사 5층석탑에서 각종 유물 발견

광주 무등산 증심사에서는 3월경부터 사내의 대수선공사를 하여 왔는데, 증심사 내의 5층석탑이 퇴폐하여감에 이를 유감으로 여기던 주지 박병운은 이 탑을 중수하던 중 4월 26일에 뜻밖에 탑 속에서 각종 유물을 발견했다. 출토 유물은 석가입상(高 4寸8分) 아미타좌상(高 4寸), 관세음보살입상(高 5寸5分), 철탑 (高 6寸2分), 백옥 등이다.[318]

증심사 5층석탑을 수리하기 전의 사진을 보면 탑이 경내에 정상적으로 보존된 것이 아니라 담장의 일부로 사용 내지는

증심사5층석탑
(국립중앙박물관 소장 유리건판)

버려져 있다시피 한 상태였다. 이를 1932년에 와서 증심사 경내를 수리하는 과정에서 담장을 새로 하면서 5층석탑도 해체하여 옮겼던 것으로 보인다.

이들 중에서 금동석가여래입상과 금동보살입상은 1936년 2월 21일자 조선총독부 고시 69호로 보물 제211호와 212호로 각각 지정되었다.

---

318 『東亞日報』 1932년 5월 10일자; 『每日申報』 1932년 5월 8일자.

『동아일보』 1932년 5월 10일자 기사

증심사5층석탑

이들 불상은 해방 후에 일본인들이 지정한 보물을 그대로 국보로 지정하였는데, 6·25를 겪으면서 분실을 하고 말았다.

6·25 직전인 5월에 김재원, 김원룡, 황수영 등 세 사람은 광주 조선대학에 고미술을 강의하러 갔다가 무등산의 고찰 증심사에 들렀다. 여기에는 국보 제211호인 금동석가여래입상과 국보 제212호인 금동보살입상이 소장되어 있었다. 절에 가보니 주지는 무등산 일대에 공비 출몰이 심해 두 점의 국보 불상을 경찰서로 옮겼다는 것이다. 김관장 일행은 다시 경찰서에 가서 확인해 본즉 과연 경찰서 금고 속에 안전하게 보관되어 있었다. 당시 경찰서장은 부득이한 조치라고 했다는 것이다. 1933년 석탑에서 찾아낸 이 신라불은 마지막으로 본 사람은 이들 3명이었다. 6·25가 일어나자 경찰서장은 금고 속의 불상에 신경을 쓰지 못했고, 휴전 후에 국보를 점검할 때 이미 사라지고 없었다.[319]

---

319 신찬균, 「전쟁통에 무엇이 불타버렸나」, 『전통문화』, 1986년 3월호.

1932년 4월 27일

김천 개령면에서 불상 발견

4월 27일 김천군 개령면 김오준이란 사람이 동제불상을 발견했는데, 이 불상은 4월 30일 대구에 온 총독부박물관 후지타藤田의 감정으로 국보의 가치가 있는 삼국시대의 것으로 판명되어 총독부박물관에 진열하기로 했다.[320] 27일 발견한 불상은 30일에 박물관으로 가져가고, 같은 날 30일에 김은 같은 장소에서 또다시 불상 1구를 발견했다.[321]

1932년 4월

동래 장안사 옥와 파괴

1932년 4월 초에 동래 장안사의 유일한 보물 옥와玉瓦 3개를 도난당한 사건이 있었다. 그간 동래경찰서에서 각방으로 수사를 펼쳐 혐의자 장수룡 등 3명을 체포하여 조사한 결과 범행을 자백 받았다. 주범 장수룡은 장안사에 몰래 숨어들어가 옥와를 훔쳐냈다. 장수룡은 훔친 옥와를 일당과 공모하여 어떤 외

---

320 『每日申報』1932년 5월 3일자.
321 『每日申報』1932년 5월 4일자.

국인에게 3천원에 팔기로 하고 자기 집에 숨겨 두었다. 다음날 돌연 원인도 모르게 둘째 아들이 발병하여 3일 만에 사망하였다. 옛날부터 오래된 유물을 집안으로 들여오면 재앙이 온다는 속설이 있어, 장수룡은 이 원인을 보물 절취에 있다고 믿었다. 그래서 숨겨둔 옥와를 뒷밭으로 가져가 파괴해 버렸다. 동래경찰서에서는 부서진 조각을 모아 경성 모 고고학자에게 감정을 의뢰하였는데 옥와 3개에 싯가 30만 원 이상이라 했다.[322]

사찰의 유물을 훔쳐 사욕을 채우려는 행위도 용서 할 수 없지만, 속설로 인해 사찰의 보물이 파괴되었으니 참으로 아까운 일이 아닐 수 없다.

잃어버렸던 개암사석탑 발견

전남 부안군 개암사開巖寺의 5층석탑은 총독부 조사계에서 조사하여 '고적급 유물'로 등재하여 보존하려던 중에 종적을 잃어버리고 말았다. 그 후 어떤 과정을 거쳤는지 밝혀지지 않았지만 1932년 4월에 군산 일본 요리점 하나쓰기花月의 정원에서 발견되었다. 이는 처음 최학수 옥구군수가 이 요리집 정원에 있는 것을 발견하고 이를 매수하여 개암사에 보존하리라는데 『신한민보』 1932년 6월 2일자에는 다음과 같은 기사가 있다.

---

322 『東亞日報』 1932년 4월 15일자, 19일자.

잃었던 신라시대의 5중탑. 군산 요리점에서, 부안 개암사에 보존

전북 부안군 상서면 개엄사
에 보존하여 두었던 5중탑이
수년전에 어데로인지 없어
져 버려 지방민들은 유감으
로 여겨오던 중 요전에 군산
최학수 씨가 의외에 군산 일
본 요리전 화월의 정원에서
발견하고 동씨가 매수하여

『매일신보』 1932년 4월 29일자 기사

전에 보관해 두었던 부안 개암사에 보내어 보존하기로 하였다는데 그 5중
탑은 신라시대의 유물로 총독부 사적조사계 모 박사가 실지 시찰하고 국
보의 가치가 충분하다고한 귀물이라 한다.

최 군수가 하나쓰기花月요리집의 정원에 있는 석탑이 개암사의 탑이라는 것
을 알아본 것은 최 군수가 옥구군수로 부임해오기 전에는 전남 부안군수로 있
었기 때문에 이 탑을 알아본 것이라고 한다. 당시의 신문기사에는 탑을 매수하
여 개암사로 보내기로 했다는데, 이후 어떻게 진행되었는지 알 수 없다. 현재
개암사에는 1932년 4월에 찾았다는 탑은 보이지 않는다.

평양 대동군 임원면 대성산에 있는 광법사廣法寺에 침입하여 불상 6체를 절
취한 범인을 체포하였다. 범인은 부내 석암리의 김봉손으로 김은 훔친 불상을

고물상에 팔려다가 경찰에게 적발되었다.[323]

1932년 5월 7일

영화9년명전 출토 고분 조사

1932년 4월 26일 평양역 구내 철도노선 간에 작업을 하다가 1기의 전곽분을 발견했는데 이곳에서 영화9년명永和九年銘의 전塼이 나타나 주의를 가지게 되었다. 일시 공사를 중지하고 본부에 보고를 했다.

본부의 지령을 기다리던 중 밤중에 도둑이 들어 전을 몰래 훔쳐가는 사건이 발생하여 이후 도난을 방지하기 위해 2명을 지키게 했다.

평양으로부터 고분 발견의 보고를 받은 총독부에서는 5월 6일에 가야모토 가메지로橧本龜次郎와 노모리 겐野守健을 파견하여 조사케 했다. 5월 7일 아침에

평양역에 도착한 가야모토 등은 도청, 경찰서 및 부립박물관이 협의하여 실지를 시찰하고 오후 1시부터 발굴을 개시하여 14일에 이르러 조사를 완료했다. 이 고분을 가칭 '영화9년재명출토고분' 이라 명명했다.

영화9년명전 출토 고분

323 『東亞日報』 1932년 4월 11일자.

이 고분에서 영화구년재명전永和九年在銘傳, 유환부이식遊環付耳飾 1개, 태환이식太環耳飾 1개, 금동투조금구金銅透彫金具, 골제품骨製品 6개, 철족 3개, 철정 55개, 철환 6개, 철지은장식금구鐵地銀張飾金具 24개, 금동식병金銅飾鋲 3개, 철기잔결鐵器殘缺, 토기편 1개 등이 출토되었다.[324]

교토대학에서 1935년에 발행한 『고고도록』에는 이곳 평양역구내 지하의 전축분에 사용되었던 전이 '도판 32-2'로 게재되어 있는데, '영화구년삼월십일요동한현도태수령동리조永和九年三月十日遼東韓玄菟太守領佟利造'의 명문이 있는 것으로 평양부에서 교토대학에 기증한 것이다.

이 고분과 관련하여 다음과 같은 신문기사가 있다.

평양역 구내에서 2천 년 전 고분 발굴, 영화9년명이 있는 연와가 나와 학계의 귀중한 자료.

평양역 구내 앞에서 지금으로부터 약 2천 년 전의 낙랑고분이 발굴되었다. 평양역에서는 지난 26일 오후 역구내 객차고 앞 공지를 파서 쓰레기 버리는 곳을 만들려고 공사를 하던 중 지하 2척 아래에서 고대 연와가 속속 발견되어 평양운수사무소에서는 평양경찰서와 박물관에 신고를 하여 평양서에서는 동일 오후부터 28일에 이르기까지 부근을 경계하고 평양박물관에서는 히라가平賀 씨가 와서 동 출토품을 조사하여 역전경관파출소

---

324 榧本龜次, 野守健, 「永和九年在銘傳出土古墳調查報告」, 『昭和7年度古蹟調查報告書 第1册』, 朝鮮總督府, 1933.

에 우선 운반하여 두었다가 동일 평양박물관으로 이관하였는데 출토품은 영화3년의 명이 있는 연와로 그 수가 수십 종에 달하며 완전히 발굴될 때에는 학계에 귀중한 자료가 되리라 한다(『중앙일보』1932년 4월 30일자).

평양역 구내에서 현토태수묘 발견, 진귀품 다수 출현

평양역 구내에서 진귀한 약 2천 년 전의 고분이 발견되었다. 동 역에서 26일 오후 구내 객차고 전 공지에서 공사 중 약 3척을 발굴하였는데 고대의 연와가 속출하였었다. 평양운송사무소에서 상위相違없는 고분으로 인정하는 동시 평양경찰서 및 평양박물관에 이 뜻을 급보한 결과 평양경찰서에서는 동일 오후부터 28일까지 철야로 부근을 경계하는 한편 본부박물관으로부터 히라가平賀 씨가 동 28일 아침 평양에 와서 즉시 고분 및 발굴품을 조사하였는데 동 발굴품은 '永和九年三月十日 遙東韓玄兎太守 領屯利造'의 명전銘塼을 필두로 연와 약 십 수 매, 인골치, 기타가 목하 속속 발굴되는 중이다(『매일신보』1932년 5월 1일자).

평양역 구내에서 낙랑고분이 우연히 발굴되었다함은 기보한바 있거니와 동 고분은 과연 학계의 흥미의 초점으로 평양박물관에서 의뢰함에 대하여 본부박물관으로부터 조사하기로 되어 7일 아침 본부촉탁 노모리 겐野守健, 가야모토 가메지로榧本龜次郎 양씨가 래양하여 즉시 고분발굴에 착수하였는데 완전히 발굴하자면 약 10일간을 요한다는 바 동 고분의 내부가 노선 궤조하에 확대되어 있으므로 발굴이 상당히 곤란하여 신중을 요하는 동시 평양철도에서는 위험방지를 위해 일반의 관람을 사절하기로 되었다(『매일신보』1932년 5월 9일자).

평양역 구내에서 고분 1기가 발견되었다. 26일 오후 평양역 구내 객차고 부근의 공지를 이용하여 쓰레기장을 만들려고 공사를 하던 중 지하 2척 내려가면서 기와가 속속 발견되었다. 이에 평양박물관에 알리고 계속 발굴하여 '永和九年三月十日' 명을 기입한 표를 비롯하여 기와 수십매를 발굴했다(『동아일보』1932년 5월 1일자).

영화9년명문자전 탁본

평양역 구내에서 고분이 발견된 것은 기보, 지난 6일 오후 1시부터 발굴에 착수 총독부박물관 노모리野守, 가야모토櫃本 촉탁이 7일 아침에 평양에 도착하여 발굴을 지휘하는 중이다. 완전히 발굴하기까지는 약 10일동안 걸릴 예정이라 한다(『동아일보』1932년 5월 10일자).

1932년 5월 18일

강원도 정선군 남면 낙동리의 신윤묵이라는 농군은 5월 18일 들에 나가 일을 하던 중 밭 가운데서 금불 하나를 발견했다. 불상은 1척7촌 가량의 입상으로 구리에 도금한 것으로 얼굴과 가슴도 도금이 벗겨지고 완은 없다. 정선주재

소에서는 감정을 받기 위해 학무국에 보고를 했다.[325]

1932년 5월 22일

고려 명종 지릉 도굴

1932년 5월 30일자 경기도지사가 조선총독에게 보고한 '고려왕릉 도굴에 관한 건'[326]에 의하면, 1932년 5월 22일 오전 2시경에 장단군 장단면 두매리에 있는 고려왕 명종 지릉이 능침의 후방에 깊이 약 3척 정도로 파여 도굴되었다.

1932년 5월 27일

경주 충효리 고분 발굴

1932년 5월에는 경주읍 상수도 여과지 예정지역으로 충효리가 결정됨에 따라 충효리[327] 구릉에 있는 10여 기의 고분을 긴급 조사하였다. 당시 조사는 조

---

325 『每日申報』1932년 5월 24일자.
326 국립중앙박물관 소장 조선총독부박물관 소장, 목록번호 : 098.
327 경주 忠孝里라는 洞名은 이곳이 신라 때 김유신이 살았던 곳으로 김유신이 충효를 겸
    비하였다고 하여 충효리라 부르게 되었다(大阪金太郎, 「慶州の傳說」, 『朝鮮』, 朝鮮總督

선고적연구회 경주연구소원 아리미츠 교이치有光敎一가 제1호에서 10호까지 10

기의 고분을 조사하였으나 7호분을 제외한 나머지 9기는 이미 모두 도굴의 화

를 당하여 천장석이 떨어져 나가고 석실 상반부가 대부분 파괴되었다.[328] 특히

이러한 횡혈식橫穴式 석실고분은 도굴이 용이한 구조를 가지고 있기 때문에 철

저하게 황폐해 있어 완전한 것은 거의 찾아보기 어려운 상태로, 내용유물에 대

하여 볼 수 있는 것은 극히 드물다고 한다.[329]

제1호분(5월 27일), 제2호분(6월 1일), 제3호분(5월 28일), 제4호분(5월 29일

~30일), 제5호분(5월 31일~6월 5일), 제6호분(6월 5일~6월 10일)

이 발굴조사는 전반기와 후반기로 나누어 조사를 했는데, 전반기에 조사한 6

기의 고분 출토 유물은 다음과 같다.[330]

조사 기간	조사자	조사 고분	출토 유물
1932년 5월 27일 ~ 6월 10일	有光敎一, 藤田亮策, 諸鹿央雄, 崔順鳳	충효리석실고분 제1, 2, 3, 4, 5, 6호분	제1호분 – 鐵製太刀 1개, 刀子 1개, 토기 5점 제2호분 – 토기 2점, 古瓦 24점 제3호분 – 토기 2점, 塼 6점, 와 17점 제5호분 – 鐵鏃 37本 제6호분 – 勾玉 1개, 琉璃小玉 1개, 銀板 1매, 토기 4점

府, 1921년 3월, p.162).

328 有光敎一,「慶州 忠孝里 石室古墳 調査報告」,『昭和7年度 古蹟調査報告』, 朝鮮總督府, 1937.

329 小泉顯夫,「新羅時代の特殊墓制」『朝鮮學報 第21. 22 特輯號』, 1961; 有光敎一,『有光敎一著作集』제3권, 1999.

330 有光敎一,「慶州忠孝里石室古墳調査報告」,『昭和7年度古蹟調査報告書 第2册』, 朝鮮總督府, 1937.

제6호분 출토유물

1932년 5월

석불과 고탑 옮겨 안성공원 시설

경기도 안성읍내의 중앙에 있는 안성공원은 수목이 울창한 중에 조그마한 정자 하나만 있어, 이를 유감으로 생각한 유지의 기부로 공원 안에 있는 못을 개축하고 여러 가지 꽃나무를 심는 한편 정자 3개를 짓고 죽산에 있는 석불과 보개면에 있는 고탑 등을 옮겨오다.[331]

---

331 『每日申報』 1932년 5월 27일자.

불상 전문 절도단 검거

　연초부터 발생한 경북 사찰내의 불상 도난사건을 수사 중이던 경북경찰부 보안과에서 4월에 불상 전문절도단 중 일부를 체포하고, 계속 여죄를 조사하여 경북 성주군 김학보 등 일당 9명을 모두 검거하고 절취한 불상 8구와 고려자기 21점을 압수했다. 이들은 대구의 일본인 골동상과 결탁하여 경북도내의 사찰에 있는 불상을 훔치고 도굴을 한 자들로 밝혀졌다. 찾은 불상 8구는 사찰로 돌려주었으나 찾지 못한 것도 상당수에 달한다고 한다.[332]

1932년 6월 3일

　6월 3일 청량리경성공립농업학교 운동장 개수공사 중 불상 1체를 발굴하다.

『매일신보』 1932년 6월 7일자 기사

---

332 『東亞日報』 1932년 5월 5일자; 『每日申報』 1932년 5월 5일자.

1932년 6월 5일

현충사 중건

현충사의 중건은 1931년 6월 8일 '이충무공유적보존위원회'에서 결의한 사항이다. 현충사의 중건과 아울러 충무공의 유적 유물 보존을 문중에 국한할 것이 아니라 민족적 사업으로 발전시키기 위해 국민적 지지를 이끌어 내고자 하였다.

현충사가 건축되는 동안 이에 봉안할 충무공의 영정은 청전 이상범이 동아일보의 위촉을 받아 제작하였다. 1932년 봄에 고하 송진우는 동아일보 전속 화가인 청전 이상범에게 아산 현충사에 모실 충무공의 영정을 그릴 것을 요청하

충무공 이순신의 영정(청전 이상범 필)

였다. 이상범은 전국에 산재하는 동아일보 지국에 연락하여 대본臺本으로 삼을 만한 충무공의 영정을 물색했지만 불행하게도 발견할 수가 없었다. 이상범은 한산도 제승당에 있는 영정을 사본해오고 통영, 여수 사당에 모신 영정을 보고오기도 하였다. 이와 같은 자료를 토대로 의상은 군복, 크기는 전신좌상이 들어 갈 만한 크기로 결정하였다. 수 차 초를 잡아 송진우를 비롯한 사내 간부들의 의견을 들은 후 비로소 손을 대

어 약 2개월에 걸쳐 완성하였다.

그간에 전하는 충무공의 영정은 여수와 한산도 두 곳에 전하기는 하지만 모사 또는 후인의 가필이 여러 번 이어서 본래의 풍모를 표현한 것으로 보기가 힘들었다. 이상범은 여수와 통영에 가서 영정을 모사하고 민간 사적에 기록된 것을 참조하여 등신대 채색화상으로 조선 재래의 군복을 입고 등채를 들고 교의에 앉은 모습으로 표현하였다.

이상범은 "있는 영정을 노상 참고 아니할 수도 없고 그렇다고 그대로 모사만 할 수 없어서 전설과 책자에 적힌 공의 성격을 참작하여 그리려는데 내 고심이 있습니다. 선비와 같은 온자한 풍모 중 군인의 위엄을 갖추게 하려는 것이 내 의도였습니다" 라고 하였다.[333] 청전 이상범은 일본 연호를 쓰기 싫어서 영정의 뒤쪽을 살짝 뜯고 「檀紀 4265年」이라 적고 다시 풀로 붙였다. 이를 아는 사람은 아주 드물다.[334]

동아일보는 그간의 사정을 1932년 6월 3일자 사설에 다음과 같이 게재하고 있다.

민족적 지정의 결정

1. 지난 해 이맘 때 우연한 기회로 충무공의 위토 경매문제의 발견이 있고 그것을 기회로 전 민족적 지성의 발로를 보게 되어 우리들의 가난한 주머니를 떨어 1만 6천여 원의 성금을 모아 그 위토를 안보하고 그의 유적을 중수하게 되었다. 이 일이 한번 세상에 공개되매 사회의 인사는 기하지 아

333 『東亞日報』 1932년 4월 5일자.
334 『東亞日報』 1967년 4월 1일자.

니하고 뜻을 합하여 유적보전의 소리를 들었고 전토의 대중은 자진하여 금은을 헌정獻呈하였으니 그 민족적 지정의 발현에 있어서는 상하를 묻지 아니하며 해내외와 경향의 구별이 없었으며 빈부의 차가 없었다. 혹은 끼니를 굶어 보내기도 하며, 혹은 의복을 팔고, 혹은 품을 팔아 보내는 이도 있었으며, 한푼 두푼 어린이들의 모은 돈은 실로 1만 7천 원의 한 푼 마다 눈물의 상징이라 함도 과언이 아닐 것이다.

2. 수합금 총액이 1만 6천 원, 보낸 인원이 개인으로 2만 명, 단체로 4백여 단체이었다. 이 돈을 가장 유효히 사용하기 위하여 충무공유적보존회가 조직되고 사회의 인사를 망라한 위원 15명을 선출하여 만전의 방도를 강구하기로 하였다. 그리하여 동회에서는 성금을 가지고 위토채무의 상환, 현충사의 신축, 위토의 증가, 묘소 비각의 수리, 유적보존설비의 완비 등의 사업을 일일이 진행하였다. 그리하여 오는 5일에는 새로 세운 현충사 내에 영정을 봉안하는 의식을 거행하기까지 되었다. 이 현충사야 말로 공의 서거 후 300년에 그 후손이 전 민족적으로 힘을 뭉쳐서 세운 것이니 공의 위대를 기념숭앙記念崇仰하는 가장 적당한 일대 표적임이 틀림없다. 그 단端을 위토 문제에 발하야 그것을 해결했을 뿐 아니라 한 걸음 나아가 이러한 영구적 기념물을 완성하게 되었으니 실로 장하다 아니할 것인가.

3. 이 민족적 지성의 발로에 대하여 본사는 오직 일종의 기구중개물器具仲介物로서의 역할을 맡았을 뿐이다. 본보는 이 문제 발생이래로 전기와 같이 성과 열을 다하여 이에 호응한 해내외의 대중을 향하여 감사함을 마지 아니하는바 또는 보존회의 위원 건축 관계자, 영정 관계자, 기타 이번 일에 음으로 양으로 조력한 모든 어른들께 감사의 뜻을 표하고자 하는 바이

다. 그들은 필시 우리의 감사를 받고저도 아니할 것이며 우리의 감사가 그들에게 있어서 하등 생광生光될 것도 없을 것을 우리는 잘 안다. 2천만 대중은 오직 그가 가진 위령에게 대하여 마땅히 할 의무를 했을 뿐이니 감사를 드릴 여지가 어디 있다고 하랴. 오직 우리는 이 기념할 만한 사업이 아무 지장 없이 예기이상豫期以上의 좋은 성적으로 완성된 것을 대중과 한가지로 축하하자는 생각 아래서 일언을 하는 바이다.

성금을 낸 사람들의 방명은 영구히 보존하기 위하여 그 금액과 씨명이 발표된 동아일보를 영구히 보존하기로 하였다. 그리하여 그들의 방명이 나타나 있는『동아일보』제 3731호부터 제 4024호까지를 충무공의 유물이 보존되어 있는 현충사에 보존하여 두었다.

충무공의 영정 봉안식과 현충사 낙성식은 1932년 6월 5일 아산 백암리에서 거행되었다. 이 행사는 실로 거대한 행사로서 경남철도에서는 각지로부터 모여드는 참배객들을 위하여 6월 5일에는 천안 온양 간에 임시열차를 운행하기까지 했다.

보존회에서는 공의 영정과 현충사 전경, 유물인 검과 친필 일지 등이 담긴 엽서를 발행했다.

현충사 낙성식을 보기 위하여 전국에서 모여든 군중들은 온양온천에서 뱀밭까지 통하는 십리 길은 완전히 장사길을 이루었고 밭 좌우 산까지 인산인해를 이루었다. 이 군중들을 상대로 냉면집, 장국밥집, 탁주집 등 음식점은 물론이고 잡화상, 포목상, 비녀장사, 생선장사까지 몰려들어 넓은 들 가운데에 불시에 노점이 50, 60처나 생겨났다고 한다. 뱀밭 입구에는 자전거 수선소까지 생겼다. 뱀밭 동리에 있는 우물이라는 우물은 전부 말라서 그러지 않아도 혼잡한 중에

목말라하는 군중은 물 한 방울을 얻어 마실 수가 없어서 큰 혼잡을 이루는 반면에 사이다를 비롯한 음료수 장사는 횡재를 하였다고 한다.

종손 이종옥의 집에 임시 모셔 두었던 충무공의 영정을 오전 11시에 보존회 위원장 윤치호를 필두로 하여 보존회위원들의 손으로 요여에 모시자, 이른 새벽부터 각도에서 모여든 3만여 명의 군중은 일제히 경건한 태도를 취하였다. 선두에 햇불 봉축과 등룡 등을 세우고 항렬을 지어 악대가 연주를 하는 가운데 영정은 홍살문을 지나고 현충사 정문을 지나 보존회 위원들과 청전 이상범의 손으로 감실 안에 모시었다.

이어 현충사 정문 앞 광장에 설치한 식장에서 현충사 낙성식을 거행하게 되었

충무공 영정 봉안식 화보(『동아일보』 1932년 6월 7일자)

다. 위원장 윤치호는 "공의 위훈을 전 민족적으로 포창하기는 오늘이 처음이다" 라는 식사를 하고, 동아일보 사장 송진우의 경과보고가 있었다. 이어 백관수의 건축개요에 대한 보고와 유억겸의 결산 보고가 있은 후, 성금 결산표와 건축 개요 등을 인쇄한 인쇄물을 일반에게 배부하였다.

이후 광장에 모인 수만 명의 참배객들은 한번에 5, 6십 명씩 현충사 안에 들어 참배를 하였다.

'중건현충사비문'은 다음과 같다.

중건현충사비문

이충무공은 인종원년 을사 3월 8일 건천동서 나 선조9년에 무과하고 16년에 건원보권관이 되고 전라좌도수군을 처음 거느리기는 24년이니 이듬해는 곳 임진이라 계사에 삼도수군통제사 되고 무술 11월 19일 관음포에서 전사하니라 아산 어름목 산소를 비롯하여 뱀밭 고택과 친히 쓴 일기와 편지와 환도 금대 옥로 다 조선의 받들고 지킬 바이라 간해(그간에) 비로소 공의 유적보존을 구구히 도모함이 실로 황송하도다.

정성의 모됨으로 선저 산소의 향화를 받들도록 하고 이어 고택 이웃에 이집을 지어 공의 화상을 그려 뫼시고 유물을 이에 감추어 두니라 집이 이룬 뒤 마당에 비를 세울 새 위에 공의 생졸년월을 간략히 적고 밑으로 이번일의 대강을 씨 넛사람으로 보게 하노라.

공 나신지 삼백팔십팔년임신오월이일   이충무공유적보존회

이로서 1930년 9월에 시작된 충무공의 위토문제의 시발로 현충사 중건까지의 일련의 과정이 동아일보와 충무공유적보존회의 노력으로 민족적 대단합과 자긍심을 불러일으켰다.

후 일 망중한인(설의식의 필명)은 "이 같이 비를 세우고 영당을 짓고 영정을 모시고 최대한의 정성과 노력으로서 공의 영령을 우리의 심혼 가운데 재현시키려 하였으며 옛날을 미루어 당시의 조선에 새 힘을 넣으려 하였던 것이다"[335]라고 하고 있다.

---

335 『새한민보』 1949년 7월.

이는 일제의 압제 하에서 거족적으로 이루어낸 민족의 단합된 힘을 알게 하였다.

현충사顯忠祠는 처음 1704년 아산 지방 유생들이 숙종에게 사당 건립을 상소하여 1706년에 충무공의 사당을 건립하였다. 숙종은 1707년에 '顯忠祠' 액자를 하사했다.

1727년에는 충무공의 조카인 강민공 이완을, 1732년에는 5대손 충민공 이봉상을 추가 배향했다.

그 후 1868년 대원군의 서원 철폐령으로 인해 사당은 허물고 위패는 매몰되어 향화가 끊기게 되었다. 이때 현충사 건물은 사라졌지만 '현충사'란 편액만은 종가에서 소중히 보관해 왔다.

1905년 을사늑약이 체결되자 자화紫華 맹인원孟仁遠을 비롯한 아산지역 유림들이 일제의 주권침탈에 저항하여 충무공의 뜻을 후세에 전함으로써 민족의식을 선양하기 위해 1906년 2월에 옛 현충사 자리에 '현충사유허비'를 세웠다.[336] 이곳이 바로 1706년 이 충무공의 사당인 현충사가 세워진 곳이다.

---

336 遺墟碑는 중요한 유적이 사라지거나 이전했을 때 최초의 자리를 알리기 위해 세우는 비석이다. '현충사유허비'는 현재 현충사 진입로에서 왼쪽의 충무교육원이 있는 곳에 자리를 하고 있다. 그 동안 '현충사유허비'의 유래는 알려져 있지 않다가 1997년 한 유학자의 문집에서 그 유래가 실려 있어 밝혀지게 되었다. 즉 그 유래는 맹사성의 후손 맹인원(1841~1925)의 유고문집인 『紫華先生文集』에서 '顯忠祠遺墟竪碑告文'과 '薦享祝文'이 실려 있었다. 그의 후손 맹언식 씨가 문집을 발간하기 위해 내용을 살피던 중 현충사 관련 내용이 나와 현충사에 근무하는 송대성 씨에게 문의하게 되어, 송대성 씨의 고찰로 밝혀지게 되었다. 이로써 구 현충사의 철폐 시기가 종전에 알려진 1865년이 아니라 1868년이고 구 현충사는 유허비가 있는 바로 앞쪽에 위치하였음이 밝혀졌다. 송대성 씨는 "병오년(1906)에 유허비를 세운 것은 을사늑약(1905)과 주권침탈에 대한 유림들의 민족의식을 표현한 것이다"고 한다.
참고 : 『온양신문』 1997년 3월 11일자.
　　송대성 씨의 증언(2009년 6월 6일).

민족적 치욕에 분기하여 1932년 6월 5일 현충사 중건을 보게 된 것은 암울한 시기에 추락한 민족의식을 고취하고 민족의 대단합으로 이끈 동아일보와 이충무공유적보존회의 공이 크다 할 수 있지만, 어린아이부터 할아버지까지 남녀노소를 불문하고 일치단결하여 이루어낸 쾌거라 할 수 있다. 이는 암울한 시기에 있어서 피지배국이지만 우리는 할 수 있다는 희망을 주었으며, 민족자존이 살아있다는 것을 보여주는 징표였던 것이다.

1932년 6월 7일

불상 절도범 검거

6월 3일 전남 구례군 화엄사 법당에 안치되어 있는 불상 3체를 어떤 자가 절취하여 갔는데, 7일 구례읍에서 범인 전남 곡성군 죽고면 상계리 박 모외 2명을 체포했다.[337]

1932년 6월 14일

6월 14일 밤에 황해도 신천군 남부면 자혜사에서 불상 1구를 도난당했다. 범

---

337 『每日申報』 1932년 6월 8일자; 『東亞日報』 1932년 6월 8일자.

인은 대웅전 자물쇠를 비틀고 높이 3척2촌 폭 3척 8촌의 불상을 훔쳐갔는데 그 불상은 신라 때 주조한 것이라 한다.[338]

1932년 6월 18일

부산고고회의 《조선도자기전람회》

전시장 모습(『부산일보』 1932년 6월 19일자)

부산고고회 주최로 《조선도자기전람회》가 6월 18일 부산 대창정 박문당博文堂 서점 3층 회장에서 개최되었다. 출품자는 오오타니大谷, 사야마佐山, 다케시타竹下, 하마다濱田, 다카스카高須賀, 미야가와宮川 등 부산고고회 회원들로, 진열품은 사전토기史前土器 150점, 신라토기 110점, 고려자기 150점, 조선자기 200점 계 700여 점이 진열되었다.[339]

338 『東亞日報』 1932년 6월 23일자.
339 『釜山日報』 1932년 6월 19일자.

경주 성덕왕릉이 도굴되다

경주 내동면에 있는 신라 33대 성덕왕릉聖德王陵은 『동경통지』에,

부동도지리府東道只里에 있다. 주위는 석란石欄이 있고 둘레에는 십이신상
을 새겼으나 태반이 무너졌고 문무석인文武石人 각 하나와 석사石獅 둘이 있
다. 비신은 없어졌고 귀부龜趺만 남아 있다.[340]

이라고 기록하고 있는데, 그간 돌봄이 소홀했던 것으로 보인다. 이러한 관리 소
홀을 틈타 1935년 6월 18일 밤부터 북쪽에서 시작하여 중심으로 약 18척이나
파 들어갔는데 6월 22일에야 경주서에서 탐지하여 범인을 탐사하기에 이르렀
으며 파헤쳐진 능을 다시 복구하는 일까지 있었다.[341] 복구 당시에는 동경통지
에 기록된 12지상 중 둘은 사라지고 10상만 남아 있었으며 머리 부분은 잃어
버렸다. 그 중 가장 완전한 신상申像은 경주박물관으로 옮겼다.[342]

---

340 『東京通誌』(黃在炫 譯), 慶州文化院, 1990.
341 『每日申報』1935년 6월 24일자.
342 有光敎一, 「十二支生肖の石彫を繞らした新羅の墳墓」, 『青丘學叢』第25號, 1936, p.78.

1932년 6월 25일

불상 강도 검거

경남 산청군 산청면 월봉산에 있는 나한사羅漢寺에서는 1931년 12월 13일 오전 4시경에 나한석불 3개를 도난당했다. 그리고 경남 산청군 신등면 모례리 정취암靜趣庵에는 지난 1월 26일 밤에 강도 2명이 침입하여 절을 지키고 있던 강강업을 무수히 난타한 후 금불을 강탈 도주하였다. 그동안 경찰에서 수사를 해오던 중 6월 25일에 범인 이 모 등이 산청 정취암과 나한암에서 훔친 불상을 팔다가 함양경찰서 형사에게 적발되어 범인 3명을 검거했다.[343]

1932년 6월

도굴단 검거

경남경찰서에서는 작년 이래 경남 전라도 등지에서 활동하던 대규모의 도굴단을 체포했는데 이들은 도굴한 유물을 일본에까지 팔은 것으로 드러났다. 『매일신보』 1932년 6월 29일자에는 다음과 같은 기사가 있다.

---

343 『東亞日報』 1932년 2월 7일자, 7월 일자.

십여 명 부하를 둔 고분 대 도굴단, 수범首犯은 여관의 주인

경남 경찰부에서는 작년 이래 도내 각 군의 고분을 도굴하여 유물을 절취하는 절도단이 횡행하여 그 피해가 막대하고, 또 지난 17일 밤 산청군 산청면 내리 심적사沈寂寺에 수명의 도적이 침입하여 불상을 강탈한 사건이 있었고, 다시 전북 남원군 아영면 서곡리의 대 고분을 도굴한 절도단이 출현하였다. 그런데 이번 함양경찰서에서 그들 범인을 체포했다. 그들은 창녕군 창녕읍내에서 여관업을 운영하는 일본인 나가니시中西彌—가 부하들을 사용하여 성히 고분을 발굴한 후 고대 귀금속, 도기, 무기 등을 취점하고 있는 것을 탐지하고 주범 나가니시 외 10여 명의 일단을 체포하여 취조중이다. 이들 손으로 도굴 강탈된 유물과 불상은 자못 많아 도쿄제국대학을 비롯하여 오사카, 경성, 대구 방면의 공동애호자들에게 매도한 대음모의 고분 도굴단이라 한다.

1932년 7월 2일

경북 달성군 옥포면 반송동 870번지 용연사 경내에서 7월 2일 땅을 고르는 작업을 하다가 통일신라시대의 동제불상을 발견하였다.[344]

---

344 『東亞日報』 1932년 7월 31일자.

1932년 7월 4일

경주 충효리 고분 후반기 발굴조사

경주읍 상수도 여과지 예정지역으로 충효리가 결정됨에 따라 조선고적연구회의 충효리 후반기 발굴조사는 1932년 7월 4일부터 8월 5일까지 시행되었다. 조사 고분은 전반기에서 시행하지 못했던 충효리 제7호분부터 제10호분까지 4기이다.

이번의 조사 고분은 제7호분(7월 12일~7월 21일), 제8호분(7월 4일~7월 21일), 제9호분(7월 19일~7월 23일), 제10호분(7월 22일~8월 5일)으로 대부분 도굴을 당하여 유물들은 가져가고 일부의 유물들이 흩어져 산란했다.[345]

그 출토유물은 다음과 같다.[346]

충효리 고분군

---

345 有光敎一, 『有光敎一著作集』 제3권, 1999.

346 有光敎一, 「慶州忠孝里石室古墳調査報告」, 『昭和7年度古蹟調査報告書 第2冊』, 朝鮮總督府, 1937.

조사 기간	조사자	조사 고분	출토 유물
1932년 7월4일 ~8월 5일	有光敎一, 藤田亮策, 諸鹿央雄, 崔順鳳	충효리석실고분 제7, 8, 9, 10호분	제7호분-石枕 1개, 石足座 2개, 勾玉 1개, 水晶切子玉 1개, 瓦 8점 9호분-靑銅壺 1점, 土器 1점 제10호분-토기 3점, 金製鉸具 1점, 靑銅鐶座金具 1점

제9호분   제10호분 출토 유물

1932년 7월 19일

가시이 겐타로(香椎源太郎) 소장 불상

『부산일보』 1932년 7월 19일자에는 '부산지명사비장골동품지상전람釜山知名
士秘藏骨董品紙上展覽' 이라 하여 가시이 겐타로香椎源太郎 소장의 불상을 1점 싣고
있다. 해설에는 "본 사진은 금동여래입상으로 통일신라시대 작, 지금으로부터

1천여년 경과한 것으로 불신 1척 7촌의 대물로 15년 전에 우연한 기회에 가시이 씨 손에 들어온 일품" 이라고 설명을 붙이고 있다. 그리고 가시이에 대해서는 그의 소장품에는 서화, 불상, 치물置物, 기타 각 방면의 소장품이 작은 박물관을 보는 것 같다고 하니 그의 수집품이 어느 정도 인지 짐작할 수 있다.

가시이 소장 불상(『부산일보』
1932년 7월 19일자)

조선 태조의 고조 지릉(智陵)이 도굴되다

7월 19일 밤 함안 안변군 서곡면 북방 1리 지점에 있는 조선 태조의 고조 지릉智陵이 도굴되었는데, 안변서에서는 급보을 받고 조사한 결과 범인은 2,3명인 듯 하며 능을 판 모양은 우로 파다가 시멘트로 굳게 묻은 까닭에 다시 옆으로 파가지고 돌을 하나 빼어 내기는 했으나 아무 소득 없이 도주해다고 한다.[347]

---

347 『每日申報』 1932년 7월 24일자.

1932년 7월

총독부 사무규정 개정

1932년 7월에 훈령訓令으로 종교과를 사회과에 합병시켜, 학무국에서 관할하게끔 사무분장규정을 고쳐 동과同課에서 사회사업에 관한 사항은 물론이거니와 종교, 도서관, 박물관, 고적조사 및 보존 등에 관한 사무를 관장하도록 했다.[348]

사회교육과에 관한 기구는 1921년에 처음 형성된 것으로 동 7월에 조선총독부내무국 사회과를 설치하고 사회과는 사회사업과 사회교화의 사무를 취급했다. 1932년에 사회과에 속하는 사무를 2분하여 사회과를 내무국으로 이관하고 사회교육교화의 사무를 학무국에 신설하고 사회교육과에서 이를 취급했다.

사회교육과의 소관업무를 보면,

1. 사회교화에 관한 사항

   (도서관 및 박물관에 관한 사항 포함)

2. 지방개량에 관한 사항

3. 사회체육에 관한 사항

4. 향교 및 향교재산에 관한 사항

5. 종교 및 전릉殿陵에 관한 사항

6. 보물고적명승천연기념물의 조사보존에 관한 사항

7. 교화단체에 관한 사항

---

348 朝鮮總督府,『朝鮮總督府 30年史 (3)』, 1940, p.672.

이상의 업무를 취급하였으며, '6. 보물고적명승천연기념물의 조사보존에 관한 사항'은 학무국 사회과의 고적계에서 맡아 보았는데, 총독부관계 직원표를 보면 고적계 직원은 겸 2명, 기수 1명, 촉탁 10명, 고원 11명 합계 24명으로 구성되어 있다.[349]

이로써 고적조사사업은 더욱 위축되어 거의 빈사 상태에 이르게 되었다. 이렇게 되자 거의 모든 고적조사는 조선고적연구회에 의존하게 된다.

이시무라 신지(石村眞次)의 유물 반출

와세다早稻田대학 이시무라 신지石村眞次는 1932년 7월 초순 1주일을 예정으로 경주를 방문했다. 첫날 천북면 동산리 지대에서 그곳에 산포한 석기 1개, 타제석부 2개, 마제석족 3개, 석검파편 1개, 토기파편 수개를 채집했다. 그 후 괘릉 배후의 구릉 석기 산포지에서 마제석족 3개, 석검파편 2개, 석기 1개, 석시石匙 1개, 토기파편 수개를 채집했다. 이때 채집한 모든 것은 와세다대학 인류학교실로 가져갔다.[350]

경성대 오타니 가쓰마사大谷勝眞는 개인적으로 익산 미륵사지를 조사하고 부근에서 연우사년명延祐四年銘 고와파편을 채집했다.[351]

---

349 朝鮮總督府學務課社會敎育課, 『朝鮮社會敎化要覽』, 1937.
350 大坂金太郎, 「在鮮回顧十題」, 『朝鮮學報』 제45輯, 朝鮮學會, 1967년 10월.
351 大谷勝眞, 「彌勒塔の記」, 『隨筆朝鮮』, 京城雜筆社, 1935.

오타니 가쓰마사大谷勝眞는 『조선인사흥신록』과 『총독부직원록』에 의하면, 1909년 도쿄제국대학 문과대학 조수로 임명되어 근무하다가, 1916년 8월 학습원 강사로 촉탁됨. 1920년 6월 교수로 임용되고, 1922년 9월 교무과장이 되었다. 1926년 4월 경성제국대학 교수로 임명되어 조선에 건너와 법문학부에 근무하며 동양사강좌를 담당했다. 1929년 5월에는 대학 부속도서관장을 명받아 근무했다. 그 사이 1927년 1월부터 2개년 간 영국, 프랑스, 독일, 미국에서 재외연구원으로서 유학하고, 1928년 11월 귀국하여 근무한 것으로 나타나 있다. 1933년에 도서관장직을 사임하고 이후 조선사편수회에 관계했다.

고령 금림왕릉 도굴

경북 고령경찰서에서는 8월 2일에 주산에 있는 금림왕릉이 도굴되었다는 소문을 듣고 도굴범을 수배하는 한편, 그 현장을 조사한바 2, 3주 전에 그 왕릉 속에 묻혀 있는 많은 보물을 가져간 형적이 완연하다고 한다.[352]

수원 화홍문 중수 공사 비난

『매일신보』 1932년 7월 14일자에 다음과 같은 기사가 있다.

---

352 『東亞日報』 1932년 8월 7일자.

고적 개수의 비난

수원에 명승 화홍문은 대정12년(1923) 2회 호우에 유실되고 말았던바 금년 봄에 이르러 총독부에서 6천2백 원을 투입하여 청부업자 요리오카賴岡라는 자에게 청부를 시켜 건축공사에 착수하여 이미 수개월 전에 준공은 되었으나 건축제작 모양도 설계대로 되지 않았을 뿐만 아니라 부연附椽을 늘어지게 달았으며 재목이 모두 생목을 사용하였으므로 벌써 체목體木은 갈라져서 당국 검사에도 통과가 되지 못하였다. 한데 지난 11일 오후에 보승회 임시회의를 개최한 석상에서 화홍문 개축공사 불완전에 대하여 불두도분佛頭塗糞이라고 의론이 분분하였으나 총독부에서 조치할 일이라 하여 그대로 폐회하고 말았다. 일반은 청부업자로서 부정이익을 탐하여 중대한 명승고적에 공사를 이와 같이 부정하게 준공을 하였다고 비난은 점점 고조되어가는 모양이라고 한다.

수원의 화홍문은 1923년 8월에 일주일동안 폭우가 쏟아졌었는데, 8월 23일에는 더욱 심하여 화홍문이 붕괴되어 물살에 쓸려 내려가 형체도 없이 되었다. 그 후 복구를 시도했으나 예산이 없어 무산이 되다가 10여 년간 미루다가,

10년 만에 재생된 화홍문(『동아일보』 1932년 5월 9일자)

1931년에 와서야 수원고적보존회에서 복구를 위한 모금운동을 활발히 전개하여 1931년 10월에 복구를 위한 건축을 입찰에 붙였는데 그 결과 청부업자 요리오카賴岡誠―에게 6천7백 원에 낙찰되었다.

이 공사는 1932년 5월 초에 완공을 보게 되었다. 그런데 문제는 처음 설계대로 하지도 않고 목재조차도 말리지 않은 것으로 사용했으니 이는 완전 엉터리로 복구를 한 것이다. 검사에도 통과하지 못했다고 하는데 수원고적보존회에서 조차 이를 그대로 넘어가고 말았다.[353]

1932년 8월 4일

묘석, 석불, 분재 등 전문 절도단 6명을 8월 4일 대동경찰서에서 검거하였다. 이들은 평양부내 정 모를 비롯한 6명으로 작년 말 조국사照國寺의 석불 1체를 절취하고 부내 각소에서 묘석, 석불 등 수십여 선을 절취하여 외지에 전매한 것이 드러났다.[354]

1932년 8월 15일

대구부 외 달성군 달서면 비산동 일신학원 신축공사장에서 8월 15일 공사를 하다가 신라시대 토기와 금속으로 만든 허리띠장식품 10여 개를 발견하였다.

---

353 『每日申報』 1922년 8월 25일자; 『每日申報』 1931년 10월 19일자; 『每日申報』 1932년 4월 25일자; 『東亞日報』 1932년 5월 9일자.
354 『每日申報』 1932년 8월 9일자.

이 유물들은 도 보안과를 경유하여 총독부박물관으로 송치했다.[355]

1932년 8월 18일

1930년대 공주 일대의 요지 도굴과 공주 학봉리 일대의 출토품이 인기가 치솟자 도쿄박물관 측에서는 1932년 8월 18일자로 계룡산 일대에서 출토한 분청사기를 수십 점을 구입한 건이 보인다.

1932년 8월 21일

경북 상주군 은척면 남곡동 채규진이란 사람은 동네 앞 밭가에서 땅을 파다가 불상 1개를 발견하여 21일에 경북도 보안과에 신고하다.

1932년 8월 27일

양산 통도사에서는 지난 27일 경남 내무부장을 맞이하여 사찰 안내를 하던 중 원효법사의 요령 2개와 천문도 등이 없어진 것을 발견하고 양산경찰서에 신

---

355 『每日申報』 1932년 8월 19일자; 『東亞日報』 1932년 8월 9일자.

고를 하다.[356]

1932년 9월 14일

정백리 127호분(王光墓) 발굴 조사

1932년 9월에는 오바小場, 가야모토榧本 등에 의해 외관상 도굴당하지 않고 내용물이 풍부할 것으로 예상되는 정백리 127호분을 선정하여 1932년 9월 14일부터 11월 5일까지 발굴했다. 그 출토유물은 도기, 칠기, 금속제품, 마구, 무기, 목인, 장검 인골 등 실로 엄청난 180여 점에 달했다.[357]

왕광묘 발굴 장면(『昭和7年度古蹟調査報告』)

356 『東亞日報』1932년 8월 30일자.
357 小場恒吉 外,「貞栢里.南井里二古墳發掘調査報告」,『昭和7年度古蹟調査報告』, 朝鮮古蹟研究會, 1935.

종류	내용	개수	발견장소
陶器類	甕	1	封土中
	甕	2	北室
	甕	2	北西室
	坩	2	北室
	漆塗坩	4	
	坩堝形坩	2	
	黑色坩	4	
漆器類	几	1	서실
	案	2	북실
	案	3	서실
	案	2	서북실
	果盤	5	북실
	果盤	2	북서실
	飯盤	4	서실
	耳杯	54	
	高杯	1	북실
	杓匕	2	북실
	洗	1	서실
	奩	3	서실
	奩	1	북실
	匣	3	서실

---

358 貞柏里 127號墳(王光墓) 西棺에서 出土된 木印은 2개로 그 중 하나의 한 面에는 「樂浪
太守掾王光之印」 이라는 印文이 있고 다른 面에는 「臣光」 이라는 印文이 있었으며, 다른
하나의 木印에는 「王光私印」 이라는 印文이 있었다. 이는 被葬者가 王光으로 官職은 郡
太守의 直屬 下級官吏로 推定되고 있다(小場恒吉,『王光墓』, 朝鮮古蹟研究會, 1935).

종류	내용	개수	발견장소
金屬器類	靑銅製對鉤	2	西棺
	金銅製對鉤	1	西棺
	銀製指環	2	西棺
	銀製指環	3	東棺
	銀金具	一括	西棺
	太山四神鏡	1	西室
	凍治鉛華경	1	西室
	小壺	1	
馬具類	轡	2	북실
	馬面	2	북실
	銅環	2	북실
	鋠	2대	북실
武器	鐵劍	2	西棺
	鐵刀	1	西棺
	刀子	1	西棺
	弩臂	1	西棺
玉石類	釵子	1	東棺
	耳璫	1대	東棺
	心葉形珠	6	東棺
	切子珠	11	東棺
	平珠	1	東棺
	圓珠	1	東棺
	其他珠玉	2	東棺
甲革類		2	西棺

종류	내용	개수	발견장소
木竹類	竹釵	3	東棺
	木印[208]	2	西棺
	木片	1	西棺
	把手	1	북실
	傘蓋	1	북실
	木棒	3	서실
	木竹條	2	서실
	木器	4	북실
	櫛	2	서실
染織類	織物	7	東西棺
	編物	3	東西棺
毛製品	刷子	3	서실
	毛	一括	서실
	筆	1	북실
계		184	

이들 출토유물 중 중요한 일부는 일본으로 가져갔으며, 현재 도쿄국립박물관에 소장되어 있는데, 유물번호 29537~29539(15점)로 기증자는 조선총독부 정무총감으로서 조선고적연구회 이사장을 겸임한 이마이다 기요노리今井田淸德로 등재되어 있다.

9월부터 11월까지 발굴한 낙랑고분에 관련한 다음과 같은 기사가 있다.

낙랑고분 발굴

도쿄미술학교 강사 오바 쓰네키치小場恒吉 씨는 낙랑고분을 발굴하기 위하여

왕광묘 출토 유물(『昭和7年度古蹟調査報告』)

과반 래양한 후 발굴분을 선정 중이던바 대동군 정백리 제127호 고분 및 부근 1개소를 발굴하기로 결정하여 지난 16일 이래 발굴에 착수하였는데, 동소는 4통5달인 만큼 통행인 다수가 상시 주목하는 관계로 도굴의 우려가 없던 만큼 금회 발굴하기로 했는데 상당한 진품이 풍부하게 장치되었으리라고 기대하는 바 동 고분은 목곽분이라 한다(『매일신보』 1932년 9월 23일자).

대동군의 낙랑고분 부장품도 풍부

본부 촉탁의 오바小場, 가야모토榧本 양씨로부터 목하 발굴 중인 대동군 대동강면 정백리의 고분은 천정의 가목이 부패되어 함락되는 동시 부장품 등의 대부분이 파손되고, 칠기와 토기류는 전부 원형도 찾을 수 없이 되었는데 부장품의 내용이 풍부하여 관 등 상당한 귀중품이 금명일간에 발견되리라고 비상히 기대하는데 4일 아침 평양에 온 교토제대 우메하라梅原 교수도 당분간 오바, 가야모토 양씨와 같이 발굴을 행하기로 결정되었는데 2, 3일간 도쿄제실박물관의 야시마 다이스케八島泰助씨가 평양에 견학하는 동시 낙랑고분 발굴을 견학하기 위하여 각지 학자 등이 속속 평양에 온다고 한다(『매일신보』 1932년 10월 8일자).

왕시往時 문화를 자랑하는 낙랑의 고분

낙랑의 추계는 실로 세계 고고학자가 다대한 기대와 주목을 성집하는 고분 발굴 시즌이다. 목하 본부 오바, 가야모토에 의하여 발굴 중인 대동군 대동강면 정백리 127호분은 착수 이래 다수한 발굴품이 있어 부장품 전부의 발굴을 종료하고 금명일 중에 관곽이 개관을 행할 예정이며 또 교토제대 문학부에서 고분 연구의 권위인 우메하라 교수도 목하 대동군 대동강면 조왕리 고분을 발굴하는 중인데 2, 3일 내에는 전곽을 굴출할 수 있도록 진보되었으므로 고고학자가 속속 래양하여 15일에는 교토제대 문학부 하마다 고우사쿠濱田耕作 교수 도쿄제대 문학부 이케우치 히로시池内宏 교수와 동방고고학협회 간사 고바야시小林 씨가 평양에 도착하여 즉시 낙랑고분으로 향하였다. 이외에 도쿄제대 다나카 코타로田中耕太郎 교수가 17일 래양하여 낙랑고분과 강서고분을 시찰하였고 또 핫토리 우노키치服部宇之吉 박사도 2, 3일 중에 평양에 오기로 되었는데 이를 기회로 낙랑문화연구소 설치 문제도 구체화 하리라 하여 비상히 기대되는 중이다(『매일신보』 1932년 10월 20일자).

2천 년 전의 어골을 발굴, 그 외 검과 화장구 등도 발견

부외 정백리에서 제175호 고분 속에서 2천 년 전의 물고기 원형 그대로 뼈가 나타났다. 발굴자인 오바小場, 가야모토榧本 양 촉탁과 교토제대 우메하라(梅原) 교수의 입을 벌려놓았다.

이 무덤은 당시 관속에서는 진귀한 거울, 정교한 그림을 아로새긴 검劍이며 화장구 등 중요한 부장품도 많이 발견되는 우에 그 속에서 물고기 뼈가 원형 그대로 발견된 것이라 한다. 발견된 부장품은 방금 정리하는 중으로 정리가 끝나면 더욱 새로운 연구 재료가 남으리라 한다(『동아일보』 1932년 10월 23일자).

쌍면경, 장검 등 진품 다수 발견

세계의 고고학자의 다대한 기대와 흥미를 끄는 낙랑고분의 발굴은 기보한 바와 같이 대동군 대동강면 정백리와 조왕리에서 사계의 권위자인 보부 촉탁 오바 도쿄미술학교 강사, 가야모토 본부촉탁 및 교토제대 우메하라 교수가 발굴 중인 대동군 대동강면 정백리 제175호 고분[359]은 발굴 착수 이래 다수한 진품이 있었는데 19일 동 고분 내의 침관寢棺을 굴출한 후 만고의 신비를 가진 침관의 개관을 행한 결과 상당히 상류계급자의 분묘로 내에는 쌍면

---

359 『東亞日報』 1932년 10월 23일자와 『每日申報』 10월 26일자 기사에는 정백리 175호 고분을 발굴하여 진귀한 쌍면경, 정교한 그림을 새긴 검, 화장구, 魚骨 등이 출토되었다고 하는데, 127호분의 오기인지 아니면 별도의 고분인지 명확하지 않다.

경雙面鏡 1개, 장검長劍 1개, 화장기化粧器 등을 발견한 외 현재의 물고기와 동형동양의 어골이 원형 그대로 발견되었다. 개관시 입회하였던 일동은 대경대희하여 이런 등의 발굴품을 목하 정리 중인데 이는 학계의 희유한 진품으로 그 연구는 비상히 기대되는 중이다(『매일신보』 1932년 10월 26일자).

이천 년 전의 인골을 발굴, 미인상을 연구하는데 호재료

발굴 중에 있던 정백리 127호 고분 속에서 마침내 완전한 인골을 발견하였다. 이는 조선에서 고분 발굴 이래의 처음 일로 학계에 새로운 연구 재료를 재공하는 귀중한 발견이다. 동 고분 속에서 관은 두 개인데 그 중 남자의 관은 일부가 파손되어 뼈를 발견치 못하고 여자의 관 속에서는 누펴논 시체 그대로의 형상을 보존한 人骨을 발견 하였다. 허리를 매인 붉은 띠완, 골반 등을 보아

이마무라(今村) 의학박사에 의해 진열된 여성의 인골
(『매일신보』 1932년 10월 30일자)

여자의 뼈인 것은 확실하며 신장은 5척 1촌 내지 2촌 가량이겠다고 한다.

그 관과 부장품 등을 미루어 주인공은 2천 년 전 왕공가의 인물인 듯 하며

성은 번씨番氏인 것으로 인정할 물건도 발견되었다.

이에 당시의 미인상을 연구하는데 큰 공헌이 되리라 한다. 이것은 평양에

왔던 경성대 이마무라今村 박사의 손으로 평양의학강습소 해부실에서 청

결히 씻어가지고 이마무라 박사가 휴대하고 경성으로 가져갔다(『동아일

보』1932년 10월 29일자).

제36회 고적조사위원회

제36회 고적조사위원회는 안건에 대한 의견을 구하기 위해 의안 '1932년도

고적조사계획'과 '조선고적연구회에 고분 발굴조사를 허가하는 건'을 회람하였

다. 그 내용은 다음과 같다.[360]

의안1 '1932년도 고적조사계획'

　1. 발굴 조사

　(1) 전라남도 사찰 건축 조사

　(2) 경주 남산 조사

---

360 「제36회 고적조사위원회(1932년 9월 14일 기안)」, 『국립중앙박물관 소장 총독부박물관 공문서』, 목록번호 : 96-280.

(3) 순흥고분 조사

(4) 고령군 성주 고분 조사

2. 보존 수리

갑. 수리

(1) 경주 남산 용장사 불탑 복구

　1923년에 1차 수리 복구를 했는데, 본년도 2, 3월경에 또 다시 파괴되어 복구 수리 예정.

(2) 탑정리5층석탑 복구

　경북 경주 양북면 탑정리에 있는 우수한 신라석탑은 1924년 파괴되어 허물어져 있는 것을 재단법인 경주고적보존회에서 경비를 지출하여 이를 복구할 예정임.

(3) 점제현신사비각 수리

(4) 용강군 매산리 및 신덕리고분 수리

을. 고건축 공사

　전릉 및 고분보존비로 수원 방화수류정, 수원 화서문, 세검정, 산성공원 진남루 등, 경원군 동림산성 비각의 수선을 실시할 예정이다.

3. 출간

『고적도보』13, 『다이쇼大正 12년도 고적조사보고 2-경주 노동리 제4호분 조사보고』, 『쇼와 6년도 고적조사보고 1-경주 황남리 제82호분, 제83호분 조사보고』를 출간할 예정이다.

의안2 '조선고적연구회에 고분 발굴조사를 허가하는 건'은 평안남도 및 경상북도에서의 고분조사에 관한 건은 1932년도 사업으로 승인했다.

1932년 9월 22일

남정리 제119호분 출토 유물

    1932년 9월 가야모토榧本 등은 평양부립박물관 평의원 도미타 신지富田晉二, 도리카이 이코마鳥飼生駒와 함께 발굴 조사할 고분을 선정하기 위해 대동강면 각지를 시찰하던 중 채협총 서쪽에 도굴을 당하여 석실 일부가 노출된 한 고분을 발견하고 남정리 제119호분이라 이름을 붙였다. 그리고 정백리 제127호 고분을 조사하는 중 여가를 이용하여 남정리 제119호분의 내부를 정리 조사했다. 9월 22일부터 작업을 시작하여 9월 29일에 대략 종료했다.

    유물은 대부분 도굴을 당하고, 조사원에 의해 출토된 유물은 다음과 같다.

남정리 제119호분(『정백리.남정리2고분발굴조사보고』)

출토 유물	개수	비고
人骨片	若干	일부 채집
棺材片	若干	일부 채집
鐵貨	4	채집
漆器片	若干	器形不明
漆器片	若干	器形不明
漆耳杯 殘缺	1	채집
漆盤 殘缺	1	
漆器片	若干	
漆器片	若干	
土器片	若干	채집
土器片	若干	1개분

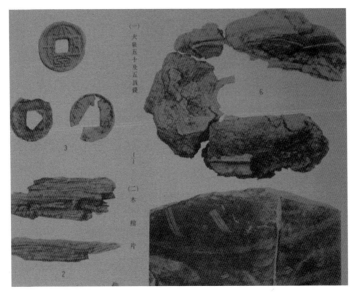

남정리 제119호분 출토 유물(『정백리.남정리 2고분발굴조사보고』)

이곳에서 도기편, 칠기편 외에 인골 치아도 발굴하는데 도쿄제국대학 의학부로 가져갔다.[361]

1932년 9월 23일

경주 황오리 제16호분 발굴 조사

경주 황오리 제16호분 발굴 조사는 아리미츠 교이치有光教一에 의해 발굴조사가 행해졌다. 1932년 9월 23일에 시작하여 12월 23일까지 3개월에 걸쳐 제1곽부터 제9곽까지 조사를 했는데, 한파로 인해 중지를 하고 나머지는 다음해로 미루게 된다. 보통 고분은 1분구 1곽의 고분이 정형인데, 경주 황오리 제16호고분은 1분구 다곽식 구조를 가진 것을 확인하게 되었다.[362]

황오리 제16호고분의 발굴은 이듬해 1933년 8월에 계속되지만 그 결과물인 자세한 조사보고서를 작성하지 않았기 때문에 자세한 내막을 알 수 없다. 단지 당시의 신문기사 정도만 나타나 있어 이하는 신문기사를 게재한다.

1932년 10월에는 조선고적연구회의 사업으로 경주 황남리 고분을 10월 4일

---

361 小場恒吉 外,「貞栢里 南井里 2古墳 發掘調査報告」,『昭和 7年度 古蹟調査報告』, 朝鮮
    古蹟研究會, 1935, 參照.
362 有光敎一,「私の朝鮮考古學」,『朝鮮學史始め』, 靑丘文化史, 1997; 有光敎一,『有光敎一
    著作集』제3권, 1999.

부터 10월 23일까지 교토대학 교수 도쿠다德田에 의해 발굴 조사가 되어 청동관을 비롯하여 상당한 유물이 출토되었다고 한다. 하지만 여기에 대한 조사보고서도 보이지 않고 단지 동아일보 기사에만 간략하게 그 출토 유물만 나타나 있으며, 출토 유물은 다음과 같다.[363]

조사 기간	조사자	조사 고분	출토 유물	비고
1932년 10월 4일 ~ 10월 23일	德田 (경도 제국대 교수)	황남리 고분	靑銅製冠 1개, 黃金製耳飾 1대, 翡翠勾玉 1개, 靑銅製馬鐸 1개, 靑銅製蕉斗 1대, 靑銅製鞍 1대, 銀製釜 2개, 土器杯 3개, 銀製帶 1개, 白樺製品 다수, 馬鈴 25개, 기타 약간	유물은 황오리 16호분에서 출토된 것으로 보이지만, 이 처럼 많은 유물이 출토되었음에도 불구하고 다른 보고서 등에 나타나지 않은 것이 의문이다.

『동아일보』1932년 10월 28일자 기사

조선고적연구회에서는 경주 황남리의 부부형 고분을 발굴하여 그 중 한 곳에서 다수한 고물이 나왔다. 지난 19일부터 나머지 고분을 발굴하였는데 부부형夫婦型 고분의 외형은 1기인데 내부는 5기로 되어 있고 부부형고분에서 출토된 유물은 다음과 같다.

純金製耳飾 2個, 靑銅製 溫斗 1個, 靑銅製 鼎 1個, 靑銅冠 1個, 環, 頭柄, 太

363 『東亞日報』1932년 10월 28일자.

刀, 異形土器, 銀製腰飾 等(『동아일보』 1932년 11월 5일자).

문자를 조각한 진귀한 마탁馬鐸 경주고분에서 발견

경주 황오리에서 유광 문학사가 발굴 중
인 신라 적석총도 벌써 2기의 발굴을 종
료하고 4일 오후에 이르러 마침 경주 체
재 시찰 중이던 매원 강사가 현장을 떠나
역으로 간 뒤에 마조 1개가 적석 중에서
출현함으로 살펴보니 양면에 문자가 있었
다. 일면에는 종으로 '大富昌'의 3자가 있
고, 이면에는 '㠯半羊' 3자가 있었다(『매일
신보』 1932년 11월 8일자).

신라시대의 죽롱竹籠을 발굴, 경주읍 황오리에서

경주 황오리에서 발굴 조사 중인 고분도 벌써 2기의 발굴을 종료하고 과
일래過日來 북측 인접의 1기를 발굴 중 18일에는 관곽의 부분에 달하여 토
기와 청동제초두, 철부鐵釜, 마구, 도검 등의 유물을 속속 발견한 바 18일
오후에 철부의 측면에서 죽롱이 나왔다. 신라의 고분으로부터 죽롱이 발
견되기는 처음이라 한다(『매일신보』 1932년 11월 23일자).

순금제 이식 2대, 금동관, 무기 등을 발굴하고 계속해서 제5곽으로 옮김
(『경성일보』 1932년 12월 1일자).

『매일신보』1932년 12월 2일자 기사

한천에도 계속 발굴 조사 중인 경주 황오리 고분내 제4곽의 유물층으로부터 기보와 같이 진귀한 죽롱竹籠을 발굴하고 학계에 새로운 연구자료를 제공한바 조사진척에 반하여 부장품으로 다시 진귀한 청동제합과 철부와 각종 토기를 발굴하고 관내 두부에서 금동관, 이개耳介, 대환과 세환식의 순금제2대의 이식, 요부에서 은제과대와 요패구, 완부에서 옥천玉釧, 관측에서 환두태도, 기타무기를 다수 발견하였다(『매일신보』 1932년 12월 2일자).

고신라의 고분 속에서 아직 전례가 없는 다수한 칠기를 발굴하여 학계의 신자료로 제공한 경주 황오리 고분 중 제5곽의 조사를 마친 유광 연구원은 휴식할 사이도 없이 그 동남의 일각에 나타난 적석을 제거하였던바 지반에서 약 3척되는 곳에 또 다시 새로운 1곽이 있음을 발견하고 발굴을 계속하여 신라자기와 각종 유물을 발견하였다. 더욱이 토제의 완구와 방수차가 다수 발견되었으므로 부인의 분묘로 추정되었던바 6일 아침 곽부를 조사하던 중 두부에는 관을 인견치 못하였으나 양 귀부분에 미려한 수식을 2개씩 달은 순금제태환의 이환耳環과 순금제의 교묘한 소령을 각 11개씩 따로 그 끝에 비취의 구옥을 붙인 진귀한 이환을 발견하였으며 또 흉부에서

유리환옥을 씌이고 그 끝
에 녹색의 짙은 화려한 비
취 구옥勾玉을 달은 경환頸
環과 의류의 장식품인듯한
다수한 운모편이 등부분으
로부터 허리 사이에 있는
것을 발견하였다. 전기한
소령을 달은 이환을 위시
하여 다수한 운모편雲母片으
로 아직 그 예를 보지 못한

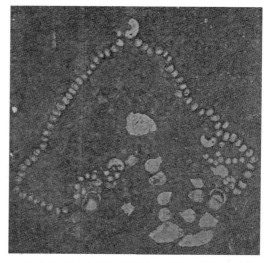

발견된 이환과 운모편(『매일신보』 1932년 12월 11일자)

것이며 유광씨의 지적한 금구 밑에서 여하한 장식품이 발견될까 흥미를
끌게 한다(사진은 발견된 이환과 운모편)(『매일신보』 1932년 12월 11일자).

1932년 9월 24일

전남 고흥군 고흥면 등암리 발견 불상

발견한 불상

1933년 3월 15일부 전라남도지사가 학무국장에
게 보낸 '유물 발견에 관한 건'(全南保, 제1369호)
에 의하면, 1932년 9월 24일 고흥군 고흥면 호형
리 승려 주광섭이 고흥면 등암리 김상률 소유 임

아에서 불좌상 1체를 발견했다. 불체 내에서는 부패한 지편이 나왔는데 '康熙'의 연호와 고흥군 금탑사金塔寺 및 불상의 봉납자로 추정되는 씨명 등이 있었다.

1932년 9월 28일

9월 28일 안주읍 칠불사의 벽을 파괴하고 내부에 안치한 불상을 누가 훔쳐 달아났다.[364]

1932년 10월 1일

《조선고서화진장품전》

조선미술관 주최 동아일보 후원으로 1932년 10월 1일에《조선고서화진장품전 朝鮮古書畫珍藏品展》이 개최되었다. 고서화 진열품의 총수는 184점으로 작가의 총 수가 1천4백여 명으로 이는 제1회 보다도 오히려 양과 질로서 우수하다 할 수 있다.

당시 동아일보에 게재한 오봉빈의 '조선고서화 진장품전을 열면서' 라는 제하의 글은 당시 한국 고서화의 소재를 밝히는데 중요한 참고가 되고 있다. 다음은 그 일부이다.

---

364 『每日申報』 1932년 10월 3일자.

『동아일보』 1932년 9월 29일자 기사

박재표 씨가 출품한 이상좌, 강희안의 작품은 이미 세상에서 정평 있는 신품이며, 박창훈 박사가 출품한 '동한류편東翰類編'은 고 具?書씨가 일생동안 고심 수집한 바로 이조 초 황희로부터 말기 김옥균, 김홍집, 민영환까지 명상, 명장, 학자, 문인을 총망라하여 500년간 1천2백여 인의 친필 수한手翰이니 역사상으로 일대 문헌이라 하겠습니다. 모리 고이치森悟—씨 출품의 김명국 '달마상'과 이인문 '선면산수扇面山水'는 작품이 신묘할 뿐 아니라 보존까지 잘되어 드문 명작이며, 박영철 씨 출품의 사, 농, 공, 상의 고풍을 각각 사생한 단원의 '사민도四民圖'는 명작으로 풍속화 참고로 애중할 일품입니다. 김대현金大鉉 씨의 출품인 완당 예서대련과 행서10폭병풍은 완당 작품 중에서도 역작일 것이며, 김용진 씨 출품의 완당 '계산무진溪山無盡' 대액大額은 누가 보든지 신운이 요동하는 듯합니다. 손재형 씨 출품의 이재관의 '신선각', '월하독서도'는 매우 선명한 작품입니다. 이재관은 단원에 불하不下하는 명수로 이와 같은 명작이 손 씨의 수중에 들게 된 것은 그

이가 무던히 고서화에 열중하는 줄 알 것입니다.

박영철 씨 출품의 '신라고려명인서첩'은 서도 대가 오세창 씨가 반생의 시일을 허비하여 고심 역집한 『근역서화징』의 제1집인데 신라 김생, 최치원, 고려 강감찬, 길재 선생 등 30여 명의 명현 유묵을 집대성한 국보편이라 해도 과언이 아닐 듯합니다.

이한복 씨 출품의 겸재, 완당, 석파의 작품은 묘품妙品 중의 묘품이라 할 것이며, 함석태 씨의 단원 '구룡폭九龍暴'은 이소능대以小凌大의 일품일 것이며, 이갑수 씨의 대원군 '묵란'은 작자가 난초대왕이니 만치 재미있는 작품입니다. 이진억 씨의 현재 '산수대련'은 현재의 대폭산수가 귀중한 중에 어렵게 볼 수 있는 작품입니다. 단원 이후에 단원이 없다는 말을 빌면 오원 이후 오원만한 대가가 아직 출현치 않았다 할 수 있습니다. 그런 중에 이병직 씨의 오원 '횡폭산수'와 김은호 씨 출품인 오원 '인물산수병'은 족히 그의 대표작이라 할 것입니다.

자화자찬이나 미술관 출품의 겸재 '경성팔경도병'도 장내에 이채를 방放하는 듯 합니다.[365]

조선미술관은 오봉빈이 개인적으로 운영하는 사설 컬렉션과 같은 성격을 띤 개인 미술관으로 1929년에 설립하여 1930년대에서 1940년대 초까지 한국서화 전람회를 주도해 왔다 할 수 있다. 1938년에는 이왕가박물관과 총독부박물관 에서까지 출품을 하여 《조선명보전람회》를 열고 『조선명보전람회도록』 까지

---

365 『東亞日報』 1932년 10월 3일, 4일자.

발간을 하였는데 개인 미술관에서 이
와 같은 큰일 했다는 것은 놀라운 일
이 아닐 수 없다.

그가 "본관 역시 적지 않은 정신과
물질을 희생하여 자주 전람회를 개최
하는 것도 고예술사상을 고취하는 일
방一方 명작진품을 1당에 진열하여 고
미술품에 대한 감식안과 진정한 인식
을 제공코자함입니다" 라고 그의 뜻을

'매림유거도'(조석진 필)
오봉빈 구장

밝힌 것처럼 대단한 사명감을 가지고 미술관을 운영하였다.

1932년 10월 7일

《완당유묵일품전관회》

1932년 10월 7일부터 10일까지 4일간 경성 미츠코시三越백화점에서 완당 김
정희의 유묵일품전관회를 개최하였다. 이번 전람회에 출진한 작품은 80여 점
에 달했으며, 추사 관련 자료가 일시에 전시되기는 처음이다. 그 출품 목록 중
주요한 것을 보면 대략 다음과 같다.[366]

366 中村榮孝,「阮堂遺墨遺品の展觀」,『靑丘學叢』 제10호, 靑丘學會, 1932년 11월.

품명	筆者	소장자	비고
東坡笠屐圖	阮堂 金正喜 筆	鮎貝房之進	
漁山吳歷東坡笠屐圖	吳歷	鮎貝房之進	阮堂 舊藏
無垢淨光大陁羅尼經		鮎貝房之進	阮堂 舊藏品으로 창림사 탑에서 나온 것임
禮堂手寫檀弓 1권		鮎貝房之進	
髦?도		鮎貝房之進	
秋景山水圖	朱鶴年 필	鮎貝房之進	阮堂 舊藏
新羅鍪藏寺碑圖		稻葉岩吉	
翁覃溪重撫天冠山題咏		稻葉岩吉	阮堂 舊藏
黃草嶺眞興王巡狩碑 탁본		稻葉岩吉	
眞興王碑閣額面 拓本		稻葉岩吉	
般若波羅密多心經	김정희 필	瀨戶潔	
蘭花	김정희 필	瀨戶潔	
古經堂隷額	金正喜 筆	張澤相	
漁樂野嬉隷額	金正喜 筆	張澤相	
行書屏風	金正喜 筆	張澤相	
墨蘭圖 외 12점	金正喜 筆	張澤相	
阮堂書翁覃溪手札題贊		藤塚鄰	
歲寒圖 및 自序	金正喜 筆	藤塚鄰	
阮堂題跋化度寺邕禪師塔銘		藤塚鄰	
阮堂寄李藕船書	金正喜 筆	藤塚鄰	
肅雲從畫山水竝阮堂題辭 3幅	金正喜 筆	藤塚鄰	
阮堂題辭桐廬淸課	金正喜 筆	藤塚鄰	
阮堂手批門人詩稿		藤塚鄰	

품명	筆者	소장자	비고
阮堂書詩家妙諦三句		藤塚鄰	
阮堂書名泉品第		藤塚鄰	
淸汪喜孫著尙友記 4卷		藤塚鄰	阮堂 舊藏
淸汪喜孫寄阮堂書		藤塚鄰	
阮堂書秋毫帖	金正喜 筆	藤塚鄰	
阮堂筆山水圖	金正喜 筆	末松熊彦	
芝蘭並芬扇面圖	金正喜 筆	德光美福	간송미술관 소장
阮堂手札帖		李漢福	
阮堂書各體帖		李漢福	
墨蘭圖	金正喜 筆	李漢福	
阮堂遺印		李漢福	

* 후지즈카 지카시(藤塚隣)의 추사 자료 수집

경성대 교수였던 후지즈카 지카시藤塚隣는 추사 관련 자료를 가장 많이 수집하였다.

그의 집안은 누대에 걸쳐 서적을 수집하여 「명산문고名山文庫」에 보관하였는데 그 부수만도 수만에 이르렀다고 한다. 그러나 소위 명치유신 때 가운이 쇠하여 그 많은 서적들이 사방으로 흩어졌으며 후지즈카 지카시藤塚隣대에는 누대에 걸쳐 수집한 서적은 수백 책만이 잔존했었다고 한다.

그는 자타가 공인하는 책벌레로 책을 워낙 좋아해 1921년 청조의 경학을 연구하기 위해 2년간 북경에 머무는 동안에 유리창 서각을 뒤지며 구입한 서적만도 수만 권에 달했다고 한다. 사학자 이마니시 류今西龍가 죽었을 때 후지즈카

박제가 필 '정성공계령의모도
(鄭成功髻齡依母圖)'
후지즈카 구장

는 그 추도사에서 이마니시가 조선관계 서적 수집에
열의를 가진 점에 대해 존숭을 표하기도 하였으며
후지즈카 역시 이를 본받으려 하였다.[367]

그는 북경에서 자료 수집을 하는 동안 청나라 자
료에서 박수기朴修其라는 조선학자가 청나라 유학자
들과 깊은 교유가 있었다는 것을 발견하게 되었으
며, 박제가의 자가 수기라는 사실까지 알게 되었다.
이 때 박제가라는 이름 석 자가 후지즈카의 머리속
에 깊이 자리하게 되었다.

그가 한국과 인연을 맺은 것은 1926년 경성제국
대학이 창설되자 이곳에서 중국철학을 강의하면서
부터였다. 이후 한국에 있으면서 여가가 나면 책방
을 뒤져 서적과 귀중한 자료를 수집하였다. 그가 중
시하여 수집 한 것은 청유淸儒들과 교류한 박제가朴
齊家, 이덕무李德懋, 유득공柳得恭, 홍대용洪大容 등이
청유들과 주고받은 서적이며 편지 등의 귀중한 자료
들이었다. 그리고 특히 그가 중시했던 사람은 박제
가로서 우연히 한남서림에서 사가집四家集이라는 서
적을 입수하게 된 것이 계기가 되었다.

이 책에는 청의 이조원李調元, 반정균潘庭筠 두 명현의 서문이 있고 또한 비평

---

367 藤塚鄰, 「故 今西龍 敎授 追悼の辭」, 『京城帝大史學會會報』 제3호, 1934년 9월.

까지 있는 책이다. 그제서야 박제가가 비범한 영재임을 깨달은 그는 박제가에 관한 자료수집에 열중하여 박제가의 시집, 문집, 북학의, 청유와의 왕래한 시문과 편지를 엮은 서적, 박제가의 인물화까지 닥치는 대로 수집하였다.

『조선고적도보』 14권에는 그가 수집한 박제가 필 '정성공계령의모도鄭成功髻齡依母圖'가 실려 있다. 이 그림은 명말 청초에 반청복명 투쟁으로 이름을 떨친 정성공의 소시적의 모습을 그린 것이다. 그림의 화제에는 그림의 해설과 박제가가 그림을 모사한 경위를 적고 있다.[368]

후지즈카의 소장으로 있다가 어떤 경로를 거쳤는지 밝혀지지 않았으나 그간 유엔한국협회 고문인 한표욱이란 사람이 입수하여 외교관으로 있을 당시 공관에 전시하였다고 한다. 1998년에 한 옹이 국립중앙박물관에 기증하였다.

박제가와 관련한 자료를 수집하는 과정에서 차츰 추사의 중요성을 깨닫게 되고 나중에는 추사의 연구에 몰두하게 되었다. 이후 추사의 연구에 일생을 바쳤다 해도 과언이 아닐 정도로 열정적이었는데, 그 동기를 다음과 같이 밝히고 있다.

특히 박제가의 제자로서 조선 500년 역사상 보기 드문 영물 완당 김정희가 출현하여 연에 들어가서 옹담계翁覃溪, 완예대阮藝臺 두 경사經師를 알게 되고 여러 명현들과 왕래하여 청조학문의 핵심을 잡아 귀국하자 조선의 학

368 명나라 말엽 鄭芝龍이 일본인의 사위가 되어, 아들 成功을 낳았다. 그 뒤 芝龍은 고향으로 돌아가고, 성공은 어미에게 의지하여 일본에 남아 있었다. 우리나라 최씨가 예술로서 일본에 노닐면서 그 眞影을 그려 畫本을 남겨두었는데, 지금 최씨의 집안에는 아무도 없고, 그 화본은 우리 스승댁에 보존되기로 臨仿하였다. 그 중 옷을 걷어잡고 단정히 앉은 것은 芝龍의 처, 일본 安女요, 더벅머리 어린 아이가 칼을 차고 遊戲하는 것은 성공이다. 朴齊家 修其는 그리고, 사실 마저 기록한다(劉復烈 編著, 『韓國繪畫大觀』에서).

계는 '실사구시'의 학문에로 빠른 진전을 보여 오백 년 내 보지 못하였던 새로운 일면을 나타내게 되었다. 오랫동안 조선의 학계를 일컬어 송명의 말기적 학문 이외는 아무것도 없다고 하고, 청조문화가 동방으로 유입되었다는 데 대해서는 거의 이를 인정하지 않았던 것은 실로 편협한 견해였음을 알게 됨과 동시에 이 중대한 문제를 연구하는 것이 매우 긴요한 일임을 통감하였다. 또한 나는 청조경학연구를 평생의 목표이자 의무로 믿고 있었기 때문에 과거 10년간 갖은 애를 다 쓰고 힘을 다하여 자료를 수집한 결과 서적이 천여 권, 서간, 서화탁본류가 천 점에 달했다. 물론 이 정도를 가지고 충분하다는 것은 아니지만 우선은 이들 자료에 의거하여 특히 청조학 대성의 제일인자인 김완당을 중심으로 하는 조선조에 있어서의 청조문화 이입의 자취를 연핵研覈하고 아울러 양국 학자간의 교유를 설명하고 문적과 탁본이 동서로 오고 갔음을 서술하여 그동안 거의 돌아보지 않았던 조선학계의 존경스러운 일면을 찬연히 드러내 보이고자 노력하였다.[369]

1916년에 그가 한국에 와서 10여 년간 수집한 서적이 1000여 부, 서간과 탁본이 1000여 점에 달했다고 하니 이는 각고의 노력이 아니고는 개인이 직접 발로 뛰어 수집하기가 여간 힘든 것이 아니다.

그는 청조문화를 연구하는 과정에서,

완당은 조선조 500년의 학단學壇에 있어서 뛰어난 존재였다. 참으로 청조

---

369 藤塚隣, 『秋史 金正喜 또 다른 얼굴』, 譯者 朴熙永, 아카데미하우스, 1994.

문화의 핵심을 파악하고 경학의 깊은 곳까지 이르고 새로이 정의 실사구시의 학문을 조선에서 창명唱明하여 송명말소宋明末疎의 폐단에 빠진 편협하고 고고枯槁한 누풍陋風에 거탄을 던져 혁혁한 하나의 면을 전개한 위대한 학적學績으로서의 완당은 확실히 제 일인자라고 말하지 않을 수 없다.

라고 극찬을 하고 있으니, 추사의 학문에 매료되지 않을 수 없었던 것이다. 후지즈카는 추사에 대한 연구에 일생을 바쳤으며 추사를 대학자로 대서예가로 한 단계 높이는데 있어서 이론적 바탕을 만들었다고 하여도 과언이 아닐 것이다.

『매일신보』 1944년 11월 3일자 기사

1944년에는 문화공로상을 수상하게 되는데 그 공로의 요점은 동양 정신의 구명究明이요 추사의 연구에 있었다.『매일신보』1944년 11월 3일자에는 다음과 같은 기사가 있다.

동양정신의 구명究明

주옥같은 김완당의 연구, 후지즈카 지카시藤塚隣 씨

후지즈카藤塚隣 씨는 미야기현宮城縣 宮城郡 출생으로 오랫동안 경성제국대학 법문학부 철학강좌를 담당하여 유의한 인물들을 많이 양성하여 내는 동시에 본부 시학원으로서 널리 조선 내 중등교육에 끼친바 공헌이 크다.

학술 우에 남긴 씨의 공적을 말하면 주로 유교를 중심으로 하여 동양정신을 구명하기에 노력한 것을 첫손가락에 꼽아야 할 것이다. 논문으로는 『이조시대 청조문화의 이입移入과 김완당金阮堂』이 있는데 씨는 이 논문으로써 문학박사의 학위를 얻었다.

후지즈카 박사는 현재 도쿄도로 이사하고 있는데 당시 함께 있던 아마노天野 교수는 박사의 기쁨을 대신하여 다음과 같이 말하였다.

"후지즈카 박사가 이번 표창을 받게된 것은 박사가 남긴 학계의 공로로 보아 당연하다고 생각한다, 그 뒤 박사는 한서漢書를 어진장御珍藏하였다고 들었는데 이번 표창에는 감격하고 있을 것이다"

장택상이 후지즈카에게 보낸 편지

후지즈카는 한국 수장가들과도 상당한 친분을 가졌던 것 같다. 특히 추사를 연구하고 자료를 수집하는데 있어서 한국인이라 할지라도 몸을 낮추고 배움과 도움을 받은 것으로 보인다.

2006년 기증해온 후지즈카의 소장품을 과천문화원에서 전시를 하였다. 전시품 중에는 장택상이 후지즈카에게 보낸 '판전板殿' 사진과 편지글이 전시되었다. 그 해설판에,

후지즈카는 추사를 연구하면서 일본인 학자나 장서가의 도움을 받았을 뿐아니라 우리나라의 손재형, 이한복, 이병직, 박영철 등 많

은 지인에게 도움을 받았다. <板殿> 현판 사진은 당대의 대수장가이자 해방 후 수도청장을 지낸 장택상이 후지즈카에게 보낸 것이다. 장택상은 후지즈카에게 추사 글씨의 특징과 소재처를 편지로 알려 줌으로써 추사 연구에 도움을 주었다. 당시 두 사람의 관계를 알 수 있는 자료이다.

라 하고 있다. 해설판에서 거론하는 인명은 모두 한국에서는 내 노라는 수장가들이다. 이는 후지즈카가 추사 관련 자료 수집에 심혈을 쏟는 과정에서 자연히 가까워진 수장가들이다.

그는 중국의 고서거리와 한국의 고서적상들을 돌면서 추사와 관계되는 문헌과 유품 등을 보이는 대로 수집 소장하였는데 이 속에 바로 추사의 '세한도'가 들어 있었다.

* 고경당古經堂 예액隷額

장택상이 출품한 고경당古經堂 예액隷額은 후에 이병직에게 넘어갔다. 이병직은 평소 서재의 4면에 좋아하는 서화를 걸어 놓고 책상 옆에는 아담한 소나무 분재를 놓고 책 읽기를 좋아했다고 한다. 그리고 서재의 정면에는 '고경당古經堂' 추사의 액자를 걸어 놓았다고 한다. '고경당' 이란 글씨는 이병직이 가장 좋아하는 글씨로 그 전아하고 우미한 필치에 감복하였다고 하며, 너무나 아낀 나머지 자기의 집을 고경당이라 한 것은 바로 이 글씨에 감복한 탓이라고 한다.

* 지란병분선면도芝蘭並芬扇面圖

지란병분선면도芝蘭並芬扇面圖는 경성의대 도쿠미츠 요시토미德光美福 교수가 출품한 부채 그림이다. 이 선면에는 '지난병분 희이여묵芝蘭並芬 戱以餘墨' 이라

써서 "영지의 향이 그윽해 남은 먹으로 붓을 놀려 보았다"는 뜻을 전하고 있는 것이다. 이 선면에는 추사 외에도 권돈인의 찬사와 흥선 대원군 등의 제문題文이 있는 격이 높은 것이다.

도쿠미츠 요시토미德光美福는 1921년 경성의학전문학교 교수로 한국에 건너왔다. 1926년부터 경성대학 교수로 재직하였다. 그는 서화에 미치다시피 한 자로 주로 소품을 모아서 수장을 하였다. 도쿠미츠가 가지고 있던 그림 중에서도 추사가 부채에 그린 선면扇面그림은 대단히 귀한 것인데 도쿠미츠가 5원을 주고 싸게 구입한 것이지만 무척 아끼던 것이다.

이 전시회에서 선면그림을 발견한 장택상은 이순황에게 어떻게 하든지 이 선면 그림을 매입할 수 있도록 해달라고 했다.

이순황은 간송으로부터 한남서림을 맡아 운영을 하였지만 그의 본업은 서화골동의 거간이다. 거간이라는 것은 항상 수집가들의 가까이에서 골동의 정보를 주고 매매를 성사시킴으로 해서 그에 대한 댓가를 챙기는 것이다.

추사 필 선면그림 '지란병분', 간송미술관 소장

이순황 역시 간송의 전문 거간으로서 한남서림으로 들어오는 서화를 간송미술관에 수장케 하는 일등공신이기도 하지만, 그는 어디까지나 장사치기 이다. 많은 수장가들과 접촉을 하면서 이익이 있는 곳이면 어디든지 뛰어들어 서화 골동의 매매를 중재하였던 것이다. 그와 접촉하는 수장가들이 당연히 많을 수밖에 없었으며 장택상도 그의 단골 중의 한 사람이었다.

거간들은 그의 고객을 위해 온갖 간교한 수단을 다 사용하여 자신의 이익을 추구하기 마련이다. 이순황은 도쿠미츠德光를 만나 "산값의 열배를 줄 터이니 내놓으시오"라고 하였다. 도쿠미츠가 결정을 하지 않자 "이까짓 선면 그림은 얼마든지 구할 수 있으니, 정 원한다면 비슷한 것으로 다시 구해 드리리다"고 약속을 하였다. 도쿠미츠는 이것을 넘겨주는 대신 이와 같은 그림을 구해준다는 약속에 산값의 열배를 받고 넘겨주었다. 하지만 장사치기들의 빈 말은 끝내 지켜지지 않았다. 후일 도쿠미츠가 이순황을 만나 이 약속을 꺼내려 하면 이순황은 자리를 피했다고 한다.

장택상의 소장으로 있던 이 선면 그림은 몇 해 지나지 않아 1939년에 경성미술구락부를 통한 경매에서 간송이 700원에 경락시켰다. 장택상은 50원에 사서 15배 가량의 이득을 남긴 것이다. 간송이 '지란병분芝蘭竝芬'을 입수하자 위창은 보관 상자에, "권이재權彝齋: 敦仁, 홍애사洪靄士: 祐吉 및 석파노인石坡老人: 大院君의 제자題字가 있는데 보화각이 새로 거둬들였다. 기묘년 봄 오세창이 상자에 관서한다"라고 기록하였다.

박병래는 "해방이 되자 도쿠미츠도 그가 소장한 많은 서화 골동품을 일본으로 반출할 수 없음을 알고 헐값으로 일반 수장가들에게 넘기려 했으나 마땅히

나서는 사람이 없어 이리저리 흩어졌다"고 하는데 그 소재가 명확하지 않다.[370]

* 이나바 이와키치稲葉岩吉의 수집품

조선총독부 수사관 이나바 이와키치稲葉岩吉도 김정희의 관계품을 많이 수장하였다. 이번 전시회에 추사가 탁본한 신라무장사비도新羅鍪藏寺碑圖, 완당논서소품阮堂論書小品, 진흥왕순수비액면탁본眞興王巡狩碑額面拓本, 옹담계중무천관산제영翁覃溪重撫天冠山題咏을 출품 하였다.

1931년에 간행한 『청구학총』 제4호 권수卷首에는 '영모도' 1점이 도판이 실려 있다. 해설에 의하면, 조선 숙종, 영조 때 좌상을 지낸 조태억趙泰億이 그린 것으로 후손에 의해 전해 오다가 최근에 이르러 이나바稲葉가 입수하였다고 한다.[371]

이나바는 서화뿐만 아니라 특히 한국고서적을 많이 수집하였다. 1932년 10월에 경성대부속도서관에서 개최한 《조선활자인쇄자료전람회》에는 그가 소장한 조선 초에 간행한 금속활자본 『대명일통지大明一統志』가 출품되어 주목을 받았다.[372] 1932년 10월에 개최한 《조선고지도전람회》에서는 석각 '화이도華夷圖' 탁본을 출품하였다.[373] 1934년에는 경성대불교청년회에서 개최한 《조선불교전적전람회》에 고려 충숙왕원년에 간행한 『천태사교의집해天台四敎儀集解』와 고려 고종45년에 간행한 『선림보훈禪林寶訓』을 비롯한 4종을 출품하기도 했다.[374]

---

370 정규홍, 『유랑의 문화재』, 학연문화사, 2009.

371 靑丘學會, 「彙報」, 『靑丘學叢』 제10호, 靑丘學會, 1932년 11월.

372 末松熊彦, 「朝鮮活字印刷資料の展觀」, 『靑丘學叢』 제6호, 靑丘學會, 1931년 12월.

373 靑丘學會, 「朝鮮古地圖展觀」, 『靑丘學叢』 제10호, 靑丘學會, 1932년 11월.

374 靑丘學會, 「彙報」, 『靑丘學叢』 제17호, 靑丘學會, 1934년 8월.

1932년 10월 15일

《조선고지도전관(朝鮮古地圖展觀)》

1932년 10월 15일에는 경성대부속도서관에서 《조선고지도전관》이 개최되었다. 규장각소장본 등 백수 십 점이 전시되었는데, 그 중 일본 기관과 개인 수장품을 보면 다음과 같다.[375]

품명	찬자	소장자	비고
華夷圖		稻葉岩吉	1137년 拓本
皇明與地之圖		東北帝國大學	명 1631 重刊
皇明與地之圖		神宮文庫	명 1631년
東國輿地勝覽	盧思愼 等	京都帝國大學	연산군5년 改輯本
新增東國輿地勝覽	盧思愼 等	今西春秋	중종25년 改輯本
朝鮮地圖帖		中村拓	刊1帖, 折本, 天下總圖, 中國圖, 日本國圖, 琉球國圖, 東國八道總圖 및 各道圖의 13圖
地圖寶		中村榮孝	天下圖, 中國圖, 日本國圖, 琉球國圖, 東國八道總圖
朝鮮地圖帖		中村拓	
輿地圖		奧平武彦	天下圖, 中國圖, 日本國圖, 琉球國圖, 東國八道總圖
地圖		中村拓	天下總圖, 中國圖, 日本國圖, 琉球國圖, 東國八道總圖 및 各道圖의 13圖

---

375 「《朝鮮古地圖展觀》」,『靑丘學叢』제10호, 靑丘學會, 1932년 11월.

품명	찬자	소장자	비고
天下地圖		中村拓	小型地圖帖
朝鮮總圖		中村拓	
輿地圖		中村拓	彩色 折本
朝鮮地圖帖		奧平武彦	天下總圖, 中國圖, 朝鮮各道圖 10枚
天下總圖		中村榮孝	天下總圖, 中國圖, 朝鮮各道圖 10圖
朝鮮地圖帖		奧平武彦	刊 1卷, 朝鮮各道圖, 天下圖, 中國圖, 日本國圖, 琉球國圖 12圖
朝鮮地圖帖		中村拓	1帖, 朝鮮各道圖
朝鮮八道輿地圖		法隆寺	寫 彩色, 여백에「倭人朝京道路」
朝鮮地圖		中村拓	巴里國民圖書館本을 謄寫
朝鮮國八道地圖		中村拓	1750년 作,
天下餘地圖		中村拓	1745년 刊
三國通覽圖說		藤塚鄰	1786년 刊
三國通覽輿地路程全圖		藤塚鄰	1785년 刊
朝鮮國全圖		東北帝國大學	
青丘關海防圖		中村拓	寫 彩色
朝鮮圖		中村拓	寫 彩色
八道圖	鄭尙驥	鄭寅普	
道里圖標		中村拓	
海左全圖		中村拓	
青丘圖	金正浩	權悳奎	1834년
大東輿地圖	金正浩	大谷勝眞	1861년
都城地圖		所田省吾	1751년
輿地全圖	南懷仁	稻葉岩吉	1675년 刊

1932년 10월 17일

불상 도적 검거

평양부내 신양리 169번지의 김관보란 자는 한춘택, 서성리, 이춘화 등과 공모한 후 황해도 은율군 월성사에서 금불상 2개를 절취하고, 계속하여 안주군내 칠불사의 불상 1개를 절취했다. 이들은 훔친 불상을 평양부내 모 고물상에서 팔아 3인이 분배 소비한 것이 발각되어 17일 오후에 김관보, 한춘택 등이 체포되었다.[376]

1932년 10월 26일

박문사 낙성식을 가지다

낙성식落成式은 1932년 10월 26일 우가키 잇세이宇垣一城 총독, 박영효 등 2천여 명이 참석한 가운데 가졌다.

1929년에 당시 정무총감 고다마兒玉가 박문사博文寺건립을 발

박문사(『매일신보』 1932년 9월 25일자)

---

376 『每日申報』 1932년 10월 21일자.

기하여[377] "이토 히로부미伊藤博文의 훈업勳業(?)을 영구히 후세에 기념하기 위하여"라고 하면서 1931년 4월 조선총독으로부터 재단법인 이토 히로부미기념회의 설립허가를 받아 특지가의 기부에 의한 자금으로 사업을 추진하여 장춘단공원의 동부의 송림이 뛰어난 지역 41,882평에 총 경비 27만 5천원을 들여 박문사博文寺를 건립하였다.

일부의 건물을 경복궁내의 선원전璿源殿 내지 부속건물에서 이축하였으며, 정문은 경희궁의 정문인 흥화문興化門을 1932년에 이축했다.

박문사가 들어선 이곳 장춘단공원 일대는 원래 영조英祖 중기에 도성 남방南方의 수비를 위하여 남소영南小營이라 부르는 병영이 있었던 곳이다. 을미년乙未年 명성황후 시해사건 때 충사忠死한 궁내부대신 이경직李耕稙, 시위대侍衛隊 홍계훈洪啓薰 그 외 나라를 위해 목숨을 바친 충신忠臣 열사烈士를 위해 1900년 4월 9일에 고종高宗의 친필親筆로 '장충단奬忠壇'이란 3자의 비를 세우고 사당을 지어 매년 춘추에 제를 지내던 곳이다. 일제는 1908년부터 대일감정對日感情의 악

---

377 博文寺의 建立은 兒玉이 發起를 하였으나, 이러한 기운은 이미 隆熙3年부터 친일 매국자들로부터 시작되었다.
憲機第2164號(明治42년 11월 10일), '伊藤公頌德碑建立 件'과 憲機第2165號(明治42년 11월 10일), '在京城 韓字新聞團의 伊藤公 追悼會 開催協議 件'(『總督府文書』, 國史編纂委員會, 1999)에 의하면, 추도회 개최협의 건에 柳瑾, 崔永年, 吳世昌, 李人稙 등의 이름도 나타나 있다.
『大韓每日申報』, 隆熙3년 11월 6일자에는 다음과 같은 기사가 있다.
"추도회를 11월 4일 장충단에서 대집회하여 관민학도 7, 8천인이 추도의 예를 표했으며........ 白成基 기타 모씨 등이 발기하여 이등박문의 송덕비를 세우려고 주선 중이라....... 또 동상발기 閔泳雨, 李敏英 등 20인은 이등의 동상을 만들고자 발기하고 취지서까지 頒布하얏다더라."

화를 이유로 제사를 금지시키고 1919년 6월에는 주변에 많은 벚꽃을 심고 공원화 하여 장충단공원이라 했다. 일제가 조선의 충혼이 깃든 이곳에 조선의 역대왕들의 어진御眞을 모셨던 건물인 선원전璿源殿 건물 등으로 조선을 함몰시킨 원흉의 명복을 비는 박문사를 건립한데에는 민족자존을 짓밟고 민족혼을 말살하려는 저의가 있었던 것이다.

1932년 10월

10월에 건춘문의 서북의 선원전璿源殿을 뜯어 동사헌정 박문사의 고리庫裡로 옮겨지었다. 기타 욱정 1정목, 앵정정 2정목, 강기정 등에 산견한 조선식 웅장한 건물은 이때 이축한 것이 많다.[378]

선원전(『조선고적도보』)

---

378 京畿道 編纂, 『京畿地方の名勝史蹟』, 朝鮮地方行政學會 發行, 1937, p.82.

공주 송산리(松山里) 제8호분 발굴

가루베 지온輕部慈恩이 완전한 분墳이라고 하는 것은 가칭假稱 송산리松山里 제 8호분으로 이 고분은 송산리 제4호분 직하直下 10미터 정도의 장소로 제4호분 의 배분陪墳으로 보고 있으며 이는 오랜 세월 동안 표면이 씻기어져 외관상 고 분으로 생각하지 않았는데 1932년 10월 27일 전 백제왕릉傳 百濟王陵 제4호분의 참도신설공사參道新設工事 중 우연히 발견하여 가루베輕部가 직접 발굴하였다.

출토유물은 구옥勾玉 1개, 이식용금환耳飾用金環 1개, 순금제산치옥純金製山梔玉 6 개, 흑색연편옥黑色練平玉 4개, 녹색파리제소옥綠色玻璃製小玉 1천여 개, 황색파리제 소옥黃色玻璃製小玉 약 3백여 개, 소두색파리제소옥小豆色玻璃製小玉 36개, 은제엽형 장신구銀製葉形裝身具 5개, 자감색파리제소옥紫紺色玻璃製小玉 약 150여 개, 철정鐵釘

송산리 제8호분(고고학잡지 제2-4에 의함)

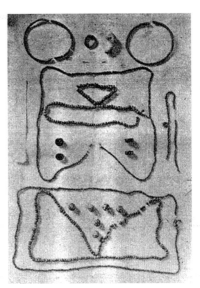

송산리 제8호분 출토 유물
(고고학잡지 제2-4에 의함)

약 40개, 감형도기坩形陶器 4개, 감형토기坩形土器 1개 등으로 기록하고 있으며,[379] 출토상태의 사진은 그의 저서『백제미술百濟美術』에 도판圖版으로 실려 있다.

이 출토유물은 "오랫동안 공주군청에 보존되어 있다가 최근 공주박물관에 보관하여 진열하고 있다"[380]고 하나 무엇이 어떻게 보관되었는지에 대해서는 정확히 알 수 없다.

경주 장항리 석탑 복원

경주 양북면 장항리의 폐사지에 남아있는 쌍탑은 통일신라기 문화가 최고조에 달하였던 성덕왕대에 제작된 것으로[381] 천여 년 간 그 당당한 모습을 고스란히 유지해 왔다. 그러나 동탑은 1917년 이전에 도괴되었으며, 서탑은 1923년에 탑 내의 보물을 노리는 도굴배들의 손아귀를 벗어나지 못하고 결국 파괴당하였다.[382]

파괴된 후의 모습을 후지시마藤島의 기록[383]에는,

서에는 먼저 도괴된 석탑이 있고 그 동쪽의 당지堂址에는 그 단석壇石과 팔각형 불좌석이 남아 있다. 또 동쪽에는 벼랑이 있어 직하直下 백 척의 깊은 계곡에 석탑파편이 있다. 탑신부는 멀리 계곡 밑의 하원河原에 전락顚落되어 있다.

---

379 輕部慈恩,「公州に於ける百濟古墳」,『考古學雜誌』24卷 9號, 1934년 9월.
380 經部慈恩,『百濟美術』, 寶雲舍, 1946, p.131.
381 高裕燮,『韓國塔婆研究』.
382 앞 1923년 4월 28일조 참조.
383 藤島亥治郎,「朝鮮建築史論(其二)」,『建築雜誌』(第44輯 第534號), 1930. p.202.

장항리 서탑 도괴 상태

고 하고 있다. 탑 내에 납입納入한 보물을 훔치기 위해 한 행위이다. 특히 서탑
은 폭탄으로 이것을 폭파하여 후지시마藤島가 촬영한 사진(제137도 1929년 8월
촬영)을 보면 동쪽으로 무참히 횡도橫倒되어 있었다.

　1932년에 경주고적보존회에서 서탑 재건을 결정하여 그 해 10월부터 11월까
지 후지시마藤島의 감독 하에 재건공사를 하였다. 당시 다음과 같은 관련 신문
기사가 있다.

　오중탑 복구 등 보존사업 토의, 경주보존회에서
　경북고적보존회 평의회는 10일 오후 2시부터 도지사실에서 25명 출석으
　로 예산에 대하여 심의하였는데 대체에 있어서 전년과 같이 6천7백 원으
　로 전년 연속사업의 경주군 양북면 탑정동 소재의 오중탑의 복구사업을
　하여 유람객 초치招致에 노력하리라 는바 작년의 유람객을 보면 2만 5천명
　으로 5천인의 증가이다(『매일신보』 1932년 6월 13일자).

경주군 양북면 탐곡리의 5중탑 복구復舊

신라 고적의 석탑 중 대표적인 경주군 양북면 탑정리의 오중탑 복구공사
는 도쿄대 후지시마藤島 조교수가 현장감독이 되어 18일부터 공사에 착수
하였다(『매일신보』 1932년 10월 23일자).

경주의 오중탑, 8년 만에 재건

10월 중순 이래 경주고적보존회 본년도
의 사업으로 도쿄대 공학교수 후지시마
藤島씨 지도로 공사 중이던 경주 양북면
장항리의 탑정리 오중탑은 신라시대 석
탑 중에도 나원리 오중탑 35척에 다음
가는 고탑高塔으로 초층에는 양각한 금
강역사의 상이 있는바 지난 대정14년 춘
석탑 중 보물을 연적涎賊코자 파괴한 것
을 개수한 것이다(『매일신보』 1932년 12
월 10일자).

공사 중인 장항리 서탑
(『매일신보』 1932년 12월 10일)

장항리석탑 재건에 동원된 인원은 경주 지역의 목수와 일본인 거중기 기사
그리고 민간인 등 10여 명이었다. 당시 최남주와 후지시마는 장항리에서 많이
떨어진 민가에서 방을 빌려 숙식을 해결하였는데, 그 생활이 많이 힘들었는지
후지시마는 다음과 같이 기술하고 있다.

공사 기간 중 우리들의 숙사는 사지의 대지를 내려가서, 물의 흐름을 따라 내려간 곳에 있는 조그만 부락 가운데의 한 민가였다. 연일 맵고, 변화 없는 한국 식사를 하고서, 종일 가을 햇볕을 쬐며, 인부들의 애조 띤 맞춤소리를 듣는다. 때로는 스케치를 하거나 하며 기분을 달래지만, 산중의 고독한 속의 단조로운 생활은 견딜 수가 없다. 산을 내려가 감포의 일본 여관에서 하룻밤을 보낸 때도 있었다.

<중략>

단 한 가지 재미있는 일이 있었다. 노루를 잡았다고 하기에 가보았더니 길가의 돌담 위에 뻗어 있었다. <중략> 목을 잘랐다. 검붉은 피가 꽐꽐 솟아 나온다. 사람들은 다투어 그 피를 사발에 받아서 마시고 있다.[384]

이런 일로 인해 후지시마는 "한국의 시골생활에 대한 좋은 추억거리를 만들었다"고 최남주에게 들려주었다고 한다.

재건공사 중에 탑 주변을 함께 발굴하여 탑 상륜부에 해당하는 탑재와 사리용기 안에 수장되었던 것으로 보이는 옥석玉石 하나와 귀와鬼瓦 등을 수습收拾하였다.[385] 4층과 5층옥개석이 조금 파손되고 상륜 일부만이 소실되었을 뿐 거의 완전한 모습을 하고 있다.

---

384 藤島亥治郎, 『韓의 建築文化』李光魯 譯, 技文堂, 1986, p.154.
385 藤島亥治郎, 『韓의 建築文化』李光魯 譯, 技文堂, 1986.
　　藤島亥治郎, 「韓文化探訪の追想」, 『朝鮮學事始め』, 靑丘文化社, 1997.

동탑은 이 사지의 동방 계곡에 전락되어 있던 석재를 1966년 2월 전부 인양하여 그것을 다시 9월에 서탑으로부터 10미터 동편에 복원했다.

현재 서5층탑은 비교적 원형을 갖추고 있으나 동5층탑은 기단 위에 초층탑신과 1층과 5층까지의 옥개석만을 쌓아 놓은 형태로 보존하고 있다.

동탑 잔석(1929.8)(『조선건축사론』)

복원한 현재의 모습

* 장항리 불상

이곳 금당지金堂址의 중앙에 위치하는 불상좌대佛像座臺는 1920년대 초기에 불법자들의 손에 의해 폭파되어 후방 3분의 1이 주변에 흩어졌다.[386] 불상좌대에 놓여 졌을 것으로 추정되는 불상단편佛像斷片은 1932년 경주 고적보존회의 사업으로 장항리 5층석탑 수리복원시에 경주분관으로 이 단편들을 반입搬入하였다.

당시 불상단편을 발굴한 후지시마 가이지로藤島亥治郎의 기록에 "그것은 보기에도 무참히 파손되어 고의로 파묻은 것처럼 보였다. 발견된 것은 7개이며 이것으로는 완전히 복원 할 수 없다. 그것은 4.83미터 높이의 입상이다. 무참히 둘로 쪼개진 얼굴을 둘로 합하면 거의 완전하게 된다. 참으로 고상하고 우아하며 원

1929년 2월 장항리 불상대좌(『고고학잡지』 23권10호, 1933년 10월)

---

386 藤島亥治郎,「慶州を中心とせる新羅時代 佛座論」,『考古學雜誌』 23-10, 1933년 10월, 圖版 第 30.

불상대좌석(현재의 모습)

만하고 자비스러운 상이다"[387]라고 하고 있다.

그 후에도 금당지의 전면前面 부근에서 단편
이 출토되었고 해방이후에도 불상의 단편이 발
견되어 단편의 수도 대소 13개에 이르게 되었다.
이들은 모두 금당지 근처에서 발견된 점으로 보
아 금당지 중앙에 있는 팔각석조대좌 위에 놓여
졌던 이 절의 본존불이었을 것으로 추정되고 있
다.[388] 여래상 머리의 놀라운 조각 수법과 광배

장항리불상(경주박물관 정원에 소재)

387 藤島亥治郎, 『韓의 建築文化』李光魯譯, 技文堂, 1986.
388 大西修也, 「獐項里廢寺 出土의 石造如來像의 復原과 造成年代」, 『考古美術』125號, 韓
國美術史學會, 1975년 3월.

에 있는 화불火佛의 조각 등이 뛰어난 걸작이자 거상으로 제작 시기는 8세기 후반으로 추정되고 있다.[389] 현재 국립경주박물관 북쪽 뜰에 전시되어 있다.

『매일신보』 1932년 11월 3일자 기사

파리박물관에 진열할 분청사기와 고와

10월에 파리박물관에서 특파한 제앗칸 박사는 경주 불국사를 시찰하고, 부산에서는 부산고고회 미야카와宮川 등의 안내로 부산 등지를 시찰하고 파리박물관에 진열하기 위하여 분청사기와 고와 2개를 매입하여 10월 29일 밤에 일본으로 향하였다.

1932년 11월 18일

대동군 대동강면 일대 낙랑고분 도굴 상황 조사

조선총독부 촉탁 사세 나오에佐瀬直衛 등은 대동군 대동강면 일대 낙랑시대 고분들의 도굴 상황을 조사한 후 1932년 11월 18일 복명서를 제출했는데 각 고

---

389 장충식, 『한국의 탑』, 일지사, 1989; 진홍섭, 『경주의 고적』, 열화당, 1975.

분의 도굴 피해 상황이 표로 정리되어 있다.

고분의 도굴 피해 상황

동리명	고분 번호	古墳 種別	피해년월일(추정)
정백리	253	塼槨	1932년 6월경
정백리	254	木槨	1931년 중
정백리	205	木槨	1931년 중
정백리	239	塼槨	1932년 5월경
정백리	227	塼槨	1932년 7월경
정백리	224	木槨	1932년 6월경
정백리	223	木槨	1932년 6월경
정백리	228	塼槨	1931년 중
정백리	222	木槨	1932년 7월경
정백리	221	塼槨	1932년 7월경
정백리	217	塼槨	1930년 중
정벡리	299	塼槨	1931년 2월 중
정백리	288	木槨	1932년 7월경
정백리	290	木槨	1932년 5월경
정백리	294	木槨	1931년 11월경
정백리	296	塼槨	1932년 7월경
정백리	298	塼槨	1931년 중
정백리	301	塼槨	1931년 중
정백리	225	木槨	1932년 8월경
석암리	4	木槨	1931년 중
석암리	5	木槨	1931년 중

동리명	고분 번호	古墳 種別	피해년월일(추정)
석암리	29	塼槨	1932년 6월경
석암리	28	塼槨	1932년 6월경
석암리	34	塼槨	1932년 6월경
석암리	45	塼槨	1932년 5월경
석암리	96	塼槨	1932년 7월경
석암리	97	塼槨	1931년 중
석암리	98	塼槨	1931년 중
석암리	129	塼槨	1932년 7월경
석암리	128	木槨	1931년 중
석암리	130	木槨	1931년 중
석암리	131	塼槨	1932년 7월경
석암리	136	塼槨	1931년 중
석암리	137	塼槨	1931년 중
석암리	153	塼槨	1931년 중
석암리	261	塼槨	1931년 중
석암리	266	塼槨	1931년 중
조왕리	54	木槨	1932년 9월

당시 신문에는 다음과 같은 기사가 있다.

낙랑고분 도굴, 금후 엄중 취체取締, 처녀분은 거의 없어져

항상 도굴 문제로 성가신 낙랑고분에 대한 학자 측의 의견은 처녀분만은 발

견하는대로 발굴하여 연구한 뒤에 경성이나 평양의 박물관에 진열하기로

한 모양이나 목하 문제가 되어 있는 처녀분이 과연 몇 개나 남아 있는 지 혹은 30여 개라고 하나 경찰 측의 비공식 조사로는 처녀분이 거의 없다고까지 말하는바 만일 경비가 허락한다면 매년 세 자리 혹은 다섯 자리를 발굴한다고 할지라도 30자리이면 6년 내지 10년의 세월은 요할 터이므로 그간에 더욱더욱 그 성과 즉 고고적 가치가 높혀 가는 출토품에 대하여 토민의 도굴은 더욱 심하리라 예

『매일신보』1932년 11월 3일자 기사

상되므로 그간의 경계가 문제이다. 현재의 낙랑주재소 외에 전임 순시원을 3명 내지 5명 가량 배치하여 극력으로 야간의 순시를 행하여 도굴을 방지하자는 안이 일부에서 떠드는 중이나 경비의 출처에 대하여 문제가 되어 있다. 특히 최근에 도굴된 고물은 종래와 같이 평양 방면의 수집가에게는 한 개도 완전한 것이 들어오지 아니하고 대다수는 경성 혹은 동경 방면의 상인이나 부호의 손에 떨어지는 모양인데 당국에서는 이런 도굴품의 행방을 탐방하여 철저적으로 취체를 할 방침이라 한다(『중앙일보』1932년 11월 15일자).

낙랑고분 엄중 감시 명령

평양 부외 대동강면에 널려 있는 정백리29기, 석암리 18기, 조왕리 1기의

낙랑고분은 얼마전에 총독부 직원이 평양 와 조사를 한 결과 최근에 도굴
당한 형적이 있다고 28일부 총독부 학무국과 경무국으로부터 평남도지사
에게 낙랑고분 도굴에 대하여 엄중히 취체하라고 통첩이 있었다는데 도
당국으로서도 경찰부에 명하여 금후 일층 엄중한 감시를 행하기로 되었다
한다(『중앙일보』 1932년 12월 2일자).

1932년 11월 25일

요코타 고로(橫田五郎)의 소장품 경매

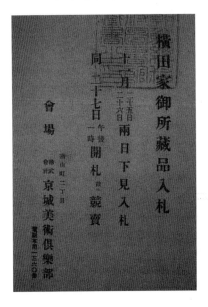

1932년에 경성미술구락부에서 요코타 고로橫田五郎의 소장품을 전시 경매를
하였는데 『횡전가어소장품입찰목록』을 보
면, 1932년 11월 25일부터 26일까지 전시
를 하고 27일에 경매를 하였다. 서화, 청
자, 백자, 불상 등 220여 점이 출품되었는
데 이중에는 우수한 고려청자가 단연 많
은 양을 차지하였다.

조선총독부 고등법원장 요코다 고로橫
田五郎는 1898년에 동경제국대학 법과대
학을 졸업 한 후 동경재판소에 근무하다
가 1919년 조선총독부 법무국장에 임명되

어 한국에 건너왔다.[390] 한국에 있는
동안 한국 고미술품을 다양하게 수
집을 하였다.

요코타

1932년 11월

**백제시대 유물 발견으로 박물관 건
설 기운이 일어나다**

　공주읍에서 박제왕릉이 있는 산성공원으로 통하는 도로공사를 하던 중 백
제시대의 유물이 발견되자 공주박물관을 설립하자는 의견들이 나오게 되었다.
다음과 같은 기사가 있다.

　백제시대 진귀품 발견
　박물관 건설의 계획
　(공주) 공주읍내로부터 백제시대 왕릉에 통하는 자동차 교통도로는 계속
　하여 개수 중인데 지난 10년 전에 시굴하였다는 고분을 발굴하다가 각종
　구슬 등의 진귀한 고물을 발견하였고, 또 그 고분으로부터 50미터 떨어져
　있는 지점에서 반괴되어 있는 조그마한 고분을 발견하여 발굴하였던바 또

390　朝鮮新聞社 編纂,『朝鮮人事興信錄』, 朝鮮新聞社, 1922.

조그마한 항아리와 팔뚝고리(腕環) 등을 발견하였는데 이것은 학술적으로 상당한 가치가 있는 것으로 공주시민은 전후 2회의 백제유물의 발견과 백제왕성百濟王城에 있는 고대인이 거주하던 유적 등을 널리 세상에 소개할 박물관을 건설코자 의논 중이라 한다(『중앙일보』 1932년 11월 7일자).

백제박물관 건설운동 재연, 왕릉의 발견과 유물의 발굴로
지난 9월 하순 시외 금성리에서 2기의 왕릉을 발견하고 또 과반 산성공원(백제왕의 城跡) 신도로공사 중 구옥句玉, 기석基石 기타 순금장식 등 얻기 어려운 백제시대의 유물을 발굴하였는데 금일까지 경주 등에서 발견된 것은 금속시대의 유물이나 공주의 출토유물은 조선고대문화사상 지대한 발견이다. 지난 월 우에야마上山 귀족원의원과 같이 함은 일부러 공주에 둘러 고보 가루베輕部 교유의 안내로 동 교유의 수집품과 기타실지 연구를 한 한 결과 그 일품逸品에 경탄한바 있었는데 목하 군보승회에서 이러한 등의 출토유물 기타 다수의 귀중한 유물과 같이 세상에 널리 소개코자 시민회의 발기로 백제박물관 건설기성회를 조직하고 그 실현에 맹 운동 중인바 구체적인 계획은 목하 협의 중이오 장소는 도청지를 충당케 될 모양이으로 실현되는 날에는 단연 경주와 어깨를 비기게 될 것이라 한다(『매일신보』 1932년 11월 9일자).

공주에서의 백제시대 유물에 관해서는 가루베의 수집 유물을 빼고는 말할 수가 없다. 공주에서의 박물관 건설은 당연히 가루베가 공주 각지에서 도굴 내지는 채집한 유물들은 단연 미래의 박물관 건설의 주요 진열품으로 삼고자 했

음을 알 수 있다.

가루베 지온輕部慈恩은 공산성지公山城址에서 "나는 수년간의 지표면 유물채집으로 수다數多의 확실한 백제유물을 얻기에 이르렀고" 다시 1932년 여름부터 가을까지 유람도로공사 중 약간과 공사 후 빗물에 씻겨 나온 기다幾多의 중요한 자료를 채집했다고 한다. 그 종류는 다종다양하며 그 중 가장 현저한 것으로는 금동제공예품, 와, 전, 도기, 석제기구 등을 들고 있다.[391] 이 같은 그의 수집품을 둘러본 일본 귀족원 의원 우에야마上山는 놀라지 않을 없었으며, 공주의 유지들은 가루베의 소장품을 중심으로 박물관 건설의 기운을 일으키고자 했을 것으로 보인다.

1932년 12월 16일

불상 30여 점 발견

경북 영천군 청통면 원촌동에서 호당동에 이르는 도로를 수선하던 중 16일 청통면 서산동 지하 3척 가량 속에서 금동불상 30여 점을 발견하였다. 이것을 발견한 인부들은 당국에 신하지도 않고 부근 사람들에게 나누어 주

회수한 불상과 이중대
(『매일신보』 1932년 12월 26일자)

---

391 輕部慈恩, 「公州に於ける百濟の遺蹟」, 『朝鮮』 朝鮮總督府, 1934년 11월.

었다. 이 소식을 들은 영천경찰서에서는 사법주임이 현장에 출장하여 조사한 결과 금동불상 15체와 이중대_重臺 1개를 겨우 회수했다.[392] 이 일은 총독부에 보고되고 학무국에서 고고학 연구에 중요한 참고자료가 될 것이라고 급히 본부로 송부하라고 하여 경북도에서는 28일 하조 발송하였다.[393]

같은 해

경주 반월성의 궁전 초석 발견

경주신라고적보존회에서는 반월성 내 약 13만 평의 토지를 연고자에게 경작케 하였는데 그 반월성내 지하에 궁전의 초석이 있는 것을 발견하였다.[394]

경주 유물 불법 채집

1932년 총독부와 별도로 메이지대학明治大學의 스기하라 소우스케杉原莊介는 경주 유적을 견학하고, 남산성지 부근에서 석기시대의 적갈색 문양의 토기파편이 산재한 것을 발견하고, 남산의 서단부 서측 경사면 일대에서 마제석부, 고

---

392 『每日申報』1932년 12월 26일자;『東亞日報』1932년 12월 26일자.
393 『每日申報』1932년 12월 30일자.
394 『每日申報』1932년 12월 21일자.

배형토기, 유형파수부토기乳形把手附土器를 채집했다.[395]

일제의 이왕가 재산관리

「이왕가 예산관계서류」(1932년 작성)에 의하면,[396] 일제는 한국을 합병한 후 한국 정부를 없애 왕권을 폐기하고 왕족들의 생활에 관한 모든 재정을 관장하였다.

예산편성과정은 조선총독부 재무국 사계과에서 편성하여 주임과장을 거쳐 재무국장 정무총감, 총독을 경유하여 일본 중앙정부 궁내대신의 최종결재를 통해 이왕직장관으로 넘어 갔다. 또 수입 내용은 이왕가 소유의 산림매각대, 예금 이자, 채권 이자, 창경원 입장료, 기타 전답 임대료 등으로 충당하였다. 그러나 이와 같은 수익을 바탕으로 한 예산편성은 날이 갈수록 연차적으로 기구축소와 함께 삭감해 감으로서 이왕가 존립을 압박해갔다.

특기할 것은 이등박문의 기념사업비까지 기부금 형식으로 빼내갔다.

일제는 한일합방으로 왕권을 빼앗고 왕실경영이라는 측면에서 이왕가 재산에서 기념사업비까지 빼내 갔다.

---

395 早乙女雅博,「新羅の考古學調査「100年」の研究」,『朝鮮史硏究會論文集』39, 朝鮮史硏究會, 2001년 10월, p.77.

396 「이왕가 예산관계서류」(1932년 작성),『일제문서 해제선집』, 총무처 정부기록보존소, 1992.

1932년도 고적조사보고의 「낙랑 대방군시대 기년명전 집록」에 당시까지 발견한 주요한 명문전을 게재하고 있는데, 개인이 소장하고 있는 주요한 전은 다음과 같은 것이 있다.

품명	출토지	소장자
建武九年銘塼	황해도지방 출토	伊藤庄兵衛
光和五年銘塼	황해도 봉산군 문정면 당토성 출토	海州고등보통학교
甘露年銘塼	황해도 신천군 출토	小島健二
太康元年銘塼	황해도 봉산군 문정면 당토성 출토	小島健二
太康四年銘塼	황해도 신천군 북군면 서호리 출토	小島健二
太康七年銘塼 2개	황해도 신천군 출토	小島健二
元康元年銘塼	황해도 지방	小島健二
建興四年銘塼	황해도 지방	今西春秋
太寧五年銘塼	황해도 용문명 복우리 제3호분 출토	今西春秋
咸和十年銘塼·황해도	신천군 신천면 사직리 출토	小島健二

기년명전을 가장 많이 소장한 고지마 겐지小島健二는 『직원록 자료』에 의하면, 1925년부터 황해도 신천보통학교, 도촌보통학교 등에서 해방 때까지 근무한 것으로 나타나 있다.

일본으로 반출된 대동강면 석암리 제201호분 출토유물과
남정리 제116호분 출토유물
1. 대동강면 석암리 제201호 고분 유물

평양대동군 대동강면 석암리 제201호 고분에서 출토한 원시4년명칠이배元始
四年銘漆耳杯를 비롯한 일련의 출토품이『제실박물관연보(1932년 1월~12월)』(제
실박물관, 1933) 및『도쿄박물관도판목록』,『도쿄박물관소장품목록』에는 모두
"구입"으로 기록하고 있다.

석암리 제201호분은 도쿄제국대학에서 발굴을 하다가 중지한 것을 1931년 9
월 18일부터 10월 17일까지 재차 발굴을 한 것이다. 1932년 도쿄제실박물관에
'구입'으로 나타난 석암리 제201호분 출토 유물 목록은 다음과 같다.

『제실박물관연보(1932년 1월~12월)』(제실박물관, 1933) 기록

유물 명	유물 번호	비고
元始四年銘漆耳杯		1932년 購入
居攝三年銘漆盤殘缺		1932년 購入
大利銘漆畵耳杯殘缺		1932년 購入
大型漆匣殘缺		1932년 購入
彫文漆匣殘片 2개	歷史部 第11區 4257~4262	1932년 購入
銅製弩前頭 7개		1932년 購入
漆鞘付鐵鉾, 脚 2개		1932년 購入
土器蓋		1932년 購入
漆耳杯 4개		1932년 購入

1931년에 발굴한 석암리 제201호분의 발굴보고서[397]에 나타난 출토 유물은 다음과 같다.

석암리 제201호분 출토 유물 일람표
(굵은 글씨는 『제실박물관연보(1932년 1월~12월)』에 기록된 유물과 동일한 것임)

漆器, 銅器	**居攝三年銘漆盤殘缺**(2), 漆盤殘缺(7), **元始四年銘漆耳杯**(1), 居攝三年銘漆耳杯殘缺(1), **大利銘漆耳杯**(1), **漆耳杯各種**(8), 漆耳杯殘缺(1), **彫文漆匣**(蓋1), **彫文漆匣殘缺**(1), 彫文漆扁壺(1), **獸衡環飾大型漆匣殘缺**(1), 無文漆匣(1), 漆案殘缺(3), 異形案狀漆器殘缺(1), 六角形漆器把手殘缺(1), 漆奩殘缺(1), 博山爐殘缺(1), 銅洗殘缺(1), 提梁殘缺(1), 馬脚狀漆器脚(2)
土器	壺形土器 大破(4), 壺形土器殘缺(1), **土器蓋**(2)
武器 및 馬具	**鐵鉾**(2), 鐵戟(1), 太刀殘缺(2), 劍殘缺(1), 金銅馬帶鉤(2)
裝身具, 布裂, 棺金具	冠帽殘缺(1), 玳瑁製笄(1), 玉髮飾殘缺(1), 琉璃小玉(2), 銀製指環(1), 絹製袋狀品(1), 絹裂(1), 綿布裂(1), 刺繡裂(1), 金銅製四葉座(4), 金銅製圓鋲(8)
雜器	白木案狀木器殘缺(1), 漆製式占天地盤殘缺(1), 車輪殘缺(1), 竿頭金具(13), 石突狀金具(2), 漆杖殘缺(1), 鞘狀漆製品殘缺(1), 金錯器殘缺(1), 李核(2), 貝殼(4)

위 발굴 유물을 보면 1932년에 도쿄제실박물관에서 구입했다는 유물이 그대로 포함되어 있다.

2. 남정리 제116호분 출토 유물

남정리 제116호분은 1931년 조선고적연구회에서 1931년 10월 5일부터 11월 26일까지 발굴한 것이다.

남정리 제116호분에서 출토한 유물들은 『제실박물관연보(1932년 1월~12

---

397 朝鮮古蹟硏究會,「石巖里の二古墳」,『樂浪彩篋塚』, 1934.

월)』(제실박물관, 1933) 및『동경박물관도판목록』,『동경박물관소장품목록』에
는 모두 "구입"으로 기록하고 있다.

남정리 제116호분 출토유물 구입 건은 다음과 같다.

『제실박물관연보(1932년 1월~12월)』(제실박물관, 1933년) 기록

木馬, 木馬殘缺, 漆盤, 漆匙, 栗 8개, 楔 3개	歷史部第11區 4257~4262	1932년 購入

이 유물들은 모두 조사보고서(조선고적연구회,「남정리채협총」,『낙랑채협
총』, 1934)의 '발견 유물 일람표'에 명확히 게재되어 있는 것들이다.

3. 반출 경위

1932년에 구입했다는 두 고분의 출토유물은 보고서에 나타난 출토유물 일람
표와 비교해 보면 모두 정식 발굴에서 나온 것이다.

그런데 도쿄국립박물관에서 2004년에 간행한『도쿄국립박물관도판목록』조선
도자편(토기, 녹유도기)의「도쿄국립박물관 소장 조선산 토기 · 녹유도기의 수집
경위」를 보면, 1932년에 경성에 주재한 인물로부터 낙랑고분 출토품 13건을 구
입했다고 한다. 구입한 것은 석암리 제201호분 출토의 칠기, 금속품, 토기와 남
정리 제116호분(채협총) 출토의 칠기라고 한다. 특히 석암리201호분의 출토품으
로는 거섭3년명칠기, 원시4년명칠기가 포함되어 있다고 하며 석암리 제201호분
출토 토기 1점을 게재하고 있다. 그리고 같은 해 같은 인물로부터 남정리116호

분 출토 목마 등 6건 구입했다고 한다.[398] 그 매도한 인물은 밝히지 않고 있다.

「도쿄국립박물관 소장 조선산 토기·녹유도기의 수집 경위」의 기록대로라면 도쿄박물관에 석암리 제201호분과 남정리 제116호분의 출토 유물을 매도한 자는 동일 인물이며, 이 유물들은 조선고적보존회에서 정식 조사를 거친 것을 훔쳐서 도쿄박물관에 매도한 것이 된다.

그러나 「조선고적연구회이사회 협의 요항」의 '도쿄제실박물관에 진열품으로 발굴품의 내 약간 기증의 건'에 의하면 '기증'으로 나타나 있다. 그 이유는 도쿄제실박물관에서 1932년도 본회사업비로 금 5천원을 지출한데 대한 감사의 표시와 제실박물관의 특별실 진열품으로 진열하기 위한 것으로 평의회의 토의를 거쳐 총독부의 허가를 받아 기증하는 것으로 나타나 있다.[399]

그 목록은 다음과 같다.

목록

一. 元始四年在銘漆杯   석암리고분 출토

一. 居攝三年在銘漆盤   석암리고분 출토

一. 金銅獸環付大形漆匣破片   석암리고분 출토

一. 銅製弩前頭   석암리고분 출토

---

398 「東京國立博物館所藏朝鮮産土器·綠釉陶器の收集經緯」, 東京國立博物館, 『東京國立博物館圖版目錄』朝鮮陶磁篇(土器,綠釉陶器), 2004.

399 大韓民國政府, 『對日請求 韓國藝術品』, 「附錄」 편, 1960, pp.391~395.
　　「附錄」 편은 한국정부에서 대일청구 한국예술품의 증빙자료로 '참고문서사본'을 첨부하고 있는데, "주로 미술품의 일본 반출 및 파괴 경위 문서 사본으로서 피탈문화재 목록과 관련이 많음"이라고 하고 있다.

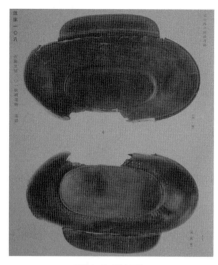

元始四年銘漆耳杯

居攝三年銘漆盤殘缺

一. 無文漆盤 및 匙   남정리고분 출토

一. 木馬   남정리고분 출토

一. 無文漆杯大形 完   2개   남정리고분 출토

一. 無文漆杯小形 完   2개   낡정리고분 출토

一. 漆器破片 各種 若干   남정리고분 출토

　　1932년 8월 13일자로 조선고적연구회이사장 이마이다 기요노리_{今井田淸德}가 궁내차관에게 보낸 <조선고적연구회로부터 궁내차관 제국박물관총장에게 보낸 서신> 에도 이 사실이 나타나 있다. 1932년도 조선고적연구회 사업에 금 5천원을 지출한데 대한 감사의 인사와 함께 "본회수집품 중 조선총독부에서 보

채협총 출토 목마

존하고 있는 칠기 기타 약간 송부 신청" 한다는 내용이다.[400]

따라서 이 두 고분에서 출토한 유물은 조선고적연구회에서 기증한 것을 박물관 측에서는 '구입'으로 표기하고 있는 것이다.

한 가지 의문은 거섭삼년명칠반편居攝三年銘漆盤 片은 정식 보고서에 분명 출토유물 목록에 나타나 있는 것인데,『유리원판 목록집 Ⅱ』(1998)에는 오바 쓰네키치小場恒吉의 개인소장으로 나타나 있다.[401]

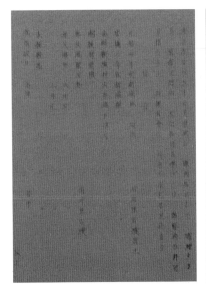

〈조선고적연구회로부터 궁내차관 제국박물관총장에게 보낸 서신〉

---

400 大韓民國政府,『對日請求 韓國藝術品』,「附錄」편, 1960, pp.359~368.
401 국립중앙박물관,『유리원판 목록집 Ⅱ』, 1998, 목록번호 : 330295.

다카하시 겐지(高橋健自)가 반출한 유물

1932년에는 도쿄제실박물관(도쿄국립박물관)에서 다카하시 겐지高橋健自로부터 140여 점의 유물을 대량 구입한 건이 보인다. 대단히 체계적으로 수집한 것이라는 것을 알 수 있다.『신라고와의 연구』에는 "도쿄제실박물관에서 다카하시 박사의 수집품을 재작년 일괄 구입 경주출토의 주요품을 망라"[402]한다고 한다. 조선총독부박물관 협의원이기도 했던 다카하시는 한국 각지를 조사하면서 개인적으로 발굴품 중 일부를 취한 것도 있으며 상인들로 구입한 것이 많이 있다. 다카하시 사후에 이시다 시게사쿠石田茂作가 편찬한 다카하시 수집의『고와도감』(1930)을 보면, 이 속에는 고와 총 959점이 실려 있는데, 그 중에 한국에서 출토된 고와와 집안현의 고구려 전을 합해 116점이나 되었다.[403]

그 목록을 보면 다음과 같다.

---

402 濱田耕作, 梅原末治,『新羅古瓦の研究』, 京都帝國大學, 1934.
403 石田茂作,『古瓦圖鑑』, 1930.

유물명	출토지	유물번호	출처	비고
鐙瓦 4개, 宇瓦 1개, 塼 1개	경주 분황사 발견	歷史部第4區 2232	『年譜(1932)』[404]	 구입. 高橋健自氏蒐集古瓦

404 帝室博物館, 『帝室博物館年譜(昭和7年 1月~12月)』, 1933.

유물 명	출토지	유물 번호	출처	비고
鐙瓦 3개, 棰瓦 1개, 宇瓦 4개, 塼 3개	경주 사천왕사 발견	歷史部第4區 2232	『年譜(1932)』	 구입. 高橋健自氏蒐集古瓦
鐙瓦 3개	경주 황룡사지 발견	歷史部第4區 2232	『年譜(1932)』	 구입. 高橋健自氏蒐集古瓦

유물 명	출토지	유물 번호	출처	비고
鐙瓦 1개	경주 삼랑사지 발견	歷史部第4區 2232	『年譜(1932)』	 구입. 高橋健自氏蒐集古瓦
鐙瓦 1개	경주 보문사지 발견	歷史部第4區 2232	『年譜(1932)』	 구입. 高橋健自氏蒐集古瓦
鐙瓦 1개, 宇瓦 1개	경주 반월성지 발견	歷史部第4區 2232	『年譜(1932)』	 구입. 高橋健自氏蒐集古瓦

유물명	출토지	유물 번호	출처	비고
鐙瓦 5개, 宇瓦 2개	경주 임해전지 발견	歷史部第4區 2232	『年譜(1932)』	 구입. 高橋健自氏蒐集古瓦
鐙瓦 1개	경주 인왕사지 발견	歷史部第4區 2232	『年譜(1932)』	 구입. 高橋健自氏蒐集古瓦
鐙瓦 1개	경주 포석정부근 발견	歷史部第4區 2232	『年譜(1932)』	 구입. 高橋健自氏蒐集古瓦
鐙瓦 1개	경주 견곡면 나원 발견	歷史部第4區 2232	『年譜(1932)』	구입. 高橋健自氏蒐集古瓦

유물 명	출토지	유물 번호	출처	비고
宇瓦 1개	경주 배반리 발견	歷史部第4區 2232	『年譜(1932)』	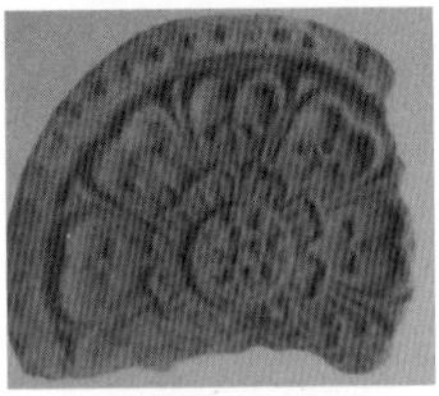 구입. 高橋健自氏蒐集古瓦
鐙瓦14개, 宇瓦 26개, 平瓦 2개, 鬼瓦 1개, 棰瓦 1개	경주 부근	歷史部第4區 2232	『年譜(1932)』	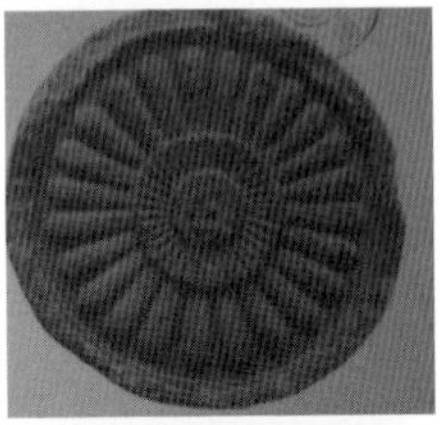    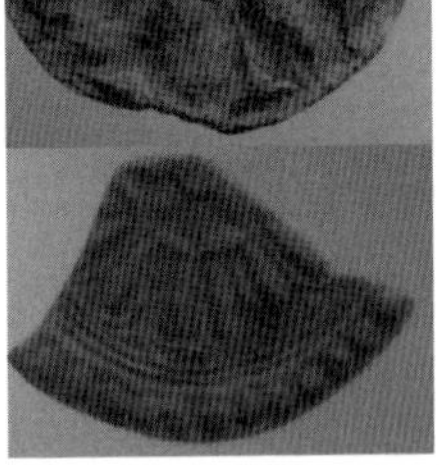

유물 명	출토지	유물 번호	출처	비고

유물명	출토지	유물 번호	출처	비고

유물 명	출토지	유물 번호	출처	비고

유물 명	출토지	유물 번호	출처	비고
				 구입. 高橋健自氏蒐集古瓦
鐙瓦 1개	경주 황오리	歷史部第4區 2232	『年譜(1932)』	 구입. 高橋健自氏蒐集古瓦
鐙瓦 3개	백제평제탑(정림사지탑) 발견	歷史部第4區 2232	『年譜(1932)』	구입. 高橋健自氏蒐集古瓦
鐙瓦 1개	부여 사비루 발견	歷史部第4區 2232	『年譜(1932)』	구입. 高橋健自氏蒐集古瓦
鐙瓦 1개, 榑瓦 1개	부여산 발견	歷史部第4區 2232	『年譜(1932)』	구입. 高橋健自氏蒐集古瓦
鐙瓦 2개, 宇瓦 7개	만월대 발견	歷史部第4區 2232	『年譜(1932)』	구입. 高橋健自氏蒐集古瓦
鐙瓦 1개	유점사 발견	歷史部第4區 2232	『年譜(1932)』	구입. 高橋健自氏蒐集古瓦
鐙瓦 3개	낙랑 발견	歷史部第4區 2232	『年譜(1932)』	구입. 高橋健自氏蒐集古瓦
鐙瓦 22개	평양부근 발견	歷史部第4區 2232	『年譜(1932)』	구입. 高橋健自氏蒐集古瓦

유물명	출토지	유물 번호	출처	비고
鐙瓦 1개	洞溝城 발견	歷史部第4區 2232	『年譜(1932)』	구입. 高橋健自氏蒐集古瓦
鐙瓦 1개, 宇瓦 2개	禾洞부근 발견	歷史部第4區 2232	『年譜(1932)』	구입. 高橋健自氏蒐集古瓦
鐙瓦 3개	장군총 발견	歷史部第4區 2232	『年譜(1932)』	구입. 高橋健自氏蒐集古瓦
鐙瓦 3개, 塼 4개	대왕릉 발견	歷史部第4區 2232	『年譜(1932)』	구입. 高橋健自氏蒐集古瓦

도쿄박물관의 1932년도 기타 수입품

유물명	출토지	유물 번호	출처	비고
漆案脚殘片 3개	평남 대동강면 낙랑고분	歷史部第11區 4207~4209	『年譜(1932)』	구입
勾玉	공주 발견	歷史部第11區 4210	『年譜(1932)』	구입
金製耳飾 1쌍	공주 발견	歷史部第11區 4211	『年譜(1932)』	구입
金環 2개	공주 발견	歷史部第11區 4212	『年譜(1932)』	구입
壺 3점	공주 발견	歷史部第11區 4213~4215	『年譜(1932)』	구입
石劍	회령부근 발견	歷史部第11區 4224	『年譜(1932)』	구입
石劍	회령부근 발견	歷史部第11區 4225	『年譜(1932)』	구입
石斧	회령부근 발견	歷史部第11區 4226	『年譜(1932)』	구입
磨製石鏃 3건	공주 발견	歷史部第11區 4227	『年譜(1932)』	기증. 輕部慈恩
小玉	공주 발견	歷史部第11區 4228	『年譜(1932)』	기증. 輕部慈恩
磨製石器	공주 발견	歷史部第11區 4229	『年譜(1932)』	기증. 輕部慈恩
壺	공주발견		『東博圖版目錄』 2004.[405] 39	구입. 輕部慈恩, 舊藏

---

405 東京國立博物館, 『東京國立博物館圖版目錄』 朝鮮陶磁篇(土器, 綠釉陶器), 2004.

유물명	출토지	유물 번호	출처	비고
蓮花紋鐙瓦 2개	부여	28988, 28989	『收藏品目錄』 1956.	기증. 輕部慈恩
琉璃製小玉 一連	공주	28891	『收藏品目錄』 1956.	기증. 輕部慈恩
磨製石劍 2개	공주	28669, 28670	『收藏品目錄』 1956.	기증. 輕部慈恩
銅製佛形立像 (長6.5糎)	공주부근 발견	歷史部第11區 4263	『年譜(1932)』	採集
水指	조선시대	美術工藝部第2區 內873	『年譜(1932)』	구입
雨淚水鉢	조선시대	美術工藝部第2區 內875	『年譜(1932)』	구입
靑磁刻文茶盌		美術工藝部第2區 內878	『年譜(1932)』	구입
靑磁象嵌文鉢 2점		美術工藝部第2區 內879, 880	『年譜(1932)』	구입
鐵砂釉仙盞甁		美術工藝部第2區 內881	『年譜(1932)』	구입
三島手鉢		美術工藝部第2區 內882	『年譜(1932)』	구입
三島手平茶盌		美術工藝部第2區 內883	『年譜(1932)』	구입
三島手皿		美術工藝部第2區 內884	『年譜(1932)』	구입
雨淚手馬上杯		美術工藝部第2區 內885	『年譜(1932)』	구입
刷毛目盞 5점		美術工藝部第2區 內886~890	『年譜(1932)』	구입
繪高麗德利		美術工藝部第2區 內891	『年譜(1932)』	구입
繪高麗鉢		美術工藝部第2區 內892	『年譜(1932)』	구입
三島手鉢 3점		美術工藝部第2區 內893~895	『年譜(1932)』	구입
三島手盞 2점		美術工藝部第2區 內896, 897	『年譜(1932)』	구입
三島手鉢		美術工藝部第2區 內898	『年譜(1932)』	구입

유물명	출토지	유물 번호	출처	비고
三島手茶盌 2점		美術工藝部第2區 內899, 900	『年譜(1932)』	구입
三島手盞		美術工藝部第2區 內901	『年譜(1932)』	구입
粉吹手鉢		美術工藝部第2區 內902	『年譜(1932)』	구입
刷毛目茶盌		美術工藝部第2區 內903	『年譜(1932)』	구입
刷毛目鉢		美術工藝部第2區 內904	『年譜(1932)』	구입
刷毛目茶盌		美術工藝部第2區 內905	『年譜(1932)』	구입
刷毛目盞 4점		美術工藝部第2區 內906~909	『年譜(1932)』	구입
繪高麗德利		美術工藝部第2區 內910	『年譜(1932)』	구입
繪高麗德利		美術工藝部第2區 內911	『年譜(1932)』	구입
繪高麗馬上杯		美術工藝部第2區 內912	『年譜(1932)』	구입
繪高麗盞		美術工藝部第2區 內913	『年譜(1932)』	구입
繪高麗壺		美術工藝部第2區 內914	『年譜(1932)』	구입
三島手茶盌		美術工藝部第2區 內915	『年譜(1932)』	구입
刷毛目盞		美術工藝部第2區 內916	『年譜(1932)』	구입
刷毛目盞		美術工藝部第2區 內917	『年譜(1932)』	구입
刷毛目盞		美術工藝部第2區 內918	『年譜(1932)』	구입
堅手茶盌		美術工藝部第2區 內919	『年譜(1932)』	구입
碧釉瓦		美術工藝部第2區 內920	『年譜(1932)』	구입
繪高麗德利		美術工藝部第2區 內921	『年譜(1932)』	구입
청자 등 수십 점		美術工藝部第2區	『年譜(1932)』	기증. 橫河民輔, 중국도자기와 함께 목록에 실려 있으나 정확히 구분하지 않고 있음

색인